HOROSCOPE 2001

Agence de distribution populaire
1261 A, rue Shearer
Montréal (Québec) H3K 3G4
Téléphone: (514) 523-1182
Télécopieur: (514) 939-0705

Distribution pour la France et la Belgique :
Diffusion Casteilla
10, rue Léon-Foucault
78184 Saint-Quentin-en-Yvelines Cedex
Téléphone: (1) 30 14 19 30

Distribution pour la Suisse :
Diffusion Transat S.A.
Case postale 1210
4 ter, route des Jeunes
1211 Genève 26
Téléphone: 022 / 342 77 40
Télécopieur: 022 / 343 4646

ANNE-MARIE CHALIFOUX, D.N.

HOROSCOPE 2001

Une division de Trustar ltée
2020, rue University
20e étage, bureau 2000
Montréal (Québec) H3A 2A5

Vice-président, éditions: Claude Leclerc

Directrice des éditions: Annie Tonneau

Correction: Louise Bouchard, Corinne De Vailly, Chantal Tellier

Infographie: Roger Des Roches, SÉRIFSANSÉRIF

Recherche: Marie-Hélène Meunier

Vice-présidente, création: Nancy Fradette

Couverture: Michel Denommée

Photos: Charles Richer

Maquillage, coiffure et coordination: Macha Colas

Vêtements: Shelly Segal, Ariane Carle Design

Dépôt légal: Deuxième trimestre 2000
Bibliothèque nationale du Québec
Bibliothèque nationale du Canada
ISBN: 2-89490-044-9

Cet ouvrage a été imprimé
sur du papier recyclé

Ce livre appartient à

____

Puisse cette nouvelle année vous apporter une multitude de bonnes choses.
Paix, harmonie, lumière!

Anne-Marie Chalifoux, D.N.

Sommaire

Préface

Déjà mon dix-huitième livre d'astrologie et pourtant l'enthousiasme demeure exactement le même! Comme toujours, j'y ai mis le meilleur de moi-même afin que ce guide vous aide à faire de votre vie un véritable succès.

Je ne peux m'empêcher de vous redire à quel point votre volonté est plus puissante que n'importe quel aspect planétaire. N'hésitez pas à prendre votre vie en main et à devenir dès aujourd'hui les cocréateurs de votre avenir.

Si une bonne période s'annonce, profitez-en au maximum en vous disant que vous l'avez parfaitement mérité. Si vous traversez des moments difficiles, sachez que vous pouvez en minimiser l'impact en prenant quelques précautions. La vie n'est-elle pas pour nous tous une merveilleuse école?

En écrivant ce type de livre, je n'ai jamais cherché à vous dicter votre conduite, je vous respecte bien trop pour cela. J'aimerais tout simplement vous annoncer le temps qu'il fera dans votre vie pour que vous puissiez en tirer le meilleur parti.

Que cet ouvrage soit donc un outil susceptible de vous aider à vous réaliser et à concrétiser vos espoirs.

Amicalement,

Spécial loterie et jeux de hasard pour 2001

Dans notre carte du ciel, certains éléments peuvent déterminer notre potentiel de chance, peu importe notre signe ou notre ascendant. Afin de découvrir votre potentiel de chance, commencez par établir à quel groupe vous appartenez dans les tableaux suivants. Une fois en possession de votre numéro de groupe, vous n'aurez qu'à repérer vos meilleures périodes en 2001.

SI VOUS ÊTES NÉ

ENTRE LE	ET LE	VOTRE GROUPE EST LE
1er janv. 1910	11 nov. 1910	7
12 nov. 1910	9 déc. 1911	8
10 déc. 1911	2 janv. 1913	9
3 janv. 1913	21 janv. 1914	10
22 janv. 1914	3 fév. 1915	11
4 fév. 1915	11 fév. 1916	12
12 fév. 1916	25 juin 1916	1
26 juin 1916	26 oct. 1916	2
27 oct. 1916	12 fév. 1917	1
13 fév. 1917	29 juin 1917	2
30 juin 1917	12 juillet 1918	3
13 juillet 1918	1er août 1919	4
2 août 1919	26 août 1920	5
27 août 1920	25 sept. 1921	6
26 sept. 1921	26 oct. 1922	7
27 oct. 1922	24 nov. 1923	8
25 nov. 1923	17 déc. 1924	9
18 déc. 1924	5 janv. 1926	10
6 janv. 1926	17 janv. 1927	11
18 janv. 1927	5 juin 1927	12
6 juin 1927	10 sept. 1927	1
11 sept. 1927	22 janv. 1928	12
23 janv. 1928	4 juin 1928	1
5 juin 1928	12 juin 1929	2
13 juin 1929	26 juin 1930	3
27 juin 1930	16 juillet 1931	4
17 juilllet 1931	10 août 1932	5
11 août 1932	9 sept. 1933	6
10 sept. 1933	10 oct. 1934	7
11 oct. 1934	8 nov. 1935	8
9 nov. 1935	1er déc. 1936	9
2 déc. 1936	19 déc. 1937	10
20 déc. 1937	13 mai 1938	11
14 mai 1938	29 juillet 1938	12
30 juillet 1938	29 déc. 1938	11
30 déc. 1938	11 mai 1939	12
12 mai 1939	29 oct. 1939	1

SI VOUS ÊTES NÉ

ENTRE LE	ET LE	VOTRE GROUPE EST LE
30 oct. 1939	20 déc. 1939	12
21 déc. 1939	15 mai 1940	1
16 mai 1940	26 mai 1941	2
27 mai 1941	9 juin 1942	3
10 juin 1942	30 juin 1943	4
1er juillet 1943	25 juillet 1944	5
26 juillet 1944	24 août 1945	6
25 août 1945	24 sept. 1946	7
25 sept. 1946	23 oct. 1947	8
24 oct. 1947	14 nov. 1948	9
15 nov. 1948	12 avril 1949	10
13 avril 1949	27 juin 1949	11
28 juin 1949	30 nov. 1949	10
1er déc. 1949	14 avril 1949	11
15 avril 1949	14 sept. 1950	12
15 sept. 1950	1er déc. 1950	11
2 déc. 1950	21 avril 1951	12
22 avril 1951	28 avril 1952	1
29 avril 1952	9 mai 1953	2
10 mai 1953	23 mai 1954	3
24 mai 1954	12 juin 1955	4
13 juin 1955	16 nov. 1955	5
17 nov. 1955	17 janv. 1956	6
18 janv. 1956	7 juillet 1956	5
8 juillet 1956	12 déc. 1956	6
13 déc. 1956	19 fév. 1957	7
20 fév. 1957	6 août 1957	6
7 août 1957	13 janv. 1958	7
14 janv. 1958	20 mars 1958	8
21 mars 1958	6 sept. 1958	7
7 sept. 1958	10 fév. 1959	8
11 fév. 1959	24 avril 1959	9
25 avril 1959	5 oct. 1959	8
6 oct. 1959	1er mars 1960	9
2 mars 1960	9 juin 1960	10
10 juin 1960	25 oct. 1960	9
26 oct. 1960	14 mars 1961	10

SI VOUS ÊTES NÉ

ENTRE LE	ET LE	VOTRE GROUPE EST LE
15 mars 1961	11 août 1961	11
12 août 1961	3 nov. 1961	10
4 nov. 1961	25 mars 1962	11
26 mars 1962	3 avril 1963	12
4 avril 1963	11 avril 1964	1
12 avril 1964	22 avril 1965	2
23 avril 1965	20 sept. 1965	3
21 sept. 1965	16 nov. 1965	4
17 nov. 1965	5 mai 1966	3
6 mai 1966	27 sept. 1966	4
28 sept. 1966	15 janv. 1967	5
16 janv. 1967	22 mai 1967	4
23 mai 1967	18 oct. 1967	5
19 oct. 1967	26 fév. 1968	6
27 fév. 1968	15 juin 1968	5
16 juin 1968	15 nov. 1968	6
16 nov. 1968	30 mars 1969	7
31 mars 1969	15 juillet 1969	6
16 juillet 1969	16 déc. 1969	7
17 déc. 1969	28 avril 1970	8
29 avril 1970	15 août 1970	7
16 août 1970	13 janv. 1971	8
14 janv. 1971	4 juin 1971	9
5 juin 1971	11 sept. 1971	8
12 sept. 1971	6 fév. 1972	9
7 fév. 1972	24 juillet 1972	10
25 juillet 1972	25 sept. 1972	9
26 sept. 1972	22 fév. 1973	10
23 fév. 1973	7 mars 1974	11
8 mars 1974	18 mars 1975	12
19 mars 1975	25 mars 1976	1
26 mars 1976	22 août 1976	2
23 août 1976	16 oct. 1976	3
17 oct. 1976	3 avril 1977	2
4 avril 1977	20 août 1977	3
21 août 1977	30 déc. 1977	4
31 déc. 1977	11 avril 1978	3

SI VOUS ÊTES NÉ

ENTRE LE	ET LE	VOTRE GROUPE EST LE
12 avril 1978	4 sept. 1978	4
5 sept. 1978	28 fév. 1979	5
1er mars 1979	19 avril 1979	4
20 avril 1979	28 sept. 1979	5
29 sept. 1979	26 oct. 1980	6
27 oct. 1980	26 nov. 1981	7
27 nov. 1981	25 déc. 1982	8
26 déc. 1982	19 janv. 1984	9
20 janv. 1984	6 fév. 1985	10
7 fév. 1985	20 fév. 1986	11
21 fév. 1986	2 mars 1987	12
3 mars 1987	8 mars 1988	1
9 mars 1988	21 juillet 1988	2
22 juillet 1988	30 nov. 1988	3
1er déc. 1988	10 mars 1989	2
11 mars 1989	30 juillet 1989	3
31 juillet 1989	17 août 1990	4
18 août 1990	11 sept 1991	5
12 sept. 1991	10 oct. 1992	6
11 oct. 1992	9 nov. 1993	7
10 nov. 1993	8 déc. 1994	8
9 déc. 1994	2 janv. 1996	9
3 janv. 1996	21 janv. 1997	10
22 janv. 1997	3 fév. 1998	11
4 fév. 1998	11 fév. 1999	12
12 fév. 1999	27 juin 1999	1
28 juin 1999	24 oct. 1999	2
25 oct. 1999	31 déc. 1999	1
1er janv. 2000	13 fév. 2000	1
14 fév. 2000	29 juin 2000	2
30 juin 2000	31 déc. 2000	3

Vous venez de déterminer à quel groupe vous appartenez; il vous suffit de consulter le tableau suivant pour savoir quelles sont vos périodes de chance cette année.

Période	Signes ou ascendants TRÈS favorisés	Signes ou ascendants MOYENNEMENT favorisés	Signes ou ascendants LÉGÈREMENT favorisés
1er au 14 janv.		Gémeaux, Balance, Verseau, surtout des groupes 3, 7, 11	Cancer, Poissons, surtout des groupes 4, 8, 12
15 fév. au 11 juillet		Gémeaux, Balance, Verseau, surtout des groupes 3, 7, 11	Lion, Bélier, surtout des groupes 1, 5, 9
12 juillet au 8 sept.		Cancer, Scorpion, Poissons, surtout des groupes 4, 8, 12	Lion, Bélier, surtout des groupes 1, 5, 9
9 sept. au 27 oct.		Cancer, Scorpion, Poissons, surtout des groupes 4, 8, 12	Taureau, Vierge, surtout des groupes 2, 6, 10
28 oct. au 8 déc.		Cancer, Scorpion, Poissons, surtout des groupes 4, 8, 12	Balance, Gémeaux, surtout des groupes 3, 7, 11
9 déc. au 31 déc.	Cancer, Scorpion, Poissons, surtout des groupes 4, 8, 12	Taureau, Vierge, surtout des groupes 2, 6, 10	Taureau, Vierge, surtout des groupes 4, 8, 12

Si votre signe et votre groupe se trouvent dans ce tableau, vos chances sont meilleures que si seul votre signe est mentionné.

Exemple:

Si vous êtes né le 14 juillet 1954, vous êtes un Cancer du groupe 4:

- vos chances au jeu sont légères du 1er janvier au 14 février,
- moyennes du 12 juillet au 8 décembre,
- excellentes du 9 au 31 décembre.

Les mystères de la Lune

Tout le monde sait que les marées résultent de l'attraction gravitationnelle de la Lune et du Soleil sur les particules liquides des océans. Cette attraction se fait aussi sentir sur toutes les particules liquides que nous trouvons dans tout ce qui vit: les plantes, les animaux et même nous, les humains. On sait que le corps humain est constitué d'environ 70 % d'eau.

LE CYCLE LUNAIRE

Le cycle de la Lune dure 28 jours et se divise en quatre phases d'une semaine chacune.

- Le cycle lunaire débute avec la nouvelle lune, aussi appelée lunaison. À ce moment précis, la Lune est invisible dans le ciel, c'est pourquoi on la représente par un rond noir ● sur les calendriers.
- Sept jours plus tard, apparaît le premier quartier de lune. Sur vos calendriers, on l'illustre par un croissant de lune ☽ en forme de D. Cette phase dure elle aussi une semaine.
- Vient ensuite le moment le plus spectaculaire, la pleine lune, qu'on représente sur les calendriers par un cercle blanc ○.
- Une semaine après le jour de la pleine lune arrive le dernier quartier de lune, illustré sur les calendriers par un croissant ☾ en forme de C. Cette phase, qui dure également une semaine, nous mènera à la prochaine lunaison.

UN MOT SUR LES ÉCLIPSES

La peur des éclipses nous vient des temps reculés où l'on prenait les astres pour des divinités. Sachant que le Soleil était source de toute vie, il est normal qu'on ait craint de le perdre au moment où se produisait une éclipse solaire. Les éclipses ne sont pas des phénomènes aussi extraordinaires qu'on le prétend; il s'agit simplement d'un phénomène optique.

Une éclipse du Soleil se produit lorsque la Lune se place entre la Terre et le Soleil, le cachant alors à notre vue; une éclipse de Lune provient de l'ombre projetée par la Terre sur celle-ci alors que le Soleil est placé «derrière» la Terre. Lorsqu'il y a éclipse de Soleil, c'est toujours au moment de la nouvelle lune; lorsqu'il y a éclipse de la Lune, c'est toujours au moment de la pleine lune.

Comment utiliser le pouvoir de la Lune

Voici une série de trucs liés aux différentes phases de la Lune. Certains nous viennent de nos grands-mères qui étaient des femmes éclairées, d'autres nous ont été fournis par des cultivateurs et par ceux qui sont en contact étroit avec la nature et les phénomènes célestes.

● Durant la semaine qui suit le jour de la nouvelle lune, on pourra avec succès chercher du travail et mettre ses projets sur pied. Bon temps pour labourer, pour tailler ses plantes ou ses arbustes et pour enlever les mauvaises herbes. Si on souhaite que ses cheveux ou ses ongles repoussent avec davantage de vigueur, c'est le moment de les couper. Cette phase lunaire ne convient pas beaucoup aux affaires amoureuses; par contre, elle est formidable pour amorcer une cure de nettoyage.

☽ Pendant la semaine qui suit le premier quartier, il arrive fréquemment que le sommeil soit plus léger. Durant cette période, on aura de la chance si on s'occupe de vente ou si on doit effectuer une transaction. On est très motivé au travail, ce qui permet de gravir d'importants échelons. En règle générale, les contacts avec les autres deviennent plus faciles. Les amoureux se rapprochent, résolvent certaines divergences d'opinions et prennent des engagements sérieux. Les plantes sont en pleine période de croissance et nécessitent ainsi plus d'attention: c'est le temps de semer, de fertiliser, de diviser les plants et il faudra probablement arroser davantage. Bonne semaine encore une fois pour couper ses ongles ou ses cheveux. Cette période est constructive pour plusieurs; toutefois, ceux qui souffrent d'un dérangement émotionnel ou psychique risquent de faire des gestes qu'ils regretteront.

○ Durant la semaine qui suit le jour de la pleine lune, règne un sentiment de confusion généralisée qui, heureusement, a tendance à diminuer graduellement. Les questions d'argent et de travail nous préoccupent davantage. On a plus tendance à se quereller; en amour, il y a alternance de scènes romantiques et de prises de bec. La vie sociale, par contre, devient emballante. Pour les plantes, il s'agit d'une période très active, particulièrement pour le bourgeonnement et la croissance des racines; toutefois, ce n'est pas le meilleur temps pour semer ou rempoter. Ceux qui détestent aller chez le coiffeur devraient choisir cette semaine pour faire couper leurs cheveux, car ils repousseront moins rapidement. Excellente période pour entreprendre un régime amaigrissant.

☾ Durant la semaine qui suit le dernier quartier, on fait davantage d'introspection, on se cherche et bien souvent on ne sait pas trop où on s'en va. Ceux qui ont agi avec persévérance verront leurs efforts récompensés. De fait, il s'agit là d'une période durant laquelle les conséquences des gestes passés nous rattrapent. Trop souvent, on est plus en amour avec l'amour qu'avec son partenaire; revenir sur terre améliorerait certes la vie de couple. Cette phase lunaire est bénéfique pour la spiritualité, l'intuition ainsi que la vie sociale. Pour le jardinage, c'est un moment propice pour enlever les fleurs fanées, les feuilles jaunies et les mauvaises herbes. Ajoutons que c'est le meilleur temps pour s'épiler.

Les phases de la Lune en 2001

● Nouvelle lune
☽ Premier quartier
○ Pleine lune
☾ Dernier quartier

2 janvier	Premier quartier	☽
9 janvier	Pleine lune et éclipse lunaire totale	○
16 janvier	Dernier quartier	☾
24 janvier	Nouvelle lune	●
1er février	Premier quartier	☽
8 février	Pleine lune	○
14 février	Dernier quartier	☾
23 février	Nouvelle lune	●
2 mars	Premier quartier	☽
9 mars	Pleine lune	○
16 mars	Dernier quartier	☾
24 mars	Nouvelle lune	●
1er avril	Premier quartier	☽
7 avril	Pleine lune	○
15 avril	Dernier quartier	☾
23 avril	Nouvelle lune	●
30 avril	Premier quartier	☽
7 mai	Pleine lune	○
15 mai	Dernier quartier	☾
22 mai	Nouvelle lune	●
29 mai	Premier quartier	☽
5 juin	Pleine lune	○
13 juin	Dernier quartier	☾
21 juin	Nouvelle lune et éclipse totale du Soleil	●
27 juin	Premier quartier	☽
5 juillet	Pleine lune et éclipse lunaire partielle	○

20 juillet	Nouvelle lune	●
27 juillet	Premier quartier	☽
4 août	Pleine lune	○
12 août	Dernier quartier	☾
18 août	Nouvelle lune	●
25 août	Premier quartier	☽
2 septembre	Pleine lune	○
10 septembre	Dernier quartier	☾
17 septembre	Nouvelle lune	●
24 septembre	Premier quartier	☽
2 octobre	Pleine lune	○
10 octobre	Dernier quartier	☾
16 octobre	Nouvelle lune	●
23 octobre	Premier quartier	☽
1er novembre	Pleine lune	○
8 novembre	Dernier quartier	☾
15 novembre	Nouvelle lune	●
22 novembre	Premier quartier	☽
30 novembre	Pleine lune	○
7 décembre	Dernier quartier	☾
14 décembre	Nouvelle lune et éclipse annulaire du Soleil	●
22 décembre	Premier quartier	☽
30 décembre	Pleine lune et éclipse lunaire annulaire	○

La carte du ciel en 2001

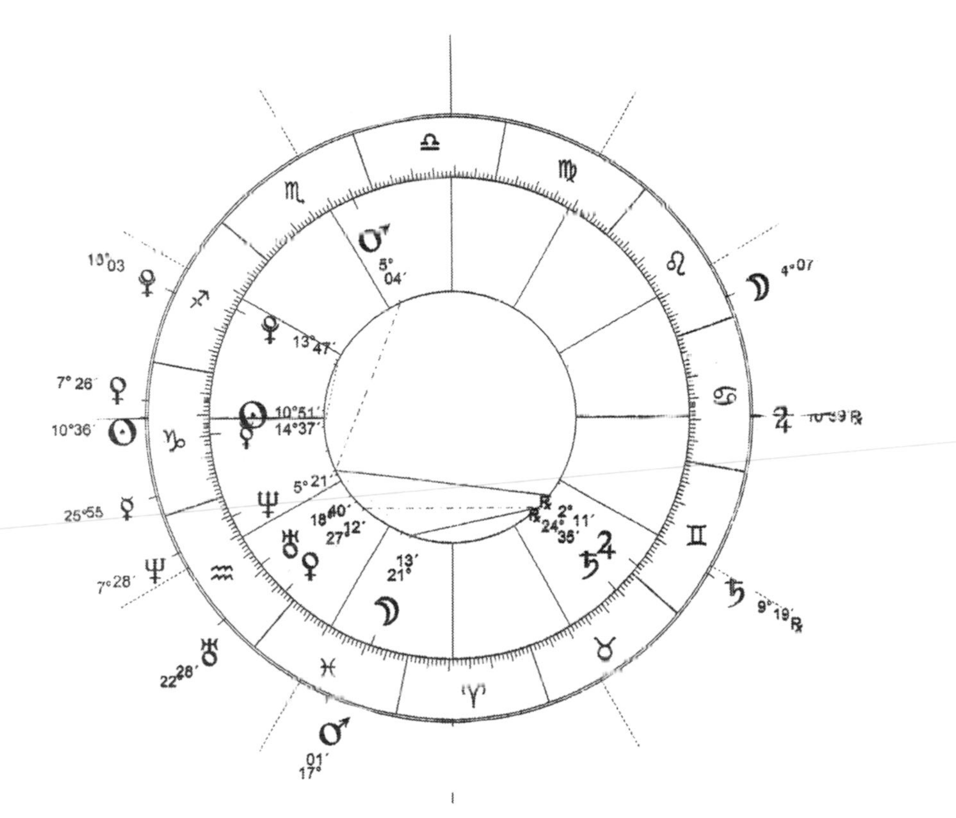

La position des planètes en 2001

JUPITER commencera l'année en Gémeaux. Le 12 juillet, à 19 h 04, elle entrera en Cancer où elle restera jusqu'au 31 décembre.

SATURNE commencera l'année en Taureau et y séjournera jusqu'au 20 avril à 17 h; elle s'installera ensuite en Gémeaux pour y terminer l'année.

URANUS continuera d'évoluer en Verseau.

NEPTUNE fera de même.

PLUTON poursuivra sa visite du Sagittaire.

MARS visitera successivement le Scorpion, le Sagittaire, le Capricorne, le Verseau et les Poissons.

VÉNUS transitera par tous les signes.

MERCURE visitera elle aussi tous les signes.

Chacune de ces planètes exerce une influence sur vous et sur votre destinée, même si elle n'évolue pas directement dans votre signe. Le chapitre concernant vos prévisions annuelles et mensuelles vous donne une explication détaillée sur chaque transit. Il vous renseigne également sur l'influence du SOLEIL, de la LUNE et des ÉCLIPSES.

L'influence des planètes

Chaque planète a une influence particulière; évidemment, il est impossible de vous donner un cours d'astrologie en quelques lignes, mais voici, en résumé, à quoi chacune d'elles correspond.

LE SOLEIL: Le sujet, sa personnalité, sa force vitale; le désir de briller, la réussite sociale, le père et, s'il s'agit d'une femme, son conjoint. C'est la position du Soleil dans le zodiaque qui détermine à quel signe on appartient.

LA LUNE: L'émotivité, les sentiments, les changements, l'intuition, les petits déplacements, la famille, la mère et, s'il s'agit d'un homme, son épouse.

MERCURE: Les enfants, la jeunesse du sujet, l'intelligence, la logique, le goût d'apprendre, les études, les communications et le commerce.

VÉNUS: Les amours, les sentiments, le bonheur intime, la vie de couple, le goût des belles choses, les arts et l'apparence du sujet.

MARS: L'énergie, la force, la façon dont on s'extériorise, le travail, les conflits, les blessures, les accidents et les opérations chirurgicales.

JUPITER: Ce que la vie nous donne, les biens matériels, la richesse, l'optimisme, les honneurs, les appuis gouvernementaux, les relations avec la loi et les contacts avec l'étranger.

SATURNE: La sagesse, l'évolution, les restrictions, les épreuves, ce que la vie nous enlève, la détermination, la patience, l'économie, le désir de sécurité, la fin de la vie.

URANUS: Les choses soudaines, les changements imprévisibles, l'originalité, l'esprit d'invention, les nouvelles technologies, la parapsychologie et les grands idéaux.

NEPTUNE: Le génie créatif, l'inspiration, la vie émotive, les croyances mystiques, les choses qu'on ignore, les secrets, les mystères, les dépendances et les illusions.

PLUTON: Les changements profonds et radicaux, les transformations, les catastrophes, les nouveaux départs, la sexualité.

À la naissance, chacun de nous avait toutes ces planètes à différents endroits du zodiaque et subissait leurs influences simultanément. Ainsi, bien qu'elles aient le même signe et le même ascendant, deux personnes peuvent être très différentes.

Par exemple, si à votre naissance le Soleil se trouve en Bélier, vous serez un Bélier dynamique et prompt... Mais vous pouvez en même temps avoir Vénus en Poissons, ce qui vous rend tendre et romantique en amour; et aussi avoir Jupiter en Capricorne, vous êtes alors sage et prévoyant en affaires, etc. La carte du ciel ou le «thème de naissance» indique donc en quoi vous êtes différent des autres natifs de votre signe.

Prévisions mondiales pour 2001

Plusieurs configurations planétaires importantes nous laissent présager une année fertile en rebondissements. Les secteurs politiques, religieux et financiers connaîtront encore plusieurs bouleversements. Heureusement, des aspects harmoniques nous permettent d'entrevoir une issue positive.

Le carré de Saturne à Uranus jusqu'au milieu du printemps n'annonce rien de très reluisant en ce qui a trait à l'économie; un vent d'instabilité continue de souffler sur le monde de la bourse. Le reste de l'année s'annonce toutefois plus clément; les secteurs de l'informatique, de l'électronique et de l'aéronautique permettront à de nombreux investisseurs de faire un coup d'argent.

La sphère des communications et des télécommunications connaîtra un important essor; il est toutefois possible qu'un scandale secoue ce secteur particulièrement d'ici l'été. Attendons-nous également à plusieurs transformations dans le milieu de la presse écrite. Le domaine des transports connaîtra lui aussi sa part de bouleversements; de nouvelles technologies, des inventions nous feront découvrir de meilleures façons de nous déplacer.

Des alliances significatives s'établiront entre les nations; pourtant, à l'intérieur de plusieurs d'entre elles, le climat demeure perturbé. On est prêt à s'entendre avec d'autres pays, mais pas toujours avec son voisin immédiat. Jusqu'à la mi-juillet, nous entendrons donc encore fréquemment parler de guerres intestines, de révoltes et de divisions. Les travailleurs revendiquent leurs droits avec force, les grèves se multiplient et les autorités en place n'ont d'autre choix que d'intervenir. Voilà qui déplaira au peuple.

Durant la première moitié de l'année, nous entendrons parler d'une vague de problèmes pulmonaires. Certaines espèces animales pourraient être décimées par une épidémie et les récoltes seront parfois décevantes. La météo nous en fera voir de toutes les couleurs et les risques d'incendie sont élevés; des catastrophes aériennes et des problèmes liés à l'énergie nucléaire sont hélas possibles. Par la suite, c'est l'eau qui fera des siennes. Certaines régions seront aux prises avec de grandes sécheresses tandis que d'autres seront inondées. L'alimentation, la diététique, la famille et les enfants sont des sujets qui retiendront particulièrement l'attention lors des six derniers mois.

Sur le plan humain, le romantisme, les vraies valeurs et les principes moraux reviennent en force, tout comme la spiritualité.

Jusqu'en 2010 en un clin d'œil

Ce livre contient vos prévisions détaillées pour 2001 et j'ai pensé que vous aimeriez peut-être en savoir un peu plus. Dans le tableau qui suit, vous trouverez les grandes lignes de ce qui est susceptible de vous arriver d'ici 2010. N'oubliez jamais que les astres décrivent uniquement des tendances et que vous pouvez agir sur votre destinée en fournissant quelques efforts.

Pour vous servir du tableau, allez à la ligne correspondant à votre signe; pour chaque année, vous découvrirez une ou plusieurs lettres dont la signification apparaît dans la légende.

	2002	2003	2004	2005	2006	2007	2008	2009	2010
Bélier	B D K	A J P	R	H M	Q	G L Q	H	G	R
Taureau	A E	B D K	A J Q	M N	H R	R	G L Q	H Q	G
Gémeaux	N D	A*	B D K	G L	M	H Q	R	I L	H Q
Cancer	C J*	I	A P	N H	G L	S	H Q	Q	I L
Lion	M K F	A J*	D*	G F	H R	R L	S	H	Q
Vierge	A P	N E K	A J O	Q	G	H	G L Q	Q	H
Balance	B D	A M P	N F K	I L	Q	G Q	H	G L	R
Scorpion	A J E	B D	A Q	M P	I L R	R	G Q	H	G L
Sagittaire	N D K	A J E	B D	A O	Q	I L Q	R	I	H Q
Capricorne	B*	D K*	A J N	H	G	S	I L Q	Q	I
Verseau	M	B*	D K*	G L	H R	I	S	I L	Q
Poissons	A J N	I	B O	Q	G L	H	I	R	I L

LÉGENDE

A. Les six premiers mois de l'année sont avantageux sur tous les plans, vous vous portez bien, on vous adore et tout marche comme sur des roulettes. D'ici juillet, vous vous gâterez beaucoup. Bonne période aussi pour voyager.

B. Attention aux erreurs de jugement lors des six premiers mois. À cette époque, vous auriez tout intérêt à vous montrer prudent et circonspect en affaires. La gourmandise vous guette.

C. Des hauts et des bas marquent les six premiers mois; pensez donc à mettre des sous de côté pendant les périodes d'abondance. Gare aux excès de toutes sortes. Protégez ce qui vous est cher.

D. Les six derniers mois de l'année sont avantageux sur tous les plans, vous vous portez bien, on vous adore et tout marche comme sur des roulettes. De juillet à décembre, vous vous gâterez beaucoup. Bonne période aussi pour voyager.

E. Attention aux erreurs de jugement lors des six derniers mois. À cette époque, vous auriez tout intérêt à vous montrer prudent et circonspect en affaires. La gourmandise vous guette.

F. Des hauts et des bas marquent les six derniers mois; pensez donc à mettre des sous de côté pendant les périodes d'abondance. Gare aux excès de toutes sortes. Protégez ce qui vous est cher.

G. L'année s'annonce avantageuse à tous les niveaux, vous vous portez bien, on vous adore et tout marche comme sur des roulettes. Vous vous gâterez beaucoup. Bonne période aussi pour voyager.

H. Attention aux erreurs de jugement cette année. Vous auriez tout intérêt à vous montrer prudent et circonspect en affaires. La gourmandise vous guette.

I. Des hauts et des bas marquent cette année; pensez donc à mettre des sous de côté pendant les périodes d'abondance. Gare aux excès de toutes sortes. Protégez ce qui vous est cher.

J. Chance au jeu durant les six premiers mois.

K. Chance au jeu durant la seconde moitié de l'année.

L. Chance au jeu.

M. Les six premiers mois sont excellents pour les projets à long terme et les entreprises sérieuses; pensez à consolider votre état, votre position et vos avoirs.

N. Vous traversez une phase d'importante remise en question durant les six premiers mois; ce n'est pas le temps de prendre des risques. Optez plutôt pour la sagesse et faites attention à vous.

O. Les six derniers mois sont excellents pour les projets à long terme et les entreprises sérieuses; pensez à consolider votre état, votre position et vos avoirs.

P. Vous traversez une phase d'importante remise en question durant les six derniers mois; ce n'est pas le moment de prendre des risques. Optez plutôt pour la sagesse et faites attention à vous.

Q. L'année s'annonce excellente pour les projets à long terme et les entreprises sérieuses; pensez à consolider votre état, votre position et vos avoirs.

R. Vous traversez une phase d'importante remise en question cette année; ce n'est pas le temps de prendre des risques. Optez plutôt pour la sagesse et faites attention à vous.

S. Cette année, vous êtes en pleine possession de vos moyens; tout est entre vos mains, à vous de bien jouer. De gros progrès sont même possibles.

* Le reste de l'année est neutre. En y mettant du vôtre, vous irez de l'avant.

Les cycles de Jupiter et de Saturne

Le regretté Henri Gazon a découvert, il y a longtemps, que les cycles de Jupiter correspondaient parfaitement à nos anniversaires, chaque année se trouvant ainsi placée sous un thème différent. Ce thème correspond à un secteur bien précis de notre carte du ciel, qu'on appelle «maison». Il faut toujours tenir compte des tendances générales de notre année, expliquées dans les prévisions annuelles, pour interpréter le cycle que nous traversons.

Récemment, un brillant astrologue qui a suivi mes cours, Guillermo Rivas, a repris les calculs d'Henri Gazon en les appliquant à Saturne; ceux-ci nous donnent alors des cycles d'une durée de 30 mois, durant lesquels certains intérêts ou préoccupations semblent plus marqués.

Pour découvrir quels cycles vous traversez, il suffit de consulter les deux tableaux suivants. Selon votre âge, le premier tableau vous indiquera la maison du cycle de Jupiter, tandis que le deuxième vous renseignera sur la maison associée au cycle saturnien.

CYCLES DE JUPITER

Maison	Âges
1	1, 13, 25, 37, 49, 61, 73, 85 ans
2	12, 24, 36, 48, 60, 72, 84 ans
3	11, 23, 35, 47, 59, 71, 83 ans
4	10, 22, 34, 46, 58, 70, 82 ans
5	9, 21, 33, 45, 57, 69, 81 ans
6	8, 20, 32, 44, 56, 68, 80 ans
7	7, 19, 31, 43, 55, 67, 79 ans
8	6, 18, 30, 42, 54, 66, 78 ans
9	5, 17, 29, 41, 53, 65, 77, 89 ans
10	4, 16, 28, 40, 52, 64, 76, 88 ans
11	3, 15, 27, 39, 51, 63, 75, 87 ans
12	2, 14, 26, 38, 50, 62, 74, 86 ans

CYCLES DE SATURNE

Maison	Âges
1	de 0 à 2 1/2 ans, de 30 à 32 1/2 ans, de 60 à 62 1/2 ans
2	de 27 1/2 ans à 30 ans, de 57 1/2 ans à 60 ans, de 87 1/2 ans à 90 ans
3	de 25 à 27 1/2 ans, de 55 à 57 1/2 ans, de 85 à 87 1/2 ans
4	de 22 1/2 ans à 25 ans, de 52 1/2 ans à 55 ans, de 82 1/2 ans à 85 ans
5	de 20 à 22 1/2 ans, de 50 à 52 1/2 ans, de 80 à 82 1/2 ans
6	de 17 1/2 ans à 20 ans, de 47 1/2 ans à 50 ans, de 77 1/2 ans à 80 ans
7	de 15 à 17 1/2 ans, de 45 à 47 1/2 ans, de 75 à 77 1/2 ans
8	de 12 1/2 ans à 15 ans, de 42 1/2 ans à 45 ans, de 72 1/2 ans à 75 ans
9	de 10 à 12 1/2 ans, de 40 à 42 1/2 ans, de 70 à 72 1/2 ans
10	de 7 1/2 ans à 10 ans, de 37 1/2 ans à 40 ans, de 67 1/2 ans à 70 ans
11	de 5 à 7 1/2 ans, de 35 à 37 1/2 ans, de 65 à 67 1/2 ans
12	de 2 1/2 ans à 5 ans, de 32 1/2 ans à 35 ans, de 62 1/2 ans à 65 ans

Vous vous trouvez maintenant avec deux cycles distincts, un pour Jupiter et un autre pour Saturne. Chaque cycle correspond à une maison astrologique précise et vous renseigne sur les tendances que représente votre carte du ciel. Il va sans dire que si les deux cycles correspondent à la même maison, ces tendances sont amplifiées.

Dans le texte qui suit, la signification du cycle de chaque maison astrologique vous permet de savoir ce qui vous concerne.

CYCLE DE LA MAISON 1

Durant ce cycle, votre identité et vos initiatives prennent énormément d'importance. Vous vous cherchez, vous vous redéfinissez, mais gare aux gestes et aux décisions précipités. Prenez soin de vous.

CYCLE DE LA MAISON 2

Vous traversez une période capitale pour vos finances. Votre sécurité économique vous tient à cœur. C'est le temps de penser à long terme, les investissements sérieux seront favorisés. Attention cependant, vous êtes plus têtu que d'habitude.

CYCLE DE LA MAISON 3

Vous ressentez le besoin de sortir, de voir du monde, de communiquer, bref, vous ne tenez pas en place. Les déplacements, vos frères et vos sœurs occupent vos pensées; vous songez également à brasser des affaires. Gare aux distractions et à l'éparpillement.

CYCLE DE LA MAISON 4

Le passé refait surface. Certaines situations qui s'éternisent devraient être réglées une fois pour toutes. La famille, le foyer et la maisonnée deviennent des thèmes importants. Vous êtes en pleine phase d'introspection, mais ne vous repliez pas trop sur vous-même.

CYCLE DE LA MAISON 5

Vous cherchez à prendre votre place. Vous rêvez à plus de liberté et d'autonomie; vous risquez même de réagir assez fortement si on veut vous marcher sur les pieds. Cette période s'annonce décisive pour vos amours et vos enfants. N'allez pas trop vite en affaires et ne faites pas confiance au premier venu.

CYCLE DE LA MAISON 6

Vos deux priorités sont la santé et le travail. Des moments d'insécurité vous guettent, mais ayez confiance en vos capacités et vous réglerez ainsi tous vos problèmes. Ne laissez pas la culpabilité vous envahir, ignorez les petits détails et profitez du moment présent.

CYCLE DE LA MAISON 7

Vous ne pouvez absolument pas supporter l'injustice et la chicane. Vos rapports interpersonnels se modifient. C'est une période très importante pour la vie de couple. Suivez votre première idée, sinon l'indécision pourrait vous envahir. Quelques retards sont possibles.

CYCLE DE LA MAISON 8

Vous êtes en plein cycle de renouveau. Une étape se termine et vous vous apprêtez à en commencer une autre. Même si ça vous effraie, acceptez les transformations de bon cœur. La pire chose à faire, c'est de rester accroché au passé. Ne regardez plus en arrière, allez de l'avant.

CYCLE DE LA MAISON 9

Vous avez grandement besoin de changer d'air. Un déménagement, un voyage ou de nouvelles entreprises sont au programme. Souvent, vous bénéficiez d'un bon courant de chance. Ne défiez ni la loi ni l'autorité et ne soyez pas trop indépendant.

CYCLE DE LA MAISON 10

Votre position par rapport aux autres vous importe beaucoup. Vous essayez de vous situer dans l'échelle sociale et au sein de votre entourage. Vous vous apprêtez à mettre sur pied des projets d'envergure et vous pensez énormément à votre avenir. Attention aux chutes et au manque de confiance en vous.

CYCLE DE LA MAISON 11

Les liens trop étouffants vous épouvantent mais, de votre côté, vous ne devriez pas non plus emprisonner ceux qui vous sont chers. Votre liberté est votre bien le plus précieux. L'amitié joue un rôle important dans votre vie. Vous découvrez un tas de nouvelles choses, vous avez soif d'apprendre. Vous voudriez tout chambarder, allez-y en douceur, car la révolte est mauvaise conseillère.

CYCLE DE LA MAISON 12

Vous avez l'impression qu'on s'acharne sur vous; mettez le pied à terre et reprenez la maîtrise de votre vie. N'attendez pas après tout le monde, n'ayez pas peur de foncer et faites confiance à votre intuition. Ne négligez pas votre santé. Vous pensez un peu trop aux autres et si vous n'y faites pas attention, vous risquez de vous perdre de vue.

L'entente entre les signes

ÊTES-VOUS COMPATIBLES?

On me demande souvent si un signe va avec un autre et, en règle générale, la question m'embête... C'est un peu comme me demander si une personne aux yeux bleus peut s'entendre avec une autre ayant les yeux verts... ou si un citoyen de Sherbrooke peut s'entendre avec un résidant de Jonquière. Vous vous en doutez, la vraie réponse est: «Ça dépend...»

Le signe astrologique n'est qu'un des nombreux éléments qui constituent votre carte du ciel: il y a aussi l'ascendant, les planètes, les maisons et les aspects. On ne peut donc pas se baser uniquement sur le signe pour déterminer si deux personnes peuvent ou non s'entendre.

En passant, si vous connaissez votre ascendant et celui de la personne qui vous intéresse, en plus de voir si vos signes sont compatibles, vous pouvez voir, toujours grâce au tableau qui suit, si vos ascendants sont compatibles entre eux. Vous pouvez également voir si le signe de l'un est compatible avec l'ascendant de l'autre, et vice versa. De cette façon, vous aurez une idée plus précise de votre potentiel d'entente.

Comme cela m'est demandé très souvent, j'ai pensé que connaître les compatibilités entre les différents signes vous intéresserait, mais rappelez-vous toujours que c'est une tendance générale, sans plus. Alors, si vous avez rencontré le prince charmant ou la femme de vos rêves, même si son signe ne semble pas être l'idéal pour le vôtre, faites confiance à la vie... C'est encore vous le meilleur juge!

MON PETIT TEST INSTANTANÉ

	BÉLIER	TAUREAU	GÉMEAUX	CANCER	LION	VIERGE
BÉLIER	1	6	5	3	2	6
TAUREAU	6	1	6	5	3	2
GÉMEAUX	5	6	1	6	5	3
CANCER	3	5	6	1	6	5
LION	2	3	5	6	1	6
VIERGE	6	2	3	5	6	1
BALANCE	4	6	2	3	5	6
SCORPION	6	4	6	2	3	5
SAGITTAIRE	2	6	4	6	2	3
CAPRICORNE	3	2	6	4	6	2
VERSEAU	5	3	2	6	4	6
POISSONS	6	5	3	2	6	4

	BALANCE	SCORPION	SAGITTAIRE	CAPRICORNE	VERSEAU	POISSONS
BÉLIER	4	6	2	3	5	6
TAUREAU	6	4	6	2	3	5
GÉMEAUX	2	6	4	6	2	3
CANCER	3	2	6	4	6	2
LION	5	3	2	6	4	6
VIERGE	6	5	3	2	6	4
BALANCE	1	6	5	3	2	6
SCORPION	6	1	6	5	3	2
SAGITTAIRE	5	6	1	6	5	3
CAPRICORNE	3	5	6	1	6	5
VERSEAU	2	3	5	6	1	6
POISSONS	6	2	3	5	6	1

QUEL NOMBRE AVEZ-VOUS OBTENU?

1 Vous avez tous les deux le même signe; comme vous vous en doutez, cela vous donne au départ beaucoup de points communs, parfois même un peu trop. Vous vous ressemblez sur bien des plans, vous êtes comme deux vieux copains, vous vous comprenez sans vous parler. Vous avez les mêmes qualités... mais aussi les mêmes défauts, et c'est là que, parfois, ça peut faire de petites étincelles. Vous retrouvez vos travers chez l'autre, et ils vous agacent d'autant plus que vous savez que ce sont vos points faibles. Toutefois, vous avez les mêmes buts, les mêmes idéaux, vous partagez les mêmes opinions sur plusieurs sujets, et cette connivence naturelle vous rapproche étroitement dès les premiers moments de votre union. Toutefois, ce rapprochement est une arme à double tranchant; vous connaissez votre partenaire comme s'il était fait de la même cire que vous, vous le devinez facilement... au point qu'il perd sa part de mystère. Laissez-lui son jardin secret, et surtout ne le tenez pas pour acquis. De votre côté, surprenez-le, désamorcez-le au moment où il s'y attend le moins; ainsi, vous pourrez vivre tous deux une relation stimulante et empreinte de complicité.

2 Vous avez deux signes du même élément. Cela vous indique plusieurs des caractéristiques de votre compagnon, la même sensibilité, la même façon d'aborder l'existence et le quotidien, la même intensité dans vos relations interpersonnelles; c'est d'ailleurs très probablement ce qui vous a plu chez l'autre. Toutefois, malgré cette tendance, vous possédez chacun votre individualité propre, vos petites différences. Dans le quotidien, vous vous entendez bien et vous pouvez donc vivre une relation vraiment harmonieuse. Votre façon d'agir, de résoudre les problèmes est identique et, en règle générale, c'est le paradis sur terre... Toutefois, lorsque quelque chose cloche, vous avez la même façon de tenir votre bout, et aucun n'arrive vraiment à avoir le dessus. Quand ça va mal, vous avez tendance à vous isoler, ce qui ne règle pas du tout le problème. Les discussions, les divergences d'opinion ou d'avis font partie du vécu de chaque couple. Apprenez à rester amis même lorsque vous n'êtes pas d'accord, à vous respecter mutuellement... Ensemble, lorsque vous travaillez la main dans la main, il n'y a rien d'impossible pour vous, et votre relation pourrait être tout simplement magnifique.

3 Vous avez ce qu'on appelle des signes «en carré» ou en croix. Vous avez des traits communs, mais malgré cela vos personnalités sont très différentes l'une de l'autre; c'est justement cette différence qui vous a intrigués, attirés au départ. Bien que vos objectifs et votre sens des valeurs soient si différents, vos esprits fonctionnent de la même façon, ce qui fait que lorsque tout va bien, tout va très bien, mais lorsqu'un conflit surgit, ça peut barder. En fait, vous devrez faire face à bien des divergences d'opinion, bien des situations délicates: c'est normal de ne pas toujours être du même avis, mais c'est essentiel d'apprendre à surmonter les malentendus. Rappelez-vous que ce qui vous a séduit chez l'autre, c'est justement sa vision différente de la vie: il est donc important d'allier respect et compréhension si vous voulez éviter les éclats ou les malentendus. Il y a beaucoup de passion entre vous et autour de vous, mais ne laissez pas le ton monter trop haut, ne vous enflammez pas et, surtout, laissez l'autre s'exprimer. Fréquemment, en effet, vous avez tendance à vous interrompre l'un l'autre, à vous couper la parole, alors qu'un peu d'écoute, un peu d'attention, vaudraient tellement mieux. Ouvrez votre cœur... et vos oreilles; ainsi, vous pourrez vivre une relation très passionnante.

4 Vous avez deux signes en opposition, ce qui fait que vous êtes aux antipodes l'un de l'autre... c'est ce qui vous a fait tout de suite vibrer lors de votre première rencontre. Quoique vous soyez très différents et malgré les petites étincelles, vous vous complétez vraiment bien tous les deux. Les forces de l'un sont les points faibles de l'autre; vous avez l'impression de vous trouver devant un miroir dont l'image serait inversée. Votre conjoint vous permet d'ouvrir votre conscience à des choses que vous ne soupçonniez pas, de voir le monde sous un jour totalement différent, de combler des facettes de votre vie que vous aviez mises de côté. Grâce à votre partenaire, vous percevez aussi certaines de vos faiblesses: ce qui vous agace chez lui ou chez elle, ce sont des défauts que vous avez vous-même sans vous l'avouer. Certes, cela peut créer certaines frictions, mais vous êtes parfaitement en mesure de les surmonter, d'autant plus qu'au fond de vous, vous sentez que votre union est très spéciale. Cela fait de vous un couple équilibré, complémentaire et très harmonieux; vous vous apportez beaucoup l'un à l'autre. Votre union a de bonnes chances de se révéler stable et enrichissante.

5 Vous avez deux signes en sextile: c'est-à-dire que vos éléments sont compatibles. Ceci crée une union facile, plaisante, agréable et sans problème majeur. Certes, il n'y a peut-être pas eu de coup de foudre ou de passion au début, mais vous vous êtes laissé du temps: vous avez pu apprendre à vous connaître et à vous apprécier et développer ainsi une affection profonde. Le point fort de votre relation est l'amitié qui vous unit: votre communication est exceptionnelle. Même si vous ne partagez pas toujours les mêmes points de vue, vous êtes capables de dialoguer, de vous expliquer: vous êtes sur la même longueur d'onde. Bien sûr, vous avez chacun votre vision des choses, et parfois elles sont très divergentes, mais il y a tant d'autres traits et caractéristiques qui vous lient. Vos esprits se ressemblent, vos sensibilités et vos désirs sont compatibles. Grâce au dialogue, vous pouvez venir à bout des petites difficultés qui se présentent. Et puis, le rire et l'humour vous rapprochent tellement l'un de l'autre. Avec un minimum d'efforts, votre relation deviendra douce, tendre et ressourçante. Main dans la main, vous irez là où vous le voulez.

6 Vos deux natures sont étrangères l'une à l'autre. Vous n'avez pas beaucoup de points communs, on dirait même parfois que vous ne parlez pas la même langue. Pourtant, avec un peu d'effort, vous pourriez vous entendre. De fait, cette différence peut jouer pour vous dans vos activités communes, vos loisirs ou votre travail, entre autres choses. Vous déplorez un peu le manque de communication dans votre couple, vous avez l'impression que votre conjoint ne vous comprend pas, ne répond pas à vos attentes. Il faut dire que vos valeurs et vos objectifs sont parfois bien différents. Rappelez-vous que votre vie de couple dépend de vos efforts; n'essayez pas de changer votre partenaire, vous n'y parviendrez pas. Il faut l'accepter tel qu'il est, inconditionnellement. Par contre, si vous voulez rendre votre vie à deux plus stimulante, vous pouvez jouer la carte «romance», étonner l'autre par des balades imprévues, des dîners aux chandelles à l'improviste et des surprises de toutes sortes. Lui ou elle non plus ne vous saisit pas complètement et votre part de mystère, allié à de telles attentions, fera battre son cœur. Ajoutons que vous pouvez développer des liens psychiques très forts tous les deux, une compréhension au-delà des mots, voire de la télépathie... Une autre énigme qui le ou la surprendra.

Trouver son ascendant, c'est facile!

NOUVELLE MÉTHODE SIMPLIFIÉE

Vous ne connaissez pas votre ascendant? Nous allons vous donner une méthode très simple pour le trouver.

DE QUOI AVEZ-VOUS BESOIN?

De votre heure de naissance, c'est tout.

COMMENT FAIRE?

1. Prenez votre heure de naissance;
2. Ajoutez le temps sidéral;
3. Additionnez le tout.

Vous voyez, ce n'est pas bien compliqué.

Dans les lignes qui suivent, nous vous donnons:

1. Quelques renseignements sur votre heure de naissance;
2. Le temps sidéral qui correspond à votre date de naissance;
3. Des indications pour additionner l'un à l'autre.

Avant d'aller plus loin, lisez donc les paragraphes qui suivent; vous serez sûr de ne pas faire d'erreur.

1. Votre heure de naissance

L'ascendant se calcule à partir de l'heure de naissance; il faut donc que vous sachiez à quelle heure vous êtes né pour le calculer.

> NOTE: Si vous ne connaissez pas votre heure de naissance, seul un astrologue expérimenté pourrait trouver votre ascendant. Mais informez-vous: des parents, des proches, des frères ou des sœurs, voire les archives de l'hôpital où vous êtes né, peuvent vous renseigner sur votre heure de naissance. Si votre

heure de naissance est imprécise, vous pouvez essayer quand même. Évidemment, l'ascendant que vous obtiendrez alors sera imprécis, lui aussi.

Donc, vous savez maintenant que votre ascendant se calcule à partir de votre heure de naissance. Rappelez-vous cependant deux petites choses:

1. Si vous êtes né en après-midi ou en soirée, il faut que vous preniez votre heure en système de 0 à 24 heures. Donc, au lieu d'écrire 2 h de l'après-midi, vous écrivez 14 h; au lieu de 9 h du soir, vous écrivez 21 h.

   C'EST BIEN IMPORTANT — NE L'OUBLIEZ PAS!

   En effet, si vous êtes né en soirée ou en après-midi, vous n'aurez pas le même ascendant que si vous étiez né le matin.

2. En astrologie, il faut toujours prendre l'heure réelle et non pas l'heure avancée. Vous ne voulez pas calculer l'ascendant de quelqu'un qui serait né une heure plus tard que vous!

   Savez-vous si vous êtes né pendant une période d'heure avancée? C'est facile: dans les lignes qui suivent, vous le verrez aisément.

TABLEAU DE L'HEURE AVANCÉE

Avant 1918, il n'y avait pas d'heure avancée.

Mais si vous êtes né entre les dates suivantes, enlevez une heure à votre heure de naissance pour avoir votre heure réelle de naissance.

En 1918, du 14 avril au 31 octobre, dans toute la province de Québec.

De 1919 à 1927 inclusivement, l'heure était avancée à Montréal seulement:

– en 1919, du 31 mars au 25 octobre*;
– en 1920, du 2 mai au 3 octobre*;
– en 1921, du 1er mai au 2 octobre*;
– en 1922, du 30 avril au 1er octobre*;
– en 1923, du 13 mai au 30 septembre*;
– en 1924, du 18 mai au 28 septembre*;
– en 1925, du 3 mai au 27 septembre*;

– en 1926, du 2 mai au 26 septembre*;
– en 1927, du 1er mai au 25 septembre*.
**À Montréal seulement — pas dans le reste du Québec.*

Donc, si vous êtes né entre ces dates à Montréal, enlevez une heure. Si vous êtes né ailleurs dans la province, laissez votre heure telle quelle.

À partir de 1928, l'heure est avancée à Montréal et dans tout le reste de la province entre les dates suivantes:
– en 1928, du 29 avril au 30 septembre;
– en 1929, du 28 avril au 29 septembre;
– en 1930, du 27 avril au 28 septembre;
– en 1931, du 26 avril au 27 septembre;
– en 1932, du 24 avril au 25 septembre;
– en 1933, du 30 avril au 24 septembre;
– en 1934, du 29 avril au 30 septembre;
– en 1935, du 28 avril au 29 septembre;
– en 1936, du 26 avril au 27 septembre;
– en 1937, du 25 avril au 26 septembre;
– en 1938, du 24 avril au 25 septembre;
– en 1939, du 30 avril au 24 septembre;
– en 1940, du 28 avril au 31 décembre*;
– en 1941, TOUTE L'ANNÉE*;
– en 1942, TOUTE L'ANNÉE*;
– en 1943, TOUTE L'ANNÉE*;
– en 1944, TOUTE L'ANNÉE*;
– en 1945, du 1er janvier au 30 septembre*.
** L'heure fut avancée continuellement, hiver comme été, durant la guerre.*
– en 1946, du 28 avril au 29 septembre;
– en 1947, du 27 avril au 28 septembre;
– en 1948, du 25 avril au 26 septembre;
– en 1949, du 24 avril au 25 septembre;
– en 1950, du 30 avril au 24 septembre;
– en 1951, du 29 avril au 30 septembre;
– en 1952, du 27 avril au 28 septembre;
– en 1953, du 26 avril au 27 septembre;
– en 1954, du 25 avril au 26 septembre;
– en 1955, du 24 avril au 25 septembre;

– en 1956, du 29 avril au 30 septembre;
– en 1957, du 28 avril au 27 octobre;
– en 1958, du 27 avril au 26 octobre;
– en 1959, du 26 avril au 25 octobre;
– en 1960, du 24 avril au 30 octobre;
– en 1961, du 30 avril au 29 octobre;
– en 1962, du 29 avril au 28 octobre;
– en 1963, du 28 avril au 27 octobre;
– en 1964, du 26 avril au 25 octobre;
– en 1965, du 25 avril au 31 octobre;
– en 1966, du 24 avril au 30 octobre;
– en 1967, du 30 avril au 29 octobre;
– en 1968, du 28 avril au 27 octobre;
– en 1969, du 27 avril au 26 octobre;
– en 1970, du 26 avril au 25 octobre;
– en 1971, du 25 avril au 31 octobre;
– en 1972, du 30 avril au 29 octobre;
– en 1973, du 29 avril au 28 octobre;
– en 1974, du 28 avril au 27 octobre;
– en 1975, du 27 avril au 26 octobre;
– en 1976, du 25 avril au 31 octobre;
– en 1977, du 24 avril au 30 octobre;
– en 1978, du 30 avril au 29 octobre;
– en 1979, du 29 avril au 28 octobre;
– en 1980, du 27 avril au 26 octobre;
– en 1981, du 26 avril au 25 octobre;
– en 1982, du 25 avril au 31 octobre;
– en 1983, du 24 avril au 30 octobre;
– en 1984, du 29 avril au 28 octobre;
– en 1985, du 28 avril au 27 octobre;
– en 1986, du 27 avril au 26 octobre;
– en 1987, du 5 avril au 25 octobre;
– en 1988, du 3 avril au 30 octobre;
– en 1989, du 2 avril au 29 octobre;
– en 1990, du 1er avril au 28 octobre;
– en 1991, du 7 avril au 29 octobre;
– en 1992, du 5 avril au 25 octobre;
– en 1993, du 4 avril au 31 octobre;

– en 1994, du 3 avril au 30 octobre;
– en 1995, du 2 avril au 29 octobre;
– en 1996, du 7 avril au 27 octobre;
– en 1997, du 6 avril au 26 octobre;
– en 1998, du 5 avril au 25 octobre;
– en 1999, du 4 avril au 31 octobre;
– en 2000, du 2 avril au 29 octobre;
– en 2001, du 1er avril au 28 octobre.

Donc, si vous êtes né entre les dates que nous venons de donner, n'oubliez pas d'enlever une heure à votre heure de naissance pour obtenir votre heure réelle de naissance.

2. Le temps sidéral

Comme nous l'avons vu précédemment, pour calculer l'ascendant, il suffit d'additionner votre heure réelle de naissance au temps sidéral qui correspond à votre journée de naissance.

Le temps sidéral est une heure qui correspond à une seule journée de l'année. Chaque journée a le sien; il n'y a pas deux journées qui ont le même temps.

Pour calculer votre ascendant, vous avez donc besoin de connaître le temps sidéral qui correspond au jour de votre fête. Comment faire? Rien de plus simple.

Aux pages 45 et 46, vous trouverez un tableau:
– À la première ligne du tableau, figurent les 12 mois de l'année, chacun correspondant à une colonne.
– La première colonne comporte des chiffres allant de 1 à 31. Ces chiffres correspondent, bien sûr, aux quantièmes (jours) du mois.

Il vous suffit maintenant de trouver, dans la colonne qui correspond à votre mois de naissance, la ligne de votre jour de naissance et le tour est joué.

PAR EXEMPLE: Si vous êtes né le 1er janvier, vous cherchez sous janvier, à la première ligne, et vous voyez 6 h 36. Le temps sidéral qui correspond à votre jour de naissance est donc 6 h 36.

De même, si vous êtes né le 14 mai, vous allez voir, sous la colonne de mai, la ligne qui correspond au 14, et vous trouvez votre temps sidéral, qui est 15 h 24.

NOTE: Pour vous faciliter la tâche, les tableaux des pages 45 et 46 indiquent le temps sidéral corrigé et simplifié.

Suivez la ligne qui correspond à votre jour de fête jusqu'à la colonne de votre mois de naissance: vous avez maintenant le temps sidéral qui correspond à votre jour de naissance.

3. Et puis, vous additionnez...

Vous avez donc maintenant votre heure réelle de naissance et le temps sidéral qui correspond à votre journée de naissance: il vous suffit de faire une toute petite addition.

Bien sûr, vous avez pris soin de vous assurer que votre heure de naissance est inscrite en système de 0 à 24 heures, surtout si vous êtes né en après-midi ou en soirée.

ATTENTION: Vous avez des heures et des minutes. Vous savez qu'il y a 60 minutes dans une heure et 24 heures dans une journée.

Donc si, en additionnant, vous avez un total de minutes supérieur à 60, vous soustrayez 60 du nombre des minutes et vous ajoutez 1 au nombre des heures.

De même, si, en additionnant, vous avez un total d'heures supérieur à 24, vous soustrayez 24.

Vous avez maintenant un total en heures et en minutes; vous n'avez plus qu'à consulter le petit tableau de la page 47, à trouver la section qui correspond à la vôtre et à LIRE votre ascendant.

TEMPS SIDÉRAL

du 1er janvier au 30 juin

JR	JANV.	FÉVR.	MARS	AVRIL	MAI	JUIN
1	6 h 36	8 h 38	10 h 33	12 h 36	14 h 33	16 h 36
2	6 h 40	8 h 42	10 h 37	12 h 40	14 h 37	16 h 40
3	6 h 44	8 h 46	10 h 40	12 h 44	14 h 41	16 h 43
4	6 h 48	8 h 50	10 h 44	12 h 48	14 h 45	16 h 47
5	6 h 52	8 h 54	10 h 48	12 h 52	14 h 49	16 h 51
6	6 h 56	8 h 58	10 h 52	12 h 55	14 h 53	16 h 55
7	7 h 00	9 h 02	10 h 56	12 h 58	14 h 57	16 h 59
8	7 h 04	9 h 06	11 h 00	13 h 02	15 h 01	17 h 03
9	7 h 08	9 h 10	11 h 04	13 h 06	15 h 05	17 h 07
10	7 h 12	9 h 14	11 h 08	13 h 10	15 h 09	17 h 11
11	7 h 15	9 h 18	11 h 12	13 h 14	15 h 13	17 h 15
12	7 h 19	9 h 22	11 h 16	13 h 18	15 h 17	17 h 19
13	7 h 23	9 h 26	11 h 20	13 h 22	15 h 21	17 h 23
14	7 h 27	9 h 30	11 h 24	13 h 26	15 h 24	17 h 27
15	7 h 31	9 h 33	11 h 28	13 h 30	15 h 28	17 h 31
16	7 h 35	9 h 37	11 h 32	13 h 34	15 h 32	17 h 34
17	7 h 39	9 h 41	11 h 36	13 h 38	15 h 36	17 h 38
18	7 h 43	9 h 45	11 h 40	13 h 42	15 h 40	17 h 42
19	7 h 47	9 h 49	11 h 44	13 h 46	15 h 44	17 h 46
20	7 h 51	9 h 53	11 h 48	13 h 50	15 h 48	17 h 50
21	7 h 55	9 h 57	11 h 52	13 h 54	15 h 52	17 h 54
22	7 h 59	10 h 01	11 h 55	13 h 58	15 h 56	17 h 58
23	8 h 03	10 h 05	11 h 58	14 h 02	16 h 00	18 h 02
24	8 h 07	10 h 09	12 h 02	14 h 06	16 h 04	18 h 06
25	8 h 11	10 h 13	12 h 06	14 h 10	16 h 08	18 h 10
26	8 h 15	10 h 17	12 h 10	14 h 14	16 h 12	18 h 14
27	8 h 19	10 h 21	12 h 14	14 h 18	16 h 16	18 h 18
28	8 h 23	10 h 25	12 h 18	14 h 22	16 h 20	18 h 22
29	8 h 26	10 h 29	12 h 22	14 h 26	16 h 24	18 h 26
30	8 h 30		12 h 26	14 h 29	16 h 28	18 h 30
31	8 h 34		12 h 30		16 h 32	

TEMPS SIDÉRAL

du 1er juillet au 31 décembre

JR	JUIL.	AOÛT	SEPT.	OCT.	NOV.	DÉC.
1	18 h 34	20 h 37	22 h 39	0 h 37	2 h 39	4 h 38
2	18 h 38	20 h 41	22 h 43	0 h 41	2 h 43	4 h 42
3	18 h 42	20 h 45	22 h 47	0 h 45	2 h 47	4 h 46
4	18 h 46	20 h 49	22 h 51	0 h 49	2 h 51	4 h 50
5	18 h 50	20 h 53	22 h 55	0 h 53	2 h 55	4 h 54
6	18 h 54	20 h 57	22 h 59	0 h 57	2 h 59	4 h 57
7	18 h 58	21 h 00	23 h 03	1 h 01	3 h 03	5 h 01
8	19 h 02	21 h 04	23 h 07	1 h 05	3 h 07	5 h 05
9	19 h 06	21 h 08	23 h 11	1 h 09	3 h 11	5 h 09
10	19 h 10	21 h 12	23 h 14	1 h 13	3 h 15	5 h 13
11	19 h 14	21 h 16	23 h 18	1 h 17	3 h 19	5 h 17
12	19 h 18	21 h 20	23 h 22	1 h 21	3 h 23	5 h 21
13	19 h 22	21 h 24	23 h 26	1 h 25	3 h 27	5 h 25
14	19 h 26	21 h 28	23 h 30	1 h 29	3 h 31	5 h 29
15	19 h 30	21 h 32	23 h 34	1 h 32	3 h 35	5 h 33
16	19 h 34	21 h 36	23 h 38	1 h 36	3 h 39	5 h 37
17	19 h 38	21 h 40	23 h 42	1 h 40	3 h 43	5 h 41
18	19 h 42	21 h 44	23 h 46	1 h 44	3 h 47	5 h 45
19	19 h 46	21 h 48	23 h 50	1 h 48	3 h 50	5 h 49
20	19 h 49	21 h 52	23 h 54	1 h 52	3 h 54	5 h 53
21	19 h 53	21 h 56	23 h 58	1 h 56	3 h 58	5 h 57
22	19 h 57	22 h 00	0 h 02	2 h 00	4 h 02	6 h 01
23	20 h 02	22 h 04	0 h 06	2 h 04	4 h 06	6 h 05
24	20 h 06	22 h 08	0 h 10	2 h 06	4 h 10	6 h 09
25	20 h 10	22 h 12	0 h 14	2 h 12	4 h 14	6 h 13
26	20 h 14	22 h 16	0 h 18	2 h 16	4 h 18	6 h 17
27	20 h 18	22 h 20	0 h 23	2 h 20	4 h 22	6 h 21
28	20 h 22	22 h 24	0 h 26	2 h 24	4 h 26	6 h 24
29	20 h 26	22 h 27	0 h 30	2 h 28	4 h 30	6 h 28
30	20 h 30	22 h 31	0 h 34	2 h 32	4 h 34	6 h 32
31	20 h 33	22 h 35		2 h 36		6 h 36

Table des ascendants

QUEL EST VOTRE ASCENDANT?

Si le total de votre heure de naissance et du temps sidéral du jour de naissance donne:	Votre ascendant est:
– de 0 h 00 à 0 h 34	Cancer
– de 0 h 35 à 3 h 21	Lion
– de 3 h 22 à 5 h 59	Vierge
– de 6 h 00 à 8 h 40	Balance
– de 8 h 41 à 11 h 18	Scorpion
– de 11 h 19 à 13 h 43	Sagittaire
– de 13 h 44 à 15 h 35	Capricorne
– de 15 h 36 à 16 h 58	Verseau
– de 16 h 59 à 17 h 59	Poissons
– de 18 h 00 à 19 h 04	Bélier
– de 19 h 05 à 20 h 24	Taureau
– de 20 h 25 à 22 h 22	Gémeaux
– de 22 h 23 à 24 h 00	Cancer

Voici un exemple pour illustrer cette méthode:

Supposons qu'une personne soit née le 24 juin 1967, à 2 h 25 de l'après-midi.

Nous savons que, pour calculer l'ascendant, il faut utiliser l'heure en système de 0 à 24 heures. Donc, 2 h 25 de l'après-midi, c'est en réalité 14 h 25.

Comme l'heure était avancée (voir tableau de l'heure avancée), il faut donc soustraire 1 heure, ce qui donne 14 h 25 – 1 h 00 = 13 h 25.

Maintenant que nous avons l'heure réelle de naissance, faisons le calcul:

Heure réelle de naissance		13	h	25
Temps sidéral (du 24 juin)	+	18	h	06
Total		31	h	31

Comme le nombre des heures est supérieur à 24, nous soustrayons 24 heures à 31 h 31, ce qui donne:

	31	h	31
–	24	h	00
	7	h	31

En consultant le tableau qui précède, on voit bien que l'ascendant de cette personne est BALANCE.

FAITES VOUS-MÊME VOS CALCULS

1. Inscrivez votre heure de naissance (en système de 0 à 24 heures) _____ h _____

2. Enlevez 1 heure, mais seulement si vous êtes né en période d'heure avancée (– 1 heure)
= _____ h _____

CECI VOUS DONNE VOTRE HEURE DE NAISSANCE RÉELLE

3. Inscrivez le temps sidéral qui correspond à votre jour de naissance + _____ h _____

4. Additionnez les deux lignes précédentes = _____ h _____

5. Si le nombre des minutes dépasse 60, enlevez 60 minutes et ajoutez 1 heure; sinon, laissez tel quel

Si le nombre des heures dépasse 24, enlevez 24 heures; sinon, laissez tel quel.

VOUS OBTENEZ: _____ h _____

MAINTENANT, CONSULTEZ LA TABLE DES ASCENDANTS, ET TROUVEZ LE VÔTRE.

Définition des ascendants

BÉLIER: Ce signe prédispose à l'impulsivité et même à l'agressivité. Vous êtes franc, mais vous vous faites souvent des ennemis, car votre entourage n'est pas toujours prêt à admettre la vérité. Vous êtes essentiellement un être dynamique; toutefois, il vous arrive fréquemment de commencer mille et un projets et de n'en terminer aucun. Vos sentiments sont vifs et entiers. Nous devons souligner ici que vous détenez le record des accidents.

TAUREAU: Vous êtes tenace, persévérant, mais bien souvent têtu. Vous allez toujours au bout de ce que vous entreprenez. Vous refusez les échecs et vous vous battez jusqu'à la mort pour réussir. L'argent est essentiel à votre bien-être et vous avez toujours peur d'en manquer. Vous êtes lent à vous attacher, mais vos sentiments sont d'une profondeur et d'une stabilité peu communes. Il est vrai que vous n'êtes pas bavard, mais quand vous parlez, on sait toujours à quoi s'en tenir.

GÉMEAUX: J'ai surnommé ce signe le «courant d'air». Effectivement, vous bougez sans cesse, vous êtes partout à la fois et vous ne voulez rien manquer. C'est d'ailleurs pour cette raison que vous avez tellement tendance à vous éparpiller. Vos réflexes et vos réactions sont très rapides. Vous adorez parler et communiquer; voilà pourquoi vous êtes si doué pour travailler avec le public. Même si vous parlez beaucoup, vous n'exprimez pas toujours facilement vos sentiments.

CANCER: Cet ascendant confère une nature très maternelle ou paternelle, selon le cas. Vous avez énormément besoin de vous sentir aimé. Vous dorlotez les vôtres et vous comblez même leurs besoins avant qu'ils ne les aient exprimés. Votre hypersensibilité et votre naïveté vous jouent bien souvent de vilains tours. Pour vous, l'amour, l'amitié et la famille sont sacrés. D'ailleurs, les sentiments sont votre meilleur carburant.

LION: Vous êtes le roi des animaux et, effectivement, vous ne détestez pas régner sur votre entourage. Vous n'acceptez pas de passer inaperçu et, finalement, vous avez presque toujours besoin d'un public. Il y a cependant une exception: quand vous êtes triste ou déprimé, vous ne voulez plus voir personne. Vous partagez facilement vos gains et vos succès, mais vous ne voulez aucun témoin de vos chagrins. Assurément, vous êtes doué pour l'administration... et pour le vedettariat.

VIERGE: Cet ascendant rend méthodique, méticuleux, logique et rationnel. Avouons toutefois que vous êtes souvent maniaque des détails, de l'hygiène et de la propreté. On peut vous compter parmi les êtres les plus responsables et les plus dévoués du zodiaque. Malheureusement, vous vous sentez toujours coupable de tout et vous estimez que vous n'en avez jamais assez fait. Votre mémoire est davantage axée sur les mauvais souvenirs que sur les bons. Si je peux me permettre de vous donner un conseil, je vous dirais de moins penser et de mettre plus de fantaisie dans votre vie.

BALANCE: Votre charme est incontestable, vous trouvez tout beau et, avec vous, rien n'est jamais totalement négatif. Vous détestez la solitude et vous éprouvez constamment le besoin d'être entouré, que ce soit au travail ou dans votre vie privée. Vous ne pouvez supporter ni le mensonge, ni l'hypocrisie, ni l'injustice. Le seul problème que vous ayez, c'est quand il s'agit de prendre une décision: vous n'en finissez plus de balancer.

SCORPION: Vous avez bien mauvaise réputation et, pourtant, elle n'est absolument pas fondée. Il n'y a pas de bons ni de mauvais signes; chacun a ses qualités et ses défauts. Ces rumeurs qui circulent sur votre compte viennent sûrement d'un astrologue qui n'aimait pas les Scorpion; moi, je vous aime bien. N'oublions pas que vous êtes méfiant et que vous ne laissez pas facilement paraître vos sentiments. Vous êtes un travailleur acharné et votre mémoire est phénoménale. D'ailleurs, ne vous souvenez-vous pas toujours de ce qu'on vous a fait?

SAGITTAIRE: Votre indépendance frise souvent les extrêmes. Vous ne voulez rien devoir à personne et vous remettez toujours au centuple les faveurs qu'on vous fait. Vous avez la bougeotte, vous ne tenez pas en place et vous adorez voyager. La nature et les animaux vous attirent énormément. Un emploi sédentaire ne vous convient pas tellement; cependant, s'il est question de mouvement au travail, vous serez parfaitement satisfait.

CAPRICORNE: Vous êtes comme le bon vin: plus vous vieillissez, plus vous prenez de la force et du piquant. Et puisque vous vous bonifiez avec le temps, la deuxième partie de votre vie est toujours bien meilleure que la première. Il est vrai que vous mettez sans cesse les bouchées doubles lorsqu'il s'agit de travail et que vous êtes plutôt perfectionniste. Vous parlez peu et, souvent, votre entourage vous reprochera d'être renfermé et replié sur vous-même.

VERSEAU: Vous êtes très humanitaire, mais votre bonté se retourne facilement contre vous. En effet, vous êtes souvent victime de profiteurs, de parasites et de faux amis qui abusent carrément de vous. Apprenez à dire non et vous serez gagnant. Vous jugez d'après vous-même et vous êtes constamment déçu. Votre intuition est pourtant surprenante: vous auriez intérêt à vous y fier davantage.

POISSONS: De tous les signes, vous êtes le plus sensible et le plus vulnérable. Vous vous découragez facilement et vous abandonnez la lutte après le premier échec. Par peur de la solitude, vous vous entourez de gens qui vous causent beaucoup plus de chagrin que de joie. Attention! Vous avez une âme de missionnaire et vous êtes incapable de refuser quoi que ce soit à votre prochain. Les paradis artificiels et les croyances utopiques exercent beaucoup d'attraction sur vous.

IMPORTANT: Il n'existe pas de signes purs; ainsi, il est impossible d'être un pur Bélier, un pur Taureau, etc. L'influence de votre ascendant et celle des positions planétaires à votre naissance sont tout aussi importantes. J'ai constaté que l'influence de l'ascendant est de plus en plus forte avec le temps. En vieillissant, c'est l'ascendant qui prédomine et, dans la deuxième partie de la vie, il prend une valeur significative. Toutefois, on compte deux exceptions: l'ascendant Capricorne et l'ascendant Vierge, qui obéissent à la règle inverse.

Les 12 signes du zodiaque et les 36 décans

Signe	1er décan	2e décan	3e décan
BÉLIER 21 mars au 20 avril	21 mars au 31 mars	1er avril au 10 avril	11 avril au 20 avril
TAUREAU 21 avril au 20 mai	21 avril au 29 avril	30 avril au 10 mai	11 mai au 20 mai
GÉMEAUX 21 mai au 21 juin	21 mai au 1er juin	2 juin au 11 juin	12 juin au 21 juin
CANCER 22 juin au 23 juillet	22 juin au 1er juillet	2 juillet au 12 juillet	13 juillet au 23 juillet
LION 24 juillet au 23 août	24 juillet au 3 août	4 août au 13 août	14 août au 23 août
VIERGE 24 août au 23 septembre	24 août au 3 septembre	4 septembre au 13 septembre	14 septembre au 23 septembre
BALANCE 24 septembre au 23 octobre	24 septembre au 3 octobre	4 octobre au 13 octobre	14 octobre au 23 octobre
SCORPION 24 octobre au 22 novembre	24 octobre au 2 novembre	3 novembre au 12 novembre	13 novembre au 22 novembre
SAGITTAIRE 23 novembre au 20 décembre	23 novembre au 2 décembre	3 décembre au 12 décembre	13 décembre au 20 décembre
CAPRICORNE 21 décembre au 20 janvier	21 décembre au 31 décembre	1er janvier au 10 janvier	11 janvier au 20 janvier
VERSEAU 21 janvier au 19 février	21 janvier au 31 janvier	1er février au 10 février	11 février au 19 février
POISSONS 20 février au 20 mars	20 février au 29 février	1er mars au 10 mars	11 mars au 20 mars

Bélier

21 mars au 20 avril

De tous les signes, le vôtre est certainement le plus dynamique; vous êtes plein d'énergie, vous êtes toujours prêt à entreprendre quelque chose: en fait, vous êtes infatigable.

C'est peut-être parce que la nature se réveille avec votre signe que vous êtes extrêmement actif. Vous avez toujours le goût de bouger; vous commencez donc mille choses, mais, avec autant de projets en marche, vous ne pouvez tout terminer, évidemment, et ce sont souvent les autres qui achèvent votre travail ou en tirent profit.

Avec vous, il n'y a pas de demi-mesure: tout est tranché, vous aimez ou vous détestez, et il n'y a pas de compromis possible. Ce n'est certes pas vous qui irez faire de belles manières à quelqu'un qui vous irrite ou dont le comportement vous déplaît; vous êtes bien trop direct. Évidemment, cela peut créer des froids ou des inimitiés, mais ce n'est pas ce qui vous fera plier.

Vous êtes un homme ou une femme d'action, c'est vrai, et rien ne vous perturbe autant que d'être inactif, de n'avoir rien à faire ou, pis encore, d'attendre. D'ailleurs, quand vous attendez, vous trépignez, vous gigotez, vous pensez à tout ce que vous avez à faire et vous n'en pouvez plus. Non, la patience n'est pas votre fort.

Avec un tel dynamisme et toute l'ardeur que vous mettez dans ce que vous faites, vous êtes sensationnel pour faire démarrer les choses, et, pour les sprints, personne ne vous surpasse. Cependant, l'envers de la médaille, c'est que votre superbe énergie ne dure pas; sans doute votre intérêt commence-t-il à baisser aussitôt qu'une idée prend forme. Les travaux de longue haleine, les projets à long terme et les études poussées ne vous conviennent pas très bien. Vous aimez que ça bouge et vite.

Du côté émotif aussi, il vous faut de l'action; vos sentiments ne sont pas mitigés, loin de là. Vous pouvez piquer une crise terrible pour une bagatelle, mais le plus beau trait de votre caractère, c'est que vous ne

restez pas fâché longtemps; quelques minutes plus tard, la personne à qui vous en vouliez tant peut être celle que vous aimez le plus. Vous êtes très direct, très franc, vous ne mâchez pas vos mots, mais ce qui est merveilleux, c'est que vous n'êtes pas rancunier pour deux sous.

Les gens qui ne savent pas et qui ne se branchent pas ont le don de vous mettre les nerfs en boule. Les «peut-être», les «je vais y penser et vous rappeler» et les «je ne sais pas» vous font rager. Attendre, c'est déjà difficile, mais attendre à cause des autres, c'est carrément insupportable.

Avec un caractère aussi net, vous comprenez qu'une petite vie de «pépère pantoufle», un travail routinier et le petit train-train ne sont pas pour vous. Il vous faut des défis de taille, des choses à accomplir, des gens à convaincre...

En amour, c'est vous qui choisissez votre partenaire — c'est vrai aussi pour les femmes! — et plus l'entreprise vous semble difficile, plus la personne vous attire. D'ailleurs, vous êtes ardent, et rien ne vous empêchera de défendre ceux que vous aimez, même au risque de vous mettre dans le pétrin ou de vous exposer au danger.

Vous vous fâchez facilement, vous avez vos fameux coups de tête, et il faut souvent vous prendre avec des pincettes, mais vous avez un cœur d'or!

COMMENT SE COMPORTER AVEC UN BÉLIER?

Pour s'entendre avec un Bélier, nous l'avons vu, il faut être de son avis. D'ailleurs, vous avez certainement déjà remarqué qu'il a l'esprit de contradiction: il suffit que vous disiez blanc pour que lui dise noir. En fait, s'il pique une de ces colères à faire trembler, le mieux, c'est d'attendre que l'orage soit passé avant de discuter. Autrement, il restera sourd aux arguments les plus logiques et vous ne ferez que jeter de l'huile sur le feu.

C'est quelqu'un d'extrêmement actif. Ne lui demandez surtout pas de rester assis à ne rien faire, de passer des soirées à attendre votre retour, de rester tranquille et de se reposer; c'est tout simplement au-dessus de ses forces. Pour que votre relation avec lui soit plaisante, il faut le stimuler, lui trouver des choses à faire, l'appuyer dans tous ses projets... et ne pas se décourager s'il n'y donne pas suite.

En somme, cela prend de la patience pour deux... mais il a de l'énergie pour quatre, sinon plus!

SES GOÛTS

Le Bélier raffole des couleurs vives, de ce qui frappe. Il s'habille de façon voyante, porte beaucoup de bijoux — et des gros! Son intérieur est chargé, coloré, parfois hétéroclite aux yeux des autres, mais si cela lui plaît...

En fait, il aime tout ce qui se remarque, qui va vite ou fait du bruit. S'il a une nouvelle voiture sport, croyez-moi, il va la sortir, même si c'est seulement pour aller poster une lettre au coin de la rue.

Comme il manque toujours de temps, il mange très vite, sans mastiquer, et se nourrit essentiellement de *fast-food*. D'ailleurs, lorsqu'il cuisine, pour accélérer les choses, il met toujours le feu au maximum et brûle ce qu'il prépare...

SON POTENTIEL

Le Bélier est très énergique; il est toujours prêt à commencer quelque chose. Mais il est déjà loin quand vient le temps de le fignoler et, surtout, de le terminer.

Il est avant tout pratique; ne lui demandez pas d'étudier les nuances des philosophies hindoues. Par contre, c'est un excellent stratège. Le travail avec le métal ou le feu, la soudure, le génie, la politique, la chirurgie, l'armée, la défense sont des domaines où il excelle. Dynamique comme il est, le Bélier peut aussi avoir son entreprise... Du moins, quelque temps!

De plus, vous avez dû le remarquer, il est un peu autoritaire et c'est un chef-né; un poste de commandement lui conviendrait donc tout à fait.

SES LOISIRS

Dynamique comme l'est notre Bélier, vous comprenez qu'il ne reste pas en place. Il aime se mesurer aux autres; aussi les sports de compétition l'attirent beaucoup. Il participera à des championnats de toutes sortes, mais il changera souvent de discipline. Aussitôt qu'il maîtrise les rudiments d'une activité, qu'il sait comment une chose fonctionne, qu'il s'est comparé aux autres, il a le goût d'explorer autre chose, pour voir. D'ailleurs, comme il aime que ça aille vite, la longue partie d'échecs,

très peu pour lui. Il a aussi besoin de bouger, d'agir; il ne reste pas assis à lire, mais il n'hésitera pas à grimper sur le toit pour changer l'antenne. Évidemment, comme il est superactif et qu'en plus il ne connaît pas le danger, au grand désespoir de ceux qui l'aiment, il ne choisit pas toujours les activités les plus sécuritaires: course automobile (d'ailleurs, il conduit vite «naturellement»), deltaplane, parachutisme, alpinisme... Pas surprenant qu'il revienne si souvent à la maison avec une petite blessure. Mais ce n'est certes pas ça qui va le ralentir! En attendant, si vous réussissez à le garder en place le temps d'un film, choisissez un film d'action.

SA DÉCORATION

Notre Bélier apprécie beaucoup ce qui brille, ce qui attire le regard. Pour son décor, il choisira des couleurs franches et gaies, vives même; par exemple, le rouge éclatant que les décorateurs hésitent à utiliser ne lui fait pas peur. Par contre, les teintes douceâtres et les nuances subtiles ne sont pas pour lui; ça le déprimerait. Dynamique, il aime les choses modernes, inusitées, ce qui se remarque: de gros meubles, tout plein d'accessoires. Chez lui, vous verrez que c'est chargé, surchargé même. Il change souvent sa décoration du tout au tout. Par ailleurs, les souvenirs l'encombrent, la vitrine victorienne de sa grand-maman, par exemple, je ne serais pas surprise qu'elle se retrouve rapidement au sous-sol ou dans le garage. En somme, il a un décor à son image. On aime ou on n'aime pas, mais ça ne passe certes pas inaperçu.

SON BUDGET

Le Bélier n'est pas le signe de la prévoyance, et même le côté financier ne fait pas exception. Oh! bien sûr, de temps en temps, il va décider de préparer son budget, d'économiser, et il va le faire... quelques jours! Il est tellement sujet aux coups de foudre, en magasinant entre autres, qu'il finit souvent par faire de gros trous dans son compte en banque. Lundi, il va changer son ameublement de salle à manger, mardi, s'habiller pour la prochaine saison, et mercredi, commander de nouvelles armoires de cuisine... Et si son portefeuille est vide, il y a toujours les cartes. En fait, il peut lui arriver de voir ses cartes de crédit gonflées au maximum et de recevoir des «derniers avis»... Heureusement, rien ne l'arrête, et il s'en sort toujours ou presque!

QUEL CADEAU LUI OFFRIR?

Que donner à quelqu'un qui achète tout ce qui le tente et dont la maison déborde d'objets de toutes sortes? Ce n'est pas si difficile. Pour commencer, il faut le surprendre un peu: la cravate ou le papier à lettres, ce n'est peut-être pas pour lui. Achetez donc une nouveauté qu'il n'a pas encore vue et, si possible, le modèle «nouveau et amélioré», le dernier en magasin, le vêtement à la fine pointe de la mode, de gros bijoux, des accessoires démesurés. Quoi que ce soit, choisissez une couleur vive (pourquoi pas rouge? Il va en raffoler). Les passe-temps qui prennent des heures, casse-tête ou autres, ne sont pas pour lui. Il aime que ça aille vite, que ça fasse du bruit et que ça se voie. Il est vraiment impatient, et s'il désire quelque chose qu'il faut commander à l'avance, il y renoncera. Pourquoi ne pas le commander pour lui? Il sera ravi.

LES ENFANTS BÉLIER

Les petits Bélier sont très actifs; ils marchent et parlent plus tôt que les autres enfants. Ils sont toujours en train de partir à la course, de faire quelque chose, de grimper quelque part; d'ailleurs, rien ne les effraie. Bougeant sans cesse, ne prenant pas le temps de regarder où ils vont, ce sont, hélas, les champions des accidents. Mais, heureusement, ils se remettent vite sur pied. Ce sont des chefs de bande. Ils sont coléreux, batailleurs et même parfois hyperactifs. Et ils adorent jouer avec le feu!

À l'école, le jeune Bélier a un esprit vif, mais ce n'est pas aisé de capter et, surtout, de conserver son intérêt. Il faut l'encourager à terminer ce qu'il commence, lui inculquer la patience et la détermination. Avec ces deux qualités, il ira loin, très loin.

L'ADO BÉLIER

Tu es né sous un signe de feu, et le premier en plus, ce qui te donne une énergie puissante, le goût de faire un tas de choses, de bouger. Tu es plein d'enthousiasme, tu as des idées du tonnerre et tu es vraiment courageux, souvent même un peu trop. Les gens autour de toi te reprochent de ne pas réfléchir, d'aller trop vite, de commencer mille et une choses sans rien terminer. C'est parce que tu as le goût d'expérimenter, d'essayer et de relever des défis. Ce qui ne demande pas d'effort, la routine, le petit train-train, t'ennuie rapidement et te démotive: ce n'est

pas pour toi.

Le sport, les activités qui exigent de la force et de l'endurance, tu adores cela; ça te permet de te défouler, ce qui est essentiel pour ton équilibre. Deux petites choses à surveiller: tu manges trop vite, et souvent, tu manges n'importe quoi, alors que tu aurais besoin de bons aliments pour compenser toute l'énergie que tu déploies... Puis, tu vas si vite! Gare aux accidents.

Tu es quelqu'un de franc et de spontané; tu ne mâches pas tes mots lorsque tu as quelque chose à dire, et parfois cela blesse tes proches. Pourtant, la sincérité est une de tes plus belles qualités.

Tes études

Tu aimes que ça bouge; les projets à court terme te motivent; lorsque tu franchis des étapes, tu es fier de toi, avec raison. Par contre, les travaux de longue haleine te découragent un peu; tu as l'impression de piétiner... et tu as le goût de passer à d'autres activités. Choisis des études qui débouchent sur quelque chose de concret, d'accessible. Ce n'est pas toi qui vas rester sur les bancs d'école jusqu'à 40 ans; tu n'as pas de temps à perdre.

Ton orientation

Pour t'épanouir, ça te prend un métier où il y a de la nouveauté, où ça bouge. Tes points forts sont donc la vente, la publicité, le marketing, les affaires, la mécanique, la justice, les forces policières, les soins dentaires, le journalisme, les emplois où on travaille avec le métal ou le feu, ainsi que tout ce qui demande de l'initiative. En fait, tu as beaucoup d'«entrepreneurship» et peut-être penseras-tu un jour à devenir ton propre patron.

Tes rapports avec les autres

Tu aimes voir du monde, connaître de nouvelles personnes, discuter... et avoir le dernier mot: tu n'es pas toujours très réceptif aux idées des gens. Tu as beaucoup d'amis, mais tu en changes souvent. Dans ton groupe, tu as tendance à diriger un peu les autres; cela fait de toi un meneur, un chef-né... par contre, en même temps, cela t'expose à des conflits de personnalité. Fais un peu attention tout de même; tes anciens amis deviennent souvent tes pires ennemis.

Ils sont Bélier, eux aussi

Rosie O'Donnell, Elton John, Aretha Franklin, Janette Bertrand, Diana Ross, Charles Dumont, Roch Voisine, Richard et Marie-Claire Séguin, Warren Beatty, Céline Dion, Marlon Brando, Marie Denise Pelletier, Eddie Murphy, René Homier-Roy, Jacques Brel, Jean-Paul Belmondo, Jacques Villeneuve, Donald Pilon, Robert Toupin, Francine Grimaldi, Francine Ruel, Francis Reddy, Charlie Chaplin, Michèle Richard, David Lahaie, Alain Choquette, Mariah Carey, France D'Amour.

PENSÉE POSITIVE POUR LE BÉLIER

Je reçois les cadeaux de la vie avec reconnaissance et je les partage dans la joie. Plus je donne et plus je reçois.

PENSÉE POSITIVE SPÉCIALE POUR 2001

Je m'exprime avec aisance et j'entretiens des liens privilégiés avec tous ceux qui m'entourent.

Le subconscient nous dirige toujours selon nos pensées. En répétant le plus souvent possible ces pensées conçues tout spécialement pour vous, vous vous attirerez plein de belles choses.

- Signe: Bélier
- Élément: Feu
- Catégorie: Cardinal
- Symbole: ♈
- Points sensibles: Dents, vertèbres cervicales, fièvres, blessures et accidents, à la tête notamment.
- Planète maîtresse: Mars, planète de l'énergie.
- Pierres précieuses: Sanguine, rubis, diamant.
- Couleurs: Rouge, orange, jaune; les teintes vives.
- Fleurs: Tulipe, marguerite, œillet.
- Chiffres chanceux: 4-7-13-16-20-24-31-36.
- Qualités: Énergique, actif, dynamique, entreprenant, courageux.
- Défauts: Imprudent, égocentrique, pas assez tenace.
- Ce qu'il pense en lui-même: Je n'ai pas de temps à perdre...
- Ce que les autres disent de lui: Quelle bombe d'énergie... Impossible de le suivre!

Prévisions annuelles

Jusqu'à la mi-juillet, la totalité des planètes lentes influence votre signe de façon positive. Un minimum de doigté vous permettra donc de faire de votre vie ce que vous souhaitez véritablement et d'atteindre aisément vos objectifs. Votre nature dynamique sera comblée, les occasions de vous dépasser et de mettre du piquant dans votre existence abonderont. La deuxième moitié de l'année n'augure rien de vilain, mais vous auriez intérêt à demeurer bien centré sur vos véritables priorités. Attention aux erreurs de jugement et aux illusions.

SANTÉ Avec toutes les bonnes conjonctures dont vous disposez, vous devriez péter le feu. Vous vous sentirez alerte et motivé, sans compter que vous jouirez d'une vitalité débordante. Les six premiers mois se déroulent sous un ciel on ne peut plus clément; profitez-en pour régler ce qui accrochait, pour faire provision d'énergie et vous remettre en forme. Ainsi, lorsque se présentera la seconde partie de l'année, vous ne serez pas perturbé par la quadrature de Jupiter. Soyez sur vos gardes, cette configuration planétaire pousse à se négliger et à commettre toutes sortes d'abus.

SENTIMENTS Les bonnes dispositions qui vous animent, votre goût de mordre dans la vie et votre inlassable vigueur se font sentir autour de vous. Vous vous retrouvez dans un cycle d'incroyable popularité; vous fascinez les gens, vous avez un charisme à toute épreuve. Voici qui est merveilleux pour ceux qui voudraient se faire des amis, trouver l'âme sœur ou agrandir leur cercle de relations sociales. Après plusieurs années agitées, vous jouez désormais gagnant. Quelques petits soucis d'ordre familial ne parviendront pas à assombrir ce magnifique tableau; de toute façon, vous serez toujours capable de trouver des solutions ingénieuses.

AFFAIRES L'année se divise en trois tranches. Jusqu'à votre prochain anniversaire, vous évoluerez favorablement et les nombreux efforts que vous fournirez finiront certainement par porter fruit. Par la suite et jusqu'à la mi-juillet, vous bénéficierez d'un puissant courant de chance dans tous les domaines; vous pourriez même rafler un prix lors d'un tirage. La chance continuera de vous accompagner pendant le reste de l'année, mais en contrepartie vous devrez vous prémunir contre les profiteurs et les escrocs. À cette époque, n'allez pas trop vite en affaire et ne vendez pas la peau de l'ours avant de l'avoir tué. L'année est bonne pour voyager, changer d'air, de même que pour embrasser de nouvelles orientations.

JANVIER						
D	L	M	M	J	V	S
	1	2	3	4	5	6
7	8 D	9 ○ D	10 F	11 F	12	13
14	15	16	17	18	19 F	20 F
21	22 D	23 D	24 ●	25	26	27
28	29	30	31			

○ Pleine lune et éclipse lunaire totale
● Nouvelle lune
F Jour favorable
D Jour difficile

SANTÉ La pleine lune qui se double d'une éclipse vous affecte sur le plan nerveux; ses effets pourraient se faire sentir jusqu'au 11, mais par la suite vous devriez retrouver votre vivacité et votre positivisme. D'ici là, prenez quelques précautions afin que cette fragilité émotionnelle ne soit pas à l'origine de troubles digestifs ou d'un rhume.

SENTIMENTS Votre partenaire vous traitera avec infiniment de douceur et de tendresse; sa gentillesse vous surprendra même. Si vous êtes seul toutefois, les possibilités de rencontre sont minces actuellement, mais vous aurez tôt fait de vous reprendre le mois prochain. Les choses ne vont pas rondement avec un enfant ou un membre de la famille lors de la première quinzaine, mais tout finit par rentrer dans l'ordre. Une amitié se développe avec un voisin ou un collègue.

AFFAIRES Rien de grave en vue, sinon une foule de petites contrariétés d'ici le 19. Vous déplorez des retards, un manque de communication avec un supérieur ou certains clients, de même qu'un brin d'incertitude. Heureusement, le mois se termine sur une note plus optimiste. Une bonne nouvelle ou le règlement d'une affaire qui traînait ajoutera à votre sentiment de satisfaction.

FÉVRIER						
D	L	M	M	J	V	S
				1	2	3
4	5 D	6 D	7 F	8 ○ F	9	10
11	12	13	14	15 F	16 F	17 F
18 D	19 D	20	21	22	23 ●	24
25	26	27	28			

○ Pleine lune
● Nouvelle lune

F Jour favorable
D Jour difficile

SANTÉ La première quinzaine comporte son lot d'anxiété et d'énervements; à vrai dire, vous n'êtes pas toujours dans votre assiette et un rien vous inquiète. Le reste du mois sera complètement différent. Vous redeviendrez vous-même, vous retrouverez toute votre énergie de même qu'un moral du tonnerre. Cette transformation d'attitude se verra même sur votre visage. Vous aurez meilleure mine, vous serez rayonnant.

SENTIMENTS Avec l'arrivée de Vénus dans votre signe le 3, on peut vous annoncer une période de bonheur amoureux intense. Les solitaires pourront enfin rencontrer quelqu'un qui leur convienne parfaitement, tandis que ceux qui sont déjà en couple retomberont littéralement amoureux. Une bonne nouvelle n'arrivant jamais seule, attendez-vous aussi à une vie sociale trépidante, particulièrement entre le 9 et le 28.

AFFAIRES Jusqu'au 15, vous ressentirez encore quelques déceptions. Les choses n'iront pas comme vous le souhaitez, et vous devrez redoubler d'efforts pour arriver à un résultat tangible. Par la suite, vous pourrez célébrer le retour de la chance. Vos entreprises se mettront à débloquer, vos espoirs commenceront à se concrétiser, d'heureux changements se produiront, et vous aurez même quelques possibilités au jeu.

MARS						
D	L	M	M	J	V	S
				1	2	3
4 D	5 D	6 F	7 F	8	9 ○	10
11	12	13	14	15 F	16 F	17 D
18 D	19	20	21	22	23	24 ●
25	26	27	28	29	30	31

○ Pleine lune — F Jour favorable

● Nouvelle lune — D Jour difficile

SANTÉ Jusqu'au 17, tout ira comme dans le meilleur des mondes, et vous serez au faîte de votre forme tant physiquement que moralement. Entre le 18 et le 31, protégez-vous contre les refroidissements et les blessures; ne vous laissez pas non plus aller à la mélancolie. Prenez-vous en main, demeurez vigilant et ainsi, vous pourrez évoluer sans problème.

SENTIMENTS Vénus se balade toujours dans votre signe, elle reçoit même l'appui de plusieurs planètes. Les possibilités de rencontres amoureuses et sociales demeurent fort élevées. Bon temps pour les engagements sérieux et les projets à long terme. Les compliments et les marques d'attention se multiplient. Un ami vous démontrera chaudement à quel point il vous apprécie. Une altercation avec un enfant peut survenir lors de la seconde quinzaine; l'humour demeure votre meilleur atout.

AFFAIRES Excellent mois en perspective. Ne restez pas dans votre coin, au contraire, foncez, mettez vos projets en branle, engagez des pourparlers et sachez vous mettre en valeur. Une offre d'emploi alléchante peut survenir au moment où vous vous y attendiez le moins. Une distraction risque de vous occasionner des frais durant la seconde moitié du mois; gare aux négligences.

AVRIL						
D	L	M	M	J	V	S
1 D	2 D	3 F	4 F	5	6	7 ○
8	9	10	11 F	12 F	13	14 D
15 D	16	17	18	19	20	21
22	23 ●	24	25	26	27	28 D
29 D	30 F					

○ Pleine lune
● Nouvelle lune
F Jour favorable
D Jour difficile

SANTÉ Les astres vous favorisent énormément, entre autres du 6 au 22; vous pourrez alors trouver la solution à un problème qui vous chicotait depuis quelque temps et repartir du bon pied. Excellente période pour suivre un régime, adopter une meilleure hygiène de vie ou pour vous inscrire à un programme d'exercices. Bref, vous prendrez de bonnes résolutions et, surtout, vous serez capable de les tenir.

SENTIMENTS C'est à croire que Vénus se plaît chez vous, car elle, qui ne reste habituellement qu'un mois dans un signe, demeure en Bélier. Si vous n'avez pas encore réglé votre problème de solitude, sachez que cela se termine; d'autre part, s'il y a déjà quelqu'un dans votre vie, attendez-vous à des instants de romantisme enlevants. Socialement aussi, ça promet! De bonnes nouvelles venant de l'étranger ou de quelqu'un dont vous n'aviez pas entendu parler depuis longtemps vous feront sourire.

AFFAIRES N'hésitez pas à croire en vos capacités. C'est le moment de vendre votre salade, de postuler pour un nouvel emploi ou de demander une augmentation de salaire. À vrai dire, on vous apprécie tellement qu'on ne peut rien vous refuser. Bon mois pour les déplacements d'affaires ou de loisir ainsi que pour les tirages.

MAI						
D	L	M	M	J	V	S
		1 F	2	3	4	5
6	7 ○	8 F	9 F	10 F	11 D	12 D
13	14	15	16	17	18	19
20	21	22 ●	23	24	25 D	26 D
27 F	28 F	29	30	31		

○ Pleine lune
● Nouvelle lune
F Jour favorable
D Jour difficile

SANTÉ Vous avez de la veine puisque plusieurs planètes continuent de vous influencer favorablement. Seule ombre au tableau, ce Mercure dans votre troisième secteur qui vous pousse parfois à faire des montagnes avec des riens et qui vous rend plus distrait. Attention de ne pas vous infliger une blessure, entre autres à une extrémité.

SENTIMENTS Il n'y a rien à faire, Vénus vous a adopté. En plus de vous procurer une vie mondaine digne d'une star, elle vous destine à un profond bonheur amoureux. Rencontres électrisantes, réconciliations ou tout simplement une vie de couple qui redémarre sont au programme. Un frère, une sœur ou un enfant traverse des instants difficiles; heureusement, vous êtes là pour l'aider à se tirer d'affaire.

AFFAIRES Il faut battre le fer pendant qu'il est chaud! Ce n'est certainement pas le temps d'hésiter ou de tergiverser. Suivez votre première idée et allez de l'avant; vous-même serez surpris des résultats. Même si vous avez la réputation d'être vite sur vos patins, à certains moments vous trouvez que cela va trop rapidement. Qu'importe, vous finissez gagnant.

JUIN						
D	L	M	M	J	V	S
					1	2
3	4	5 ○ F	6 F	7 D	8 D	9 D
10	11	12	13	14	15	16
17	18	19	20	21 ● D	22 D	23 F
24 F	25	26	27	28	29	30

○ Pleine lune
● Nouvelle lune et éclipse solaire totale
F Jour favorable
D Jour difficile

SANTÉ Mis à part la tension nerveuse qui se fait parfois bien présente, vous n'avez pas vraiment à vous plaindre. Pour que tout aille rondement, gardez-vous du temps pour relaxer, ce que vous avez négligé de faire avec tout le brouhaha des dernières semaines. Un peu de repos vous tiendra à l'abri des petits bobos.

SENTIMENTS Vous continuez à faire un malheur partout où vous passez, et ce ne sont pas les occasions qui manquent tant les invitations abondent. Avec votre partenaire, vous avez l'impression que la passion s'estompe, pourtant il n'en est rien. Essayez de ne pas tenir votre bonheur pour acquis, faites preuve d'initiatives et tout redémarrera. Quelques complications surgissent avec un membre de la famille, mais vous décidez de ne pas trop vous en mêler.

AFFAIRES Un brin d'instabilité plane autour de vous, mais semble affecter davantage vos collègues que vous-même. À vrai dire, vous demeurez bien branché sur vos objectifs et vous continuez à gagner du terrain. Vous avez tellement à accomplir que parfois vous ne savez plus où donner de la tête; ce n'est pas dans votre nature de vous arrêter, alors vous travaillez d'arrache-pied. N'empêche que la récolte est appréciable.

JUILLET						
D	L	M	M	J	V	S
1	2 F	3 F	4	5 ○ D	6 D	7
8	9	10	11	12	13	14
15	16	17	18	19 D	20 ● D	21 F
22 F	23	24	25	26	27	28
29 F	30 F	31 F				

○ Pleine lune et éclipse lunaire partielle
● Nouvelle lune
F Jour favorable
D Jour difficile

SANTÉ En ce mois, vous pourriez ressentir les effets de l'éclipse lunaire si vous ne prenez pas quelques précautions car, en abusant de vos forces ou tout simplement des bonnes choses de la vie, vous risquez d'avoir des ennuis. Le meilleur conseil qu'on puisse vous donner est certes de faire preuve de modération et d'être un peu plus à l'écoute de vous-même.

SENTIMENTS Les gens autour de vous sont bien changeants. Un jour ils sont aux anges, le lendemain ils vous critiquent sans ménagement. Ça tombe mal, ces temps-ci vous êtes plus sensible. Afin de ne pas envenimer les choses, tâchez de ne pas prendre ce qu'on vous dit au pied de la lettre; de toute façon il ne faudra guère de temps avant qu'on vous présente des excuses. Avec la famille, il vaut mieux continuer de marcher sur des œufs.

AFFAIRES La situation demeure stressante et on vous en demande énormément. Le plus extraordinaire dans tout ça, c'est que vous arrivez à être à la hauteur; il n'y a que vous pour fournir un tel rendement. Bonne nouvelle: on s'en souviendra. Soyez sur vos gardes entre le 13 et le 30, pour ne pas engloutir une jolie somme; gare aux beaux parleurs et aux achats effectués sur un coup de tête.

AOÛT						
D	L	M	M	J	V	S
			1 D	2 D	3	4 ○
5	6	7	8	9	10	11
12	13	14	15 D	16 D	17 F	18 ● F
19	20	21	22	23	24	25 F
26 F	27 F	28 D	29 D	30	31	

○ Pleine lune
● Nouvelle lune
F Jour favorable
D Jour difficile

SANTÉ Vous avez tendance à vous laisser aller. Seraient-ce Vénus et Jupiter qui sabotent vos bonnes résolutions? Si vous ne faites pas attention, vous allez prendre du poids ou malmener votre digestion. C'est sans doute l'insécurité qui vous pousse à faire de la compensation et, pourtant, vous n'avez aucune raison de vous inquiéter.

SENTIMENTS Vous ne savez pas trop ce que vous voulez. Lorsque vous êtes seul, vous vous ennuyez mais, d'autre part, quand vous voyez des gens, ils ont tôt fait de vous taper sur les nerfs. Ce n'est qu'un mauvais moment à passer, déjà la dernière semaine s'annonce plus clémente. Un proche éprouve de sérieuses difficultés avec ses amours.

AFFAIRES Votre meilleure période se situe entre le 1er et le 14. Agissez donc sans tarder, vous pourrez prendre ça un peu plus mollo par la suite. La première quinzaine est également propice aux déplacements de toutes sortes ainsi qu'aux démarches. Un petit conseil: ne passez pas trop de temps dans les magasins, ils débordent de tentations auxquelles vous aurez énormément de mal à résister.

SEPTEMBRE						
D	L	M	M	J	V	S
						1
2 ○	3	4	5	6	7	8
9	10	11	12 D	13 D	14 F	15 F
16	17 ●	18	19	20	21	22 F
23 F/30	24 D	25 D	26	27	28	29

○ Pleine lune
● Nouvelle lune
F Jour favorable
D Jour difficile

SANTÉ Jusqu'au 9, pas de problème mais, par la suite, les choses se corsent. Vous devrez alors redoubler de vigilance, car nous décelons un risque d'accident et une plus grande vulnérabilité tant physique que morale. Si vous prenez vos précautions, vous traverserez le mois sans problème: après tout, ce serait dommage d'affecter un aussi joli minois.

SENTIMENTS C'est vrai que vous avez beaucoup de charisme ces temps-ci; pas étonnant d'ailleurs que votre conjoint vous complimente sur votre apparence. Si vous êtes seul, vous avez exactement ce qu'il faut pour séduire la personne que vous convoitez. Avec la famille, c'est loin d'être rose, et ça finit par vous gruger pas mal d'énergie. Encore une fois, gardez du temps pour vous.

AFFAIRES Les dix premiers jours semblent les plus avantageux. Utilisez-les pour présenter vos demandes et pour mettre vos projets en marche. Par la suite, vous devriez opter pour la souplesse, ce qui vous permettra d'éviter les affrontements avec votre entourage professionnel, mais aussi de ne pas gaspiller d'énergie là où ça n'en vaut pas la peine. Pas facile non plus de prendre des décisions; ça se placera prochainement.

OCTOBRE						
D	L	M	M	J	V	S
	1	2 ○	3	4	5	6
7	8	9 D	10 D	11 F	12 F	13
14	15	16 ●	17	18	19 F	20 F
21	22 D	23 D	24	25	26	27
28	29	30	31			

○ Pleine lune
● Nouvelle lune
F Jour favorable
D Jour difficile

SANTÉ Mars occupe toujours une position délicate jusqu'au 28 et, par conséquent, vous devez absolument demeurer sur vos gardes. Une distraction risque de vous valoir une blessure, tandis qu'un excès de fatigue ou de stress vous rend plus vulnérable. Du repos, une saine hygiène de vie et un brin de vigilance devraient vous garder à l'abri des contretemps.

SENTIMENTS Il vaut mieux prendre vos proches avec des pincettes en ce mois, car ils risquent d'exploser. Je sais que ce n'est pas gai de toujours avoir à faire des compromis et de peser les mots qu'on emploie, mais croyez-moi, ça vaut mieux qu'une engueulade. Vous aimeriez vous confier à un ami; hélas, il a lui-même sa part de problèmes et ne trouve pas grand temps à vous consacrer.

AFFAIRES Dans ce domaine également, les influences sont contraignantes. Inutile de vous entêter, cela ne ferait qu'aggraver les choses. Le mieux à faire est certes de rester calme et d'attendre au mois prochain. Profitez-en pour prendre un peu de recul, pour mieux définir vos priorités, voire pour planifier vos coups d'éclat; dès novembre, vous pourrez foncer. D'ici là, ce n'est pas en dépensant exagérément que vous calmerez vos frustrations.

NOVEMBRE						
D	L	M	M	J	V	S
				1 ○	2	3
4	5 D	6 D	7 F	8 F	9	10
11	12	13	14	15 ●	16 F	17 F
18 D	19 D	20	21	22	23	24
25	26	27	28	29	30 ○	

○ Pleine lune — F Jour favorable
● Nouvelle lune — D Jour difficile

SANTÉ Enfin le ciel se dégage, et on vous retrouve en bien meilleure forme. De fait, vous avez désormais tous les atouts nécessaires pour vous débarrasser de vos ennuis et aussi pour repartir en force. Votre belle énergie est de retour; ajoutons que vous vous sentez beaucoup mieux dans votre peau, que vous voyez davantage clair en vous et que vous êtes capable de faire la part des choses.

SENTIMENTS Vos amis sont beaucoup plus disponibles et votre vie sociale redémarre; ça vous fait le plus grand bien de voir du monde. Avec l'entourage immédiat, il y a encore un peu d'orage dans l'air jusqu'au 9 mais, par la suite, tout rentre dans l'ordre. Vos relations interpersonnelles redeviendront agréables, certaines personnes regretteront même leur comportement du mois dernier.

AFFAIRES Ce mois s'annonce infiniment plus constructif que les deux précédents. Vous traversez une phase de renouveau; votre situation s'améliore et vous vous rapprochez de votre but. Vous mettez un terme à ce qui traînait; mieux encore, vous recommencez à cumuler les succès. Une bonne nouvelle vous attend durant la dernière semaine.

DÉCEMBRE						
D	L	M	M	J	V	S
						1
2 D	3 D	4	5 F	6 F	7	8
9	10	11	12	13 F	14 ● F	15 D
16 D	17 D	18	19	20	21	22
23/30 ○ D	24/31 D	25	26	27	28	29

○ Pleine lune et éclipse lunaire annulaire
● Nouvelle lune et éclipse solaire annulaire
F Jour favorable
D Jour difficile

SANTÉ L'arrivée de Mars dans votre douzième secteur combinée aux éclipses de ce mois peut engendrer une certaine fragilité. Vous pourrez aisément contrer cette conjoncture en adoptant une saine hygiène de vie; attention également à votre émotivité entre le 16 et le 31, vous êtes trop facile à attendrir.

SENTIMENTS C'est du 1er au 26 que vous jouirez des meilleures influences. Socialement, vous serez le clou de la soirée tandis que votre vie de couple vous procurera énormément de satisfactions; les solitaires pourraient même rencontrer l'âme sœur lors d'une sortie ou d'un déplacement. Des marques d'appréciation vous toucheront grandement, on vous prépare probablement une grosse surprise.

AFFAIRES Les dix premiers jours s'annoncent aussi spectaculaires que novembre; vous marquez des points et vous finissez par obtenir quelque chose qui vous tenait à cœur depuis longtemps. Bon mois pour les déplacements, les voyages et les démarches. Une rentrée d'argent imprévue vous permet de terminer l'année sur une note positive.

Taureau

21 avril au 20 mai

Vous devez vous demander ce que le taureau des corridas peut bien avoir de commun avec quelqu'un d'aussi lent, d'aussi tranquille que vous. Bien peu de chose, et vous avez raison. Le Taureau, c'est plutôt la bonne vache de nos campagnes qui broute paisiblement.

Comme elle, vous affectionnez la nature, la campagne, la verdure. Même au cœur de la ville, vous avez une boîte à fleurs qui vous permet de jardiner et d'égayer le lieu où vous vivez.

Votre stabilité est exceptionnelle et, qu'il s'agisse de vos biens, de votre domicile ou de vos amis, votre fidélité est proverbiale. Le temps qui passe n'émousse pas vos sentiments: au contraire, il les renforce. Vous aimez bien vos petites habitudes, vos vieilles pantoufles, et, parmi vos relations, je suis sûre que vous comptez encore des camarades de la petite école et des voisins d'enfance.

En amour, c'est la même chose: vous ne brûliez peut-être pas de passion aux premiers jours de votre union, mais, avec les années, votre amour s'est doublé d'une grande amitié, d'un attachement énorme pour votre conjoint. Vous êtes d'ailleurs un partenaire dévoué, sincère, mais vous n'acceptez pas qu'on vous mente; si jamais vous découvriez une petite tromperie, vous ne l'oublieriez pas de sitôt.

Vous avez une mémoire remarquable; vous vous rappelez où vous placez vos choses, où vous mettez vos papiers, ce que les enfants vous ont donné à Noël il y a trois ans, ce que votre patron vous a dit au téléphone l'autre jour. Peu importe ce dont il s'agit, vous vous en souviendrez longtemps.

Les méchantes langues diront que vous avez développé cette faculté parce que votre esprit n'est pas particulièrement vif, parce que vous mettez du temps à comprendre les explications ou les raisonnements. À quoi bon comprendre vite et oublier plus vite encore?

Votre esprit est comme vous: tout y est classé, organisé et rien ne se perd. En fait, vous avez un sens de l'organisation exceptionnel. Vous êtes méthodique, responsable et déterminé... au point de sembler têtu. L'important, c'est que, même si vous avancez lentement, vous arrivez toujours au but, pas à pas peut-être, mais sûrement. Avec de telles qualités, les obstacles créent parfois des retards, mais jamais d'échecs.

Par contre, vous n'aimez pas qu'on vous pousse dans le dos; pour bien fonctionner, il faut que vous alliez à votre rythme. Les délais trop courts, les situations urgentes vous déplaisent; vous connaissez vos capacités et vous savez que cela vous empêche de donner votre maximum.

Les changements sont certainement ce qui vous ennuie le plus. Que ce soit au boulot ou à la maison, qu'il s'agisse d'implanter un système informatique, d'être muté à Rimouski, de changer les tentures du salon ou de déménager, on dirait que vous paniquez. Pourtant, lorsque vous vous serez habitué (je sais, il faudra un bon petit bout de temps), vous conviendrez que cela en valait la peine, que c'était pour le mieux. En attendant, il faut vous accoutumer, et ce n'est pas drôle.

En toute chose, vous allez lentement, toutefois vous arrivez toujours au but. C'est parfois long, mais votre patience est à toute épreuve... Une patience qui peut même devenir excessive. Par ailleurs, vous êtes craintif et, dans certains cas, vos peurs peuvent vous empêcher d'agir ou minent votre moral.

Vous ne dédaignez certes pas les plaisirs de la vie; vous avez un faible pour la bonne chère, les vins capiteux, les belles choses. Sérieux et prévoyant comme vous l'êtes, vous vous arrangez donc pour pouvoir vous en procurer. Et comme vous souffrez d'insécurité, vous vous organisez aussi pour avoir un petit coussin, au cas où, puis de petites économies pour plus tard.

Vous êtes très terre à terre; la vie matérielle est importante pour vous. C'est d'ailleurs une source d'inquiétude constante qui fait sourire vos proches. Mais, petit à petit, vous faites votre nid, vous arrivez à l'aisance. Et alors, devinez qui viendra vous voir pour obtenir votre aide?

COMMENT SE COMPORTER AVEC UN TAUREAU?

Avec un Taureau, un et un, ça fait deux. Pas trois, ni même deux et demi. Deux! Si vous discutez avec un Taureau — ce qui n'est jamais une très bonne idée — évitez les généralités, les on-dit ou les «je pense bien»... Pour lui, c'est du vent. Oubliez aussi les théories métaphysiques vaseuses. Prenez un papier et un crayon et écrivez des arguments logiques. Il comprend mieux ce qu'il voit que ce qu'il entend.

Évitez surtout d'essayer de l'entraîner dans des projets à peine ébauchés ou irréalistes; même si tout semble parfaitement clair et avantageux pour lui, ne vous attendez pas qu'il prenne une décision sur-le-champ. Il doit y penser, et cela veut généralement dire se faire à une idée: c'est souvent long, les occasions lui passent parfois sous le nez, mais il est ainsi fait.

Le Taureau est quelqu'un de stable, de méthodique, et généralement, il lui manque l'étincelle pour partir. Vous pouvez l'encourager, l'aider à démarrer (une fois parti, sachez qu'il va loin); il l'appréciera énormément après coup. Mais ne le poussez surtout pas: il refusera tout simplement d'avancer.

Pour avoir une relation plaisante avec lui, fuyez les conflits (il s'en souviendra vingt ans plus tard!), car il se rebifferait. Comprenez et respectez son besoin de calme et de sécurité; il en a réellement besoin pour se ressourcer.

Pour lui faire faire quelque chose à votre goût, promettez-lui d'organiser par la suite une activité qui lui plaira; le «donnant-donnant» marche toujours bien avec lui. Après tout, un et un, ça fait deux.

SES GOÛTS

Le Taureau, on l'a vu, adore la campagne et la nature; s'il n'y habite pas, il essaiera de la recréer chez lui avec des plantes, des meubles anciens ou rustiques. De plus, c'est très important pour lui d'être propriétaire de sa maison. Pour ce qui est des vêtements, il les aime sobres, classiques, et c'est mieux ainsi parce qu'il les garde longtemps.

Il apprécie énormément une bonne table: il aime les portions généreuses, les sauces, les salades et les produits laitiers — qu'il digère habituellement assez mal. Il savoure, il déguste, cela fait vraiment plaisir à voir, mais il a tendance à manger un peu trop.

SON POTENTIEL

Le Taureau va lentement, mais il est déterminé et rien ne l'arrête. Il n'est pas vif et fonctionne mal sous pression; toutefois, dans les projets à long terme, il est fantastique. Il ne prend pas de risques, mais ne commet pas d'erreurs.

Avec son côté matérialiste, il n'a pas son pareil dans la gestion, l'administration, la construction, l'ébénisterie et l'immobilier. L'artisanat, l'esthétique, la coiffure, l'alimentation et la restauration lui conviennent aussi très bien.

Même si on lui reproche d'être un peu peureux, il fait ce qu'il a à faire et, peu importe ce dont il s'agit, il le fait bien. Ne vous inquiétez pas pour lui, il ne perd pas de vue ses intérêts personnels, et vous pourriez avoir des surprises... Avec un dollar, il est capable d'en faire dix.

SES LOISIRS

Le Taureau est terre à terre, on le sait. S'il peut occuper ses moments libres en bricolant chez lui ou en rafistolant un objet utile, il sera ravi. Il aura plus de plaisir à réparer le robinet qui coule, à construire une terrasse ou à coudre des rideaux pour la chambre d'amis qu'à aller danser. Et pensez à l'économie ainsi réalisée! En fait, il est très habile de ses mains pour construire, pour fabriquer des choses; il n'est peut-être pas rapide comme d'autres, mais ce qu'il fait est bien fait, et c'est du solide, croyez-moi. Ajoutons qu'il raffole du jardinage et qu'il a le pouce vert.

Il aime bien jouer, à condition que ce soit à des jeux qui lui permettent d'exercer son intelligence et son sens de la stratégie; les jeux de cartes, le bridge, entre autres, et les échecs lui plaisent donc beaucoup. Et puis, comme il est un peu timide de nature, cela lui donne l'occasion de voir du monde.

Il n'est pas insensible aux plaisirs de la table; homme ou femme, il consacrera des heures à mijoter de ces petits plats que vous n'oublierez pas de sitôt. Pour lui, cuisiner est un véritable plaisir et même, un art.

Justement, le natif du Taureau a souvent des talents dans divers domaines: artisanat, poterie, céramique. En somme, il adore faire quelque chose de ses mains. Comme le signe du Taureau correspond à la gorge, beaucoup d'entre eux chantent et ont une très belle voix.

Si vous lui offrez un livre ou si vous l'emmenez au cinéma, bien que, dans la vie, il soit un peu pantouflard, il préférera un film d'aventures ou une comédie qui finit bien. N'oubliez pas le maïs soufflé!

SA DÉCORATION

Le Taureau aime prendre ses aises. Lorsque vous entrez chez lui, vous pénétrez dans un intérieur confortable, très confortable. Vous remarquerez ses gros fauteuils moelleux où on a le goût de s'enfoncer, des meubles solides, entre autres une table de salle à manger impressionnante (il aime tant manger). C'est peut-être parce que le taureau et la vache sont des animaux de la campagne que notre Taureau optera souvent pour un mobilier un peu rustique.

En général, il préfère les objets plus anciens, à condition qu'ils ne nuisent pas à son confort; une belle armoire à pointes de diamant lui conviendra parfaitement, mais le petit fauteuil Louis XVI qui branle, ce n'est pas pour lui.

En bon signe de terre, il aspire très tôt à posséder sa propre maison; c'est un investissement qui prend tout son sens. Sa maison, il la choisira selon ses goûts: solide, agréable et, s'il le peut, entourée d'un petit terrain verdoyant. Les matières comme la céramique, le bois, la brique et la pierre y seront à l'honneur, si bien que, même s'il réside au cœur du centre-ville, on se sent à la campagne en entrant chez lui. On peut dire que, chez un Taureau, rien ne change jamais de place et que ce n'est pas très moderne. Mais c'est tellement chaleureux!

SON BUDGET

Avec son sérieux, son sens de l'économie et tout ce qu'il fait de ses mains, vous pensez bien qu'il nage dans l'argent. Pourtant, il vous expliquera combien les temps sont durs, combien les taxes sont élevées, combien les enfants coûtent cher. En fait, il n'a jamais d'argent à jeter par les fenêtres... Et même s'il vient de gagner 3 millions de dollars à la loterie, il n'en jettera pas plus!

Heureusement, malgré sa grande prudence, il a le don de saisir au vol d'excellentes occasions. Si un terrain est mis en vente à prix d'aubaine à trente kilomètres de chez lui, il sera aussitôt là, à la porte, avec une offre signée en main.

Pour lui, l'économie est une façon de vivre. Sage au travail, sage en amour, pourquoi serait-il différent en ce qui a trait aux sous? Il sait trop bien que l'argent ne pousse pas dans les arbres. En fait, il souffre un peu d'insécurité. On ne sait jamais ce qui peut arriver: il peut perdre son emploi, la banque peut faire faillite, la famine et la disette rôdent... Bien sûr, rien de cela n'arrive, mais il s'inquiète. Ceux qui le connaissent bien se doutent qu'il n'est pas en si mauvaise posture et le taquinent même sur son côté pingre; mais au besoin, ils savent bien où aller.

Il faut dire que notre Taureau a un petit bas de laine bien rempli; impossible de le lui faire avouer, mais il a toujours quelques dollars cachés ici ou là, au cas où...

QUEL CADEAU LUI OFFRIR?

Notre Taureau a le sens pratique. Alors, offrez-lui quelque chose de pratique, tout simplement; il sera ravi.

Comme il aime bricoler, des outils ou du matériel seraient tout à fait appropriés. Il s'adonne aussi sûrement à certains passe-temps: jardinage, couture ou artisanat, là encore vous avez de bonnes pistes.

On sait que les sous sont importants pour lui; un beau portefeuille, un cahier pour tenir sa comptabilité personnelle, une serviette pour mettre ses certificats de placement... peut-être un petit coffre-fort, soyez sûr que ça va servir.

Fine bouche, il appréciera certainement de bons vins, du caviar, des gâteaux raffinés ou encore un dîner fin dans un bon restaurant. Ajoutons que le Taureau est très sensible aux odeurs: un parfum bien choisi peut le transporter au septième ciel.

LES ENFANTS TAUREAU

Les petits Taureau sont des enfants sages, très sages. Bébés, ils sont dociles, souriants comme des angelots et, avec leurs belles joues rondes, ils sont beaux à croquer! Ils resteront des enfants faciles, à condition de discuter avec eux, de leur expliquer les choses et de les prendre avec douceur. S'ils sont contrariés, ils boudent et, avec leur bonne mémoire — déjà! —, ils peuvent faire la tête longtemps.

Ce sont toutefois des enfants qui manquent un peu d'assurance; ils ont besoin de se sentir entourés, aimés et en confiance pour s'épanouir. À l'école, ils ne comprennent pas particulièrement vite, mais ils compensent en étant très appliqués, surtout si on les motive. Il est bon d'essayer de leur donner davantage confiance en eux-mêmes, de les apprivoiser petit à petit aux changements; ainsi, ils feront leur chemin dans la vie.

L'ADO TAUREAU

Le fait que tu aies un signe fixe fait de toi quelqu'un de réfléchi, de sérieux et de prudent. Pour que tu te sentes bien, il faut que tu évolues dans un entourage stable et calme. Lorsqu'on te bouscule ou qu'on crie après toi, ça te perturbe beaucoup.

Tu es doué, talentueux et tu penses à ton affaire avant de t'embarquer dans quelque chose. Parfois, des gens te trouvent trop lent, mais ils sont bien obligés d'admettre que tu fais rarement de faux pas. En fait, tu peux tout faire, pourvu qu'on t'en laisse le temps et qu'on ne te dérange pas. Tu es généralement bourré de talents artistiques et de goût pour la musique.

La nature te plaît bien, elle te permet de te ressourcer, de faire le point, de mijoter tes affaires et surtout d'oublier les tracas quotidiens. Les imprévus, les chambardements, ça t'ennuie un peu; ça t'empêche de te sentir bien. Tu supportes mal le stress.

Tu tiens à tes idées, et c'est difficile de t'en faire démordre. Cela fait de toi quelqu'un de têtu, mais en même temps de loyal, d'honnête, à qui on peut se fier. Cependant, tu as aussi ton petit côté sensible. Côté sous, tu iras loin: tu es raisonnable et tu as toujours quelques dollars en poche, au cas où...

Tes études

Tu es un être travailleur, et, lorsque tu t'y mets, il n'y a rien à ton épreuve. Tu prépares d'avance tes travaux, tes examens, tu planifies tes études et tout ton avenir. Tu possèdes la détermination et la persévérance nécessaires pour mener à bien tes projets. Tu es prudent, mais tu sais où tu t'en vas... et, crois-moi, tu vas y arriver, envers et contre tous. Le temps travaille pour toi.

Ton orientation

Les gens peuvent être surpris par ton choix, mais fie-toi à ton jugement, c'est de ta vie qu'il s'agit et tu connais tes capacités. Les emplois qui demandent de la suite dans les idées te conviennent tout à fait. La planification, la comptabilité, l'administration, la psychologie, le commerce, l'immobilier sont des domaines pour toi. Tout ce qui touche le chant, la musique, l'art, la terre, le travail que l'on fait de ses mains t'irait aussi très bien. Sur le plan financier — aspect qui t'inquiète un peu —, sois confiant: tu te prépares un bel avenir.

Tes rapports avec les autres

Tu es fiable et tu exiges la même chose des gens qui te côtoient. Tu n'imposes pas tes idées, mais tu as les tiennes et tu ne les changes pas facilement. Tu as besoin d'être entouré de personnes stables, avec qui tu es à l'aise. Souvent, tu t'entends mieux avec tes copains qu'avec ta famille. Sais-tu que tes amis ont beaucoup de chance? Ils peuvent toujours compter sur toi. C'est beau de protéger ceux qu'on aime, de les gâter... mais apprends aussi à recevoir!

Ils sont Taureau, eux aussi

Roy Dupuis, Serge Thériault, Barbra Streisand, Claude Dubois, Michel Barrette, Luc De Larochellière, Ginette Reno, Michelle Pfeiffer, Billy Joel, Salvador Dalí, Pauline Lapointe, Louise Portal, Stevie Wonder, Gaston L'heureux, Jean Leloup, Claude Michaud, Denise Filiatrault, Janet Jackson, Cher, Claude Blanchard, Dorothée Berryman, Guy Mongrain, Marie Plourde, Joëlle Morin, Suzanne Champagne, Patrick Huard.

PENSÉE POSITIVE POUR LE TAUREAU

J'avance avec confiance sur le chemin de ma vie. J'accepte tous les bienfaits qui s'en viennent et tous ceux qui sont déjà là, en me donnant le droit d'en profiter.

PENSÉE POSITIVE SPÉCIALE POUR 2001

Ma route devient plus facile et je fais entièrement confiance à mon avenir.

Le subconscient nous dirige toujours selon nos pensées. En répétant le plus souvent possible ces pensées conçues tout spécialement pour vous, vous vous attirerez plein de belles choses.

- SIGNE: Taureau
- ÉLÉMENT: Terre
- CATÉGORIE: Fixe
- SYMBOLE: ♉
- POINTS SENSIBLES: Gorge, sinus, nuque, thyroïde, seins, système glandulaire. Bonne résistance générale.
- PLANÈTE MAÎTRESSE: Vénus, planète du bonheur intime.
- PIERRES PRÉCIEUSES: Émeraude, jade, corail.
- COULEURS: Les couleurs pastel et les tons de vert.
- FLEURS: Muguet, pivoine, toutes les fleurs des champs.
- CHIFFRES CHANCEUX: 3-9-13-18-23-36-39-45-49.
- QUALITÉS: Persévérant, méthodique, pondéré, d'une patience à toute épreuve.
- DÉFAUTS: Inquiet, matérialiste, lent.
- CE QU'IL PENSE EN LUI-MÊME: Pourquoi vouloir changer quand ça peut rester pareil?
- CE QUE LES AUTRES DISENT DE LUI: Si on ne le pousse pas, il sera encore à la même place dans 10 ans...

Prévisions annuelles

Vous en avez parcouru du chemin depuis les deux dernières années! Le passage de Saturne dans votre signe vous a forcé à une remise en question et vous a fait vivre toute une série d'événements hors du commun. Dorénavant, vous envisagez la vie sous un tout autre angle. Vous vous connaissez mieux et, surtout, vous savez où sont vos limites. Il reste encore une multitude de choses à régler, mais, croyez-moi, l'impasse est sur le point de se terminer. Dès le 20 avril prochain, Saturne quittera votre signe pour de bon, ce qui laisse présager qu'à partir de votre anniversaire vous entamerez un cycle beaucoup plus prometteur au cours duquel vous découvrirez et construirez un nouveau bonheur, une nouvelle existence.

SANTÉ Le début de l'année comporte encore quelques épisodes de vulnérabilité. À vous de prendre les moyens qui s'imposent pour conserver votre bonne forme physique et votre stabilité d'esprit. À compter de votre anniversaire, vous vous sentirez soulagé. Fini le doute, l'anxiété, voire la panique; vous récupérerez votre énergie physique, vous aurez davantage le goût de profiter de la vie. Vous ne l'aurez pas volé!

SENTIMENTS On ne peut pas dire que les dernières années ont été de tout repos sur le plan affectif. De vieilles douleurs que vous croyiez enterrées ont refait surface, vous poussant à vous questionner sur vous-même et sur votre position face aux autres. La crise fut lourde, mais voyez à quel point vous en êtes sorti grandi! Aujourd'hui on ne vous manipule plus, vous savez trop ce que vous valez. Vous avez fait des choix, vous avez mis certaines relations de côté; cette année, vous vous emploierez à en créer de nouvelles. Quant à celles que vous avez conservées, elles sont vouées à une évolution plus saine, axée davantage sur le respect mutuel.

AFFAIRES Les Taureau détestent les périodes en dents de scie et, malheureusement, vous en avez eu votre part! Tenez le coup, puisqu'à partir de votre fête vous bénéficierez dans ce domaine également d'une bien meilleure conjoncture. Vous pourrez accomplir un travail que vous aimerez tout en faisant de l'argent; enfin, dans votre vie, vous arrivez à concilier les deux. On peut parler d'un temps de récupération entre mai et la mi-juillet puis, pour le reste de l'année, d'une augmentation évidente de votre coefficient de chance. Au cours des six derniers mois, vous ferez plus de progrès que pendant les deux ou trois années précédentes.

JANVIER						
D	L	M	M	J	V	S
	1	2	3	4	5	6
7	8	9 ○	10 D	11 D	12 F	13 F
14	15	16	17	18	19	20
21 F	22 F	23 F	24 ● D	25 D	26 D	27
28	29	30	31			

○ Pleine lune et éclipse lunaire totale — F Jour favorable
● Nouvelle lune — D Jour difficile

SANTÉ Vous commencez l'année avec une opposition de Mars, ce qui n'est pas de tout repos. Afin de ne pas trop en ressentir les effets, prenez vos précautions pour ne pas vous blesser et tâchez également de renforcer vos défenses immunitaires. Moralement, la tension est grande, mais vous êtes armé pour passer au travers.

SENTIMENTS Du 4 au 31, Vénus occupera un secteur avantageux de votre thème astrologique, ce qui pourrait se traduire par une amélioration de votre vie de couple et de solides amitiés. D'ici le 10, un enfant ou un proche vous confiera une bonne nouvelle. Par contre, entre le 11 et le 30, les choses pourraient se corser sur le plan familial; conservez votre sang-froid et méfiez-vous de votre tendance à dramatiser.

AFFAIRES Ça ne marche pas exactement comme vous l'aviez prévu ou comme vous le souhaiteriez. Malheureusement, vous n'êtes pas pour l'instant en position de force. Inutile donc de vous entêter. Dites-vous qu'à partir de la mi-février, il vous sera plus facile d'agir. D'ici là, pourquoi ne pas employer votre temps à préparer vos actions futures ou à peaufiner vos projets? Pécuniairement, ce n'est pas le Pérou, mais ça aussi, ça finira par s'arranger.

FÉVRIER						
D	L	M	M	J	V	S
				1	2	3
4	5	6	7 D	8 ○ D	9 F	10 F
11	12	13	14	15	16	17
18 F	19 F	20 D	21 D	22 D	23 ●	24
25	26	27	28			

○ Pleine lune
● Nouvelle lune
F Jour favorable
D Jour difficile

SANTÉ La planète Mars continue à s'opposer à votre signe jusqu'au 15, ne relâchez donc pas votre vigilance trop vite. Gardez-vous du temps pour vous ressourcer et n'abusez pas de vos forces. Lors de la seconde quinzaine, vous sentirez votre vitalité revenir petit à petit et constaterez que votre résistance commence à s'améliorer. Psychologiquement, il y a encore des hauts et des bas, mais plus le temps passe, plus les hauts sont nombreux.

SENTIMENTS Il ne sera pas toujours aisé de vous entendre avec votre entourage pendant la première quinzaine. On se montrera susceptible ou parfois méfiant à outrance. Allez-y doucement! Avec votre charme inné, vous finirez bien par en venir à bout. La santé d'un parent semble chancelante; il aura sans doute besoin de vos conseils ou de votre aide.

AFFAIRES Comme nous l'avons vu le mois dernier, la seconde quinzaine de ce mois s'annonce beaucoup plus propice à la réalisation de vos espoirs et à la mise en chantier de vos projets. Un peu de patience et ça devrait se mettre à débloquer. Un petit contrat ou le règlement d'une affaire qui traînait apporte un peu d'eau au moulin.

MARS						
D	L	M	M	J	V	S
				1	2	3
4	5	6 D	7 D	8 F	9 ○ F	10
11	12	13	14	15	16	17 F
18 F	19 F	20 D	21 D	22	23	24 ●
25	26	27	28	29	30	31

○ Pleine lune
● Nouvelle lune

F Jour favorable
D Jour difficile

SANTÉ On dénote une nette amélioration sur le plan physique. Vous êtes beaucoup plus vigoureux, vous coupez vraiment avec le passé et vous repartez du bon pied. Le moment serait idéal pour changer certaines choses dans votre vie et pour prendre de bonnes résolutions. Moralement, vous serez beaucoup plus détendu à partir du 17.

SENTIMENTS Vous avez du flair. Votre intuition vous permet de bien saisir les gens qui gravitent autour de vous, et même de comprendre le but de leurs agissements. Les changements positifs que vous vivez intérieurement ont des répercussions fort avantageuses sur vos rapports avec les autres. Bon mois également pour mettre les choses au clair et pour dire ce que vous avez sur le cœur. Votre charisme est de plus en plus fort.

AFFAIRES Le temps du renouveau se poursuit. Un nouvel emploi, un stage de perfectionnement ou des études pourraient vous permettre de vous approcher de votre but. Votre perspicacité vous sert aussi bien en affaires que dans votre vie privée; grâce à elle, vous êtes capable de saisir au vol une excellente opportunité. La campagne, l'étranger et les lieux isolés vous attirent énormément.

AVRIL						
D	L	M	M	J	V.	S
1	2	3 D	4 D	5 F	6 F	7 ○
8	9	10	11	12	13 F	14 F
15 F	16 D	17 D	18	19	20	21
22	23 ●	24	25	26	27	28
29	30 D					

○ Pleine lune
● Nouvelle lune
F Jour favorable
D Jour difficile

SANTÉ Vous jouissez actuellement d'une excellente conjoncture pour soigner vos bobos et même pour vous en débarrasser une fois pour toutes. Psychologiquement, c'est pareil, vous découvrez enfin la source de vos angoisses et, surtout, vous arrivez à l'enrayer. À vrai dire, il s'agit d'un mois en or pour la guérison. Que vous fassiez votre démarche seul ou que vous ayez recours aux soins d'un professionnel, les résultats sont là.

SENTIMENTS Vous savez de mieux en mieux ce que vous voulez et vous commencez même à être capable de l'exprimer; ce qui est encore plus beau, c'est que votre entourage le reçoit avec une ouverture d'esprit qui vous ravit. C'est vrai, vous commencez un nouveau cycle. N'oubliez pas que c'est en ce mois que Saturne quitte votre signe.

AFFAIRES Votre situation continue de se métamorphoser et même si, par moments, vous avez l'impression de perdre le fil, il n'en demeure pas moins que vous faites d'énormes progrès. Ne vous posez pas trop de questions, faites-vous confiance et suivez votre première idée. C'est ainsi que vous accomplirez les plus grandes choses.

MAI						
D	L	M	M	J	V	S
		1 D	2 F	3 F	4	5
6	7 ○	8	9	10	11 F	12 F
13 D	14 D	15 D	16	17	18	19
20	21	22 ●	23	24	25	26
27 D	28 D	29 F	30 F	31		

○ Pleine lune
● Nouvelle lune
F Jour favorable
D Jour difficile

SANTÉ Les aspects planétaires sont de plus en plus encourageants. Vous continuez de gagner du terrain, et on peut affirmer que vous êtes complètement sorti de votre période grise. Vos nouvelles dispositions et tout le travail que vous faites sur vous-même donnent des résultats on ne peut plus encourageants. Vos réflexes sont excellents, votre esprit fonctionne à vive allure, bref, vous en impressionnez plusieurs.

SENTIMENTS La présence de Vénus dans votre douzième secteur a deux effets fort positifs. D'abord, elle apporte un climat de douceur et de tendresse tout en vous permettant de prendre suffisamment de recul face aux autres pour bien définir vos priorités. Sans trop vous en rendre compte, vous préparez actuellement la venue d'un grand et profond bonheur.

AFFAIRES Excellent mois pour chercher du travail ou pour améliorer les conditions qui prévalent à celui que vous avez déjà. Un nouveau contrat, un chiffre d'affaires à la hausse, une transaction réussie et le règlement d'une foule de détails qui accrochaient sont également au programme. Vous liquidez certaines dettes; plusieurs d'entre vous pourront recommencer à mettre des sous de côté.

JUIN						
D	L	M	M	J	V	S
					1	2
3	4	5 ○	6	7 F	8 F	9 F
10 D	11 D	12	13	14	15	16
17	18	19	20	21 ●	22	23 D
24 D	25 F	26 F	27	28	29	30

○ Pleine lune
● Nouvelle lune et éclipse solaire totale
F Jour favorable
D Jour difficile

SANTÉ Vous n'avez rien à redouter de l'éclipse du Soleil qui se produira en ce mois. Votre solidité est pour ainsi dire inébranlable et, pour peu que vous demeuriez à l'écoute de vos véritables besoins, tout ira comme sur des roulettes. Bon mois pour affiner votre silhouette, pour vous refaire une beauté ou pour changer d'allure.

SENTIMENTS Du 6 juin au 6 juillet, Vénus visitera votre signe. Ce transit pourrait vous permettre de rencontrer l'âme sœur si vous étiez seul ou vous fournir l'occasion d'insuffler un nouvel élan à votre vie de couple. Socialement, vous êtes moins timide, vous acceptez de rencontrer de nouvelles gens, ce qui se révèle une idée du tonnerre.

AFFAIRES Vous vous sentez l'âme d'un conquérant. Votre brillante personnalité et votre amabilité vous valent plusieurs succès; on vous révèle même à quel point on vous apprécie. Une réponse que vous attendiez tarde à arriver, mais n'ayez crainte, vous finirez par recevoir de bonnes nouvelles. Un conseil, ne prêtez pas un sou, n'achetez rien non plus sur un coup de tête.

JUILLET						
D	L	M	M	J	V	S
1	2	3	4 F	5 ○ F	6 F	7 D
8 D	9	10	11	12	13	14
15	16	17	18	19	20 ●	21 D
22 D	23 F	24 F	25	26	27	28
29	30	31				

○ Pleine lune et éclipse lunaire partielle
● Nouvelle lune
F Jour favorable
D Jour difficile

SANTÉ Dès le 12 et jusqu'à la fin de l'année, vous bénéficierez d'un transit fort avantageux de Jupiter. Ceci coïncidera avec une augmentation évidente de votre vitalité de même qu'avec un rajeunissement tant de votre apparence que de votre façon d'envisager la vie. Déjà lors de la seconde quinzaine, vous serez surpris de constater à quel point vous vous portez bien moralement.

SENTIMENTS N'oubliez pas que Vénus est toujours dans le décor jusqu'au 6 et que, par conséquent, vous avez tous les atouts en main pour transformer votre destinée amoureuse en conte de fées. Par la suite, vous n'essuierez aucun revers, bien au contraire, vous pourrez même penser à faire des projets sérieux. Votre vie sociale continue de prendre de l'importance; vous trouvez cela bien agréable de rencontrer des gens et d'évoluer dans un climat de gaieté.

AFFAIRES Si Jupiter vous promet toutes sortes de bonnes choses sur le plan de la santé, elle vous en réserve des extraordinaires sur le plan matériel. D'ici la fin de l'année, vous pourrez enfin goûter au succès et trouver un domaine dans lequel vous vous épanouirez pleinement. Autre bonne nouvelle, vos finances commencent à remonter. Bon mois pour les déplacements.

AOÛT						
D	L	M	M	J	V	S
			1 F	2 F	3 D	4 ○ D
5	6	7	8	9	10	11
12	13	14	15	16	17 D	18 ● D
19 F	20 F	21	22	23	24	25
26	27	28 F	29 F	30 D	31 D	

○ Pleine lune
● Nouvelle lune

F Jour favorable
D Jour difficile

SANTÉ Plusieurs planètes vous influencent favorablement sur le plan physique. Vous avez de l'énergie à revendre et vous êtes parfaitement résistant aux infections. Vous donnez de plus en plus l'impression de rajeunir. Quelques instants d'anxiété sont possibles lors de la première quinzaine, mais pas assez pour ternir votre beau sourire.

SENTIMENTS Entre le 1er et le 27, vous jouirez de l'appui de Vénus et de Jupiter, c'est donc dire que la destinée des solitaires pourrait se transformer de façon radicale. Si vous êtes déjà en couple, le romantisme et la complicité des premiers jours sont de retour. Un proche éprouve quelques difficultés; vous le laissez régler ses affaires tout seul, sans vous en mêler, et ça marche à merveille.

AFFAIRES Vous avancez à la vitesse de l'éclair, ce qui crée parfois un peu d'envie autour de vous. Financièrement aussi, la progression s'accentue d'ici le 27; vous pourriez même décrocher un prix dans un tirage. Très bon mois pour les démarches, les voyages, les rénovations, les études et le commerce. Méfiez-vous toutefois des escrocs et des beaux parleurs.

SEPTEMBRE						
D	L	M	M	J	V	S
						1 D
2 ○	3	4	5	6	7	8
9	10	11	12	13	14 D	15 D
16 F	17 ● F	18	19	20	21	22
23/30	24 F	25 F	26 F	27 D	28 D	29

○ Pleine lune
● Nouvelle lune
F Jour favorable
D Jour difficile

SANTÉ Grâce à l'arrivée de Mars dans votre neuvième secteur le 9, vos forces seront décuplées. Évitez tout de même que ce débordement d'énergie ne vous pousse à abuser de vos capacités; rappelez-vous que qui veut aller loin ménage sa monture! Durant les trois premières semaines, la gourmandise fait des siennes, mais vous redevenez plus sage par la suite.

SENTIMENTS Jusqu'au 21, vous devrez faire preuve d'un peu plus de souplesse afin de conserver l'harmonie dans vos relations interpersonnelles. Ne mettez personne au pied du mur, ne lancez pas d'ultimatum, et tout ira pour le mieux. La fin du mois se déroule dans la cordialité et l'allégresse, et ce, sur tous les plans. Socialement, on s'arrache votre présence.

AFFAIRES Trop de possibilités s'offrent à vous, vous ne savez plus où donner de la tête. Prenez un peu de recul, et je vous assure qu'il sera alors facile de faire des choix judicieux dont vous vous féliciterez pendant longtemps. Une dépense imprévue vous tombe dessus d'ici le 21, mais une rentrée d'argent arrive juste à temps pour vous dépanner.

OCTOBRE						
D	L	M	M	J	V	S
	1	2 ○	3	4	5	6
7	8	9	10	11 D	12 D	13 F
14 F	15	16 ●	17	18	19	20
21 F	22 F	23 F	24 D	25 D	26	27
28	29	30	31			

○ Pleine lune
● Nouvelle lune
F Jour favorable
D Jour difficile

SANTÉ Votre énergie continue d'être débordante, mais vous semblez la canaliser beaucoup plus adéquatement. Au lieu de vous emballer et d'être constamment dans un état de surexcitation, vous êtes désormais capable de garder les deux pieds sur terre. Pour ce qui est du reste, tout va bien, votre moral est inébranlable et vous affichez une allure que plusieurs s'empressent de complimenter.

SENTIMENTS Bien que tout le mois s'annonce agréable, la première quinzaine a un petit quelque chose de magique. Elle pourrait vous permettre de faire une belle rencontre ou de vivre un tendre rapprochement avec votre bien-aimé. Les invitations ne cessent d'arriver de tous les côtés, vous avez l'embarras du choix.

AFFAIRES Gros mois en perspective durant lequel les activités se succèdent à un rythme effréné. Des heures supplémentaires, un contrat inattendu, voire un deuxième emploi vous pendent au bout du nez. Heureusement, vous êtes vraiment dynamique ces temps-ci et puis, cela vous fournit l'occasion de vous remplumer financièrement. Un voyage vous tente, mais où trouverez-vous le temps?

NOVEMBRE						
D	L	M	M	J	V	S
				1 ○	2	3
4	5	6	7 D	8 D	9 F	10 F
11	12	13	14	15 ●	16	17
18 F	19 F	20 D	21 D	22 D	23	24
25	26	27	28	29	30 ○	

○ Pleine lune
● Nouvelle lune
F Jour favorable
D Jour difficile

SANTÉ Quelques planètes forment actuellement un angle plutôt délicat avec votre signe. La fatigue accumulée ressort, et vous êtes plus vulnérable. Toutefois, si vous êtes prudent dans vos déplacements et si vous vous prémunissez contre les microbes, tout devrait bien aller. Entre le 8 et le 27, vos nerfs pourraient vous jouer des tours; encore là, un peu de repos vous ferait le plus grand bien.

SENTIMENTS Entre le 9 et le 30, vos rapports avec les autres dépendront énormément de votre attitude. Si vous vous montrez arrogant, vous risquez de vivre quelques confrontations; par contre, si vous jouez la carte de la délicatesse, votre destinée sera exquise. Un jeune teste votre patience, attention de ne pas sortir de vos gonds.

AFFAIRES Les entreprises sérieuses et les projets à long terme sont voués à une réussite certaine; cependant, les affaires risquées sont à proscrire. Le travail d'équipe semble rapporter davantage à vos collègues qu'à vous-même. Protégez donc un peu mieux vos idées. Quelques retards sont possibles, mais ils ne mettent pas l'évolution de votre carrière en péril.

DÉCEMBRE						
D	L	M	M	J	V	S
						1
2	3	4	5 D	6 D	7 F	8 F
9	10	11	12	13	14 ●	15 F
16 F	17 F	18 D	19 D	20	21	22
23/30 ○	24/31	25	26	27	28	29

○ Pleine lune et éclipse lunaire annulaire
● Nouvelle lune et éclipse solaire annulaire
F Jour favorable
D Jour difficile

SANTÉ Les éclipses dérangeront plusieurs signes mais pas le vôtre. Ce que vous avez à redouter, c'est ce carré de Mars en vigueur jusqu'au 9, qui pourrait vous valoir un accident ou une défaillance; prenez vos précautions, vous pourrez aisément passer outre et ainsi profiter du reste du mois qui vous réserve plusieurs belles choses. Psychologiquement, vous serez au mieux de votre forme entre le 16 et le 31.

SENTIMENTS Dès le 10, votre vie sociale recommence à être trépidante. Sur un plan plus intime, c'est la seconde quinzaine qui vous offre les meilleurs moments. Vos amours vous procureront énormément de bonheur, vous vous rapprocherez d'une personne avec qui vous avez eu un froid ou qui s'était éloignée, sans compter que la famille vous traitera avec énormément de gentillesse.

AFFAIRES Les neuf premiers jours comportent quelques retards et frustrations, mais le reste du mois vous fera oublier ces désagréments. Une modernisation de l'équipement ou la mise en place de nouvelles structures vous permettront de faire vos preuves. Chose certaine, vous recevrez de bonnes nouvelles en ce qui a trait à votre travail et à votre situation matérielle.

Gémeaux

21 mai au 21 juin

Dès qu'on vous connaît, on ne se demande plus pourquoi on représente votre signe par deux petits personnages. Interrogeons-nous plutôt pour savoir pourquoi il n'y en a que deux, alors qu'il pourrait y en avoir huit ou dix!

On dit parfois que vous êtes un «visage à deux faces», que vous avez une double personnalité. En effet, votre signe est double, mais cela signifie simplement que vous pouvez passer d'un extrême à l'autre dans un temps record et que, bien souvent, vous faites les choses en double.

Il faut dire que vous bougez beaucoup; vous gesticulez, vous discutez vivement, vous ne tenez pas en place: un véritable courant d'air. Vous ne passez donc pas inaperçu, et, d'ailleurs, on vous remarque.

Votre signe est celui des communications. Vous aimez parler, vous êtes un brillant causeur, vous discutez sans arrêt, de tout et de rien, et même lorsque vous ne savez pas de quoi il est question, vous donnez votre opinion. Personne ne se douterait que vous ignoriez tout du sujet.

Pour vous, les contacts humains sont essentiels; vous ne pouvez rester seul, isolé, car vous avez besoin de vous exprimer, de donner votre point de vue. Ce côté très sociable de votre personnalité vous rend populaire et vous permet de vous faire de très nombreux amis.

Bien sûr, certains disent que vous êtes frivole, trop léger, que vous bavardez sans arrêt, que vous êtes un touche-à-tout qui ne connaît rien à fond, que vos relations avec les autres sont superficielles. C'est vrai que vous fuyez l'ennui comme la peste.

Avec vos qualités, vous excellerez dans tout ce qui est communication, média, journalisme, vente, enseignement. Vous avez besoin de nouveauté, d'en apprendre chaque jour, de découvrir de nouvelles facettes de l'existence, d'essayer toutes sortes de choses. Alors, vous enfermer pendant dix ans pour faire une thèse sur le comportement des paramécies dans les étangs du Grand Nord, très peu pour vous. Il faut que ça bouge!

Vous vous intéressez à tout, mais vous avez besoin de larges horizons, de champs d'intérêt différents et non de végéter dans une seule sphère d'activité pendant des mois. D'ailleurs, avec un esprit aussi curieux et actif, vous êtes incapable de vous limiter à faire une seule chose à la fois.

Vos amis sont toujours ébahis de vous voir mener deux ou trois besognes de front. Vous téléphonez en passant l'aspirateur, vous suivez des cours d'espagnol sur cassettes en conduisant, vous trouvez le moyen de faire la lessive et les repas en aidant les enfants à finir leurs devoirs. Ce n'est pas reposant de vous regarder, c'est étourdissant! Personne ne pourrait arriver à faire en une journée tout ce que vous avez écrit dans votre agenda.

Et vous en avez, des activités! De tous genres: sorties, amis à revoir, cours du soir, invitations que vous lancez à la dernière minute — tant pis s'il n'y a rien dans votre garde-manger, vous vous débrouillerez bien! — votre carrière, vos passe-temps, tous ces livres à lire et ces émissions qui vous intéressent. Si vous n'étiez pas Gémeaux, il faudrait au moins trois ou quatre personnes pour tout faire.

Évidemment, avec une vie aussi remplie, pas étonnant que vous soyez un peu stressé, un peu nerveux! On le serait à moins. Votre signe est celui de la jeunesse éternelle; vous avez une âme d'adolescent et, physiquement, vous ne faites pas votre âge. La vieillesse vous fait peur, pourtant, même à 86 ans, vous en paraîtrez à peine 60 et vous aurez conservé le cœur de vos 20 ans... De toute façon, c'est bien loin.

En amour aussi, vous aimez bien butiner. Vous êtes attaché à votre conjoint, mais vous trouvez qu'il n'y a rien de mal à magasiner un peu, à regarder ailleurs, pour voir. Vous adorez vous amuser... c'est sans doute un Gémeaux qui a inventé le flirt! Vous pouvez déployer vos charmes, faire de l'œil, jouer le jeu du grand amour, séduire (quand vous le voulez, qui pourrait vous résister?), mais, quand votre victime est sur le point de fondre dans vos bras, hop! vous partez à la course... Vous alliez rater un autre rendez-vous.

Si on veut vous faire dépérir, c'est facile; il suffit de vous garder à la maison, de vous empêcher de sortir et de voir du monde. Bien vite, vous vous étiolerez... Mais ça ne durera pas longtemps. En effet, comment empêcher un courant d'air de prendre la clef des champs? Car, croyez-moi, vous n'hésiteriez pas à la prendre!

COMMENT SE COMPORTER AVEC UN GÉMEAUX?

Avec un Gémeaux, il faut s'attendre à l'imprévu, à beaucoup d'imprévu. Il peut changer d'activité, d'ami ou même d'humeur souvent sans raison. Il vous appelle, au bord du suicide, vous arrivez cinq minutes après, et il a alors le goût de faire la foire et de vous entraîner dans les discothèques.

Avec lui, n'espérez surtout pas mener une existence de tout repos: il a une sainte horreur de l'ennui. Si vous voulez qu'il soit heureux, arrangez-vous pour toujours avoir une foule de choses au programme, des gens alentour et, surtout, surprenez-le. Jouez différents personnages, arrangez-vous pour qu'il ne sache pas sur quel pied danser. Un autre que lui serait éberlué ou croirait que vous avez perdu la tête, mais lui, il sera tout simplement ravi.

Il a besoin de voir des gens pour se ressourcer; alors, laissez-le aller, permettez-lui d'avoir des activités extérieures, sans vous. Il sera content de revenir vers vous et aura mille et une histoires à vous raconter. Chercher à l'attacher, c'est le perdre à coup sûr.

Si vous voulez qu'il vous apprécie, ouvrez-vous, parlez, discutez et, surtout, ne soyez pas toujours de son avis. Il adore convaincre; ne le privez pas de ce plaisir avec vous. Et puis, tant qu'à y être, essayez d'avoir le dernier mot; ce n'est pas facile avec lui, mais il appréciera d'autant plus votre esprit.

Si vous voulez qu'il vous estime, soyez indépendant, ayez vos propres occupations, voyez vos amis. Un petit chien docile, c'est rigolo, mais ça devient vite ennuyeux, et, avec lui, l'ennui, c'est l'enfer.

Alors, sortez, intéressez-vous à toutes sortes de choses. Et quand vous le verrez à la maison par hasard (à moins qu'il n'ait pas envie de quitter ses pantoufles cette journée-là, ça peut arriver... mais ça ne durera pas longtemps), vous aurez beaucoup de trucs surprenants à lui raconter, vous éveillerez son intérêt, vous l'intriguerez, et il cherchera à se rapprocher de vous.

SES GOÛTS

Le Gémeaux s'intéresse à tout et à tous, mais aussitôt qu'il se familiarise, qu'il sait comment fonctionne quelque chose, il passe à autre chose. Un jour, il se passionne pour la chimie nucléaire et, le lendemain, pour l'histoire de la tarte aux pommes ou le système politique du Zimbabwe.

En fait, ce qui l'intéresse, c'est avoir une idée générale du sujet; les détails, très peu pour lui.

Sa résidence est comme lui: surprenante. La petite maison de banlieue tranquille avec un joli jardinet, ce n'est pas sa tasse de thé; il lui faut la ville grouillante d'activités. Il aime les vêtements décontractés, ce qui convient bien à sa silhouette d'adolescent. Il a un style particulier, mais jamais le même, et il s'habille selon son humeur, surtout pas selon les circonstances. On le remarquera d'autant plus.

En général, il n'a pas faim aux repas, mais il faut dire qu'il grignote constamment. Comme il est toujours pressé, c'est le champion du *fast-food*. Lorsqu'il mange, il mange vite, sans goûter — on ne peut pas savourer et parler en même temps — et il adore les repas composés de plusieurs mets. Au restaurant, si vous n'avez pas choisi le même menu que lui, tout en bavardant, il picorera dans votre assiette et délaissera la sienne. Mais si vous faites de même, il fera les gros yeux.

SON POTENTIEL

Le Gémeaux est intelligent et jongle avec les idées et les concepts; son petit défaut est d'être un peu superficiel, justement parce qu'il s'intéresse à trop de choses.

Il n'a pas son pareil pour les communications, les relations publiques, les médias, le journalisme en particulier, mais aussi pour la vente, l'enseignement, l'animation et la comédie. D'ailleurs, quoi qu'il fasse, il joue toujours un peu la comédie, il aime bien rigoler. C'est un intellectuel brillant, mais très habile de ses mains, et les fonctions qui demandent une grande dextérité lui conviennent aussi.

Quelle que soit son occupation, il divertira son entourage au travail, organisera des activités et des sorties de toutes sortes, racontera plein de choses, contera des histoires, planifiera des rencontres avec des compétiteurs, discutera de ce qu'il y a à faire… Il aura même parfois le temps de travailler!

SES LOISIRS

Le Gémeaux s'ennuie vite; il a besoin de changement, de renouveau, de découverte… et de passer rapidement à autre chose. Ses loisirs doivent toujours le stimuler, sinon il en changera aussitôt.

Intelligent et curieux, il adore apprendre: il y a toujours des cours pour le tenter. Qu'il s'agisse de cuisine vietnamienne ou de religion bouddhiste, tout l'intéresse, du moins jusqu'à ce qu'il en comprenne les rudiments. Il raffole de la lecture, ce qui lui permet d'acquérir des connaissances et de s'évader; il a d'ailleurs beaucoup de talent pour l'écriture.

Il privilégie les contacts humains: toutes les activités sociales ou mondaines l'attirent donc. Il a beau être épuisé après une journée de travail, s'il y a au programme un vernissage, une sortie ou une réunion entre copains, croyez-moi, il retrouvera toute son énergie. D'ailleurs, il a le don d'être partout à la fois; accepter deux ou trois invitations la même journée, ça peut faire peur à certains, mais lui, ça l'emballe. Communiquer, discuter, parler, voir du monde, il ferait cela des heures et des heures durant.

Malgré son côté intellectuel, il aime beaucoup se servir de ses mains: il est d'ailleurs fort habile. Le piano, les activités manuelles, les arts sont loin de lui déplaire; il peut aussi exceller dans la danse, le massage ou la graphologie. Il s'intéresse vraiment à tout, mais ses champs d'intérêt changent souvent.

Si vous l'emmenez au cinéma, choisissez un film qui vient de sortir (sinon, il l'aura probablement déjà vu), préférablement une nouveauté dont on parle beaucoup, qui fait scandale ou encore un spectacle qui le surprendra. N'oubliez pas, et c'est le plus important, de l'inviter ensuite au restaurant pour discuter de ce que vous avez vu: il sera ravi!

SA DÉCORATION

Voici un autre domaine où notre Gémeaux ne s'ennuie pas longtemps; sa maison est en perpétuel changement, et je ne parle pas de changer les tapis ou les rideaux. Une journée, vous serez dans un petit salon français de la Belle Époque et, la semaine suivante, vous aurez l'impression d'entrer dans le vaisseau de *Star Trek*.

Pourtant, en général (on sait qu'avec lui, il vaut mieux ne pas dire toujours), il aime un intérieur plutôt moderne, assez dépouillé même, où on peut respirer: n'oublions pas qu'il est né sous un signe d'air. De grandes fenêtres qui laissent entrer la lumière et d'où on a une vue fantastique lui plaisent beaucoup, et c'est probablement pour lui qu'on a inventé les aires ouvertes. Comme il a une vie sociale trépidante, on le verra rarement se terrer à la campagne; la vie citadine lui convient fort bien, et beaucoup de Gémeaux choisissent les tours d'habitation.

Assurément, ses tendances vont vers le contemporain: le nouveau, l'exclusif exercent un attrait puissant sur lui. Il aime aussi ce qui brille, en particulier les miroirs qui multiplient les espaces, les couleurs pâles, les teintes nuancées et rares, presque indéfinissables. En somme, un intérieur qui fasse parler.

SON BUDGET

Sur le plan financier aussi, notre Gémeaux est changeant: avec lui, c'est tout ou rien. Il peut décider de mettre des sous de côté, de planifier son budget pour les trente prochaines années, de choisir ses placements, puis, au bout de quelques mois, ou même avant, il peut tout flamber en une soirée ou lors d'une expédition de magasinage... Et il ne partait pas pour ça!

Évidemment, ses finances subissent des fluctuations: tantôt l'argent rentre, tantôt il sort. Son compte en banque a beau être à sec, s'il voit quelque chose qui lui plaît, il l'achète et verra à régler les comptes plus tard. Quand les factures arrivent, c'est un vrai casse-tête, mais, somme toute, il ne s'en fait pas trop. Il jongle avec les dettes comme il jongle avec les sous, agilement, et il finit presque toujours par retomber sur ses pattes... Jusqu'à la prochaine fois.

QUEL CADEAU LUI OFFRIR?

Pour trouver le cadeau idéal à donner à un Gémeaux, demandez-vous ce qui va le surprendre. Plus il sera étonné, plus il en parlera longtemps, et plus ça lui plaira.

Évidemment, il aime lire, et les dernières parutions l'intéressent toujours. Il a l'esprit ouvert, alors n'ayez pas peur de choisir un sujet qu'il ne connaît pas du tout: il adore découvrir et bientôt il vous donnera des leçons là-dessus.

Les œuvres ou les magazines qui traitent de nombreux thèmes lui plaisent bien; les revues sur la littérature ou le cinéma aussi. Du papier à lettres, des stylos (il les perd constamment!) seront aussi bienvenus. Vous savez qu'il passe des heures au bout du fil; un répondeur, un téléphone original ou un appareil un peu spécial lui seraient donc fort utiles.

Si votre Gémeaux est du type collectionneur, ce qui est fréquent, pourquoi ne pas lui offrir une pièce pour sa collection, si possible un article original ou rare. Si ce n'est pas le cas, choisissez quelque chose d'inutile et de surprenant, qui le laissera bouche bée. Avant même de vous remercier, il va s'empresser de téléphoner à ses amis pour leur dire ce qu'il a reçu.

LES ENFANTS GÉMEAUX

S'il y a des enfants curieux, ce sont bien les petits Gémeaux. Ils sont vifs, brillants et leur esprit est très éveillé. Avant de savoir parler, ils babillent sans arrêt, mais ça ne dure pas longtemps; ils parlent tôt, et, à partir de ce moment-là, vous n'aurez plus la paix.

Ils vous posent mille questions, dont les réponses en déclenchent mille autres; ils raisonnent sans arrêt et déjà ils ont tendance à avoir le dernier mot. Ce n'est pas de tout repos, mais ils sont si adorables. Ne vous inquiétez pas: bientôt, ils auront leurs petits amis, beaucoup de copains, qu'ils inviteront à dîner à la maison sans vous avertir. Rapidement, ils auront plein d'activités, et c'est tout juste s'il leur restera du temps pour aller à l'école et dormir... Vous ne les verrez à peu près plus.

Ils sont très habiles de leurs mains, ils bricolent, ils dessinent et sont très adroits. Ils marchandent constamment; par exemple, s'ils essuient la vaisselle, vous devrez les conduire à tel endroit. Ne dites pas oui trop vite, parce qu'ils en profiteront pour vous demander une autre faveur. Ne comptez pas gagner avec eux. Ils sont très vifs, ils ont un esprit dangereusement brillant, mais ils ont déjà une petite tendance à se montrer superficiels.

Ils adorent les changements, ils ne tiennent pas en place et sont vraiment très sociables. Apprenez-leur toutefois à planifier un peu leur horaire, à déterminer leurs priorités, à concentrer leurs efforts et stimulez-les afin qu'ils aient le goût d'approfondir les choses au lieu de papillonner constamment de l'une à l'autre.

L'ADO GÉMEAUX

Sais-tu qu'en astrologie ton signe correspond justement à l'adolescence? D'ailleurs, tu resteras jeune toute ta vie et tu conserveras toujours l'idéalisme qui te caractérise. Tu appartiens à un signe d'air, ce qui te donne le goût d'essayer plein de choses. Tes proches trouvent que tu changes souvent d'idée, mais c'est que tu évolues rapidement.

Ton intelligence est vive: tu t'intéresses à tout, et cela ouvre tes horizons. Tu aimes t'exprimer, communiquer, rencontrer des gens;

pour toi, c'est vital. Tu es bavard, tu parles beaucoup, mais au bout du compte, tu parles peu de ce que tu ressens.

Tu es polyvalent, spontané et tu as toujours besoin d'apprendre. Cette soif d'en savoir plus fait de toi quelqu'un de spécial, de brillant; toutefois, il faut éviter de trop te disperser si tu ne veux pas devenir superficiel.

Avec toi, ça va vite. Tu as tellement de projets et d'activités en vue; tu fais même très souvent deux ou trois choses en même temps. Tu es émotif: tes opinions et tes goûts changent très rapidement; les gens qui ne te comprennent pas te croient instable, mais, en réalité, tu es toujours fidèle à toi-même.

Tes études

Là aussi, tu t'intéresses à plein de choses, un peu trop pour faire un programme cohérent. Pense à long terme et vois quels sont les domaines qui t'attirent le plus. Tu pourras toujours prendre des cours complémentaires liés à d'autres champs d'intérêt de ton choix, mais ne perds pas de vue ton objectif. Tu n'es pas vraiment travailleur, mais tu as une intelligence très vive, et ça te permet de te débrouiller et d'avoir des résultats plus que convenables... même si tu étudies ou fais tes travaux à la toute dernière minute.

Ton orientation

C'est difficile de choisir un chemin lorsqu'on s'intéresse à tout à la fois, lorsqu'on a des talents multiples. D'une journée à l'autre, tes projets d'avenir changent du tout au tout. En fait, le mieux serait d'opter pour une ligne qui te permettrait de déployer plusieurs talents, puis de conserver ta direction, quitte à profiter de tes loisirs pour explorer d'autres domaines. L'écriture, le journalisme, la traduction, la vente, le commerce, le tourisme, les relations publiques, le travail de bureau et la mécanique de précision sont des milieux professionnels où tu pourras exceller. De plus, très souvent, les natifs de ton signe mènent de front deux carrières totalement différentes.

Tes rapports avec les autres

Ils occupent une grande place dans ta vie: tu es très sociable, tu as beaucoup d'amis et tu adores échanger tes idées avec eux... Souvent, tu réussis à avoir le dernier mot. D'ailleurs tu te lies très facilement aux gens que tu rencontres. En fait, on ne te voit jamais seul; il y a toujours du monde autour de toi. Ta vie sociale est trépidante; tes copains comptent beaucoup, c'est donc important de bien les choisir, car ils finissent toujours par déteindre sur toi; tu es un vrai caméléon.

Ils sont Gémeaux, eux aussi

Charles Aznavour, André Montmorency, Valérie Letarte, Corey Hart, Brooke Shields, Clint Eastwood, Marilyn Monroe, Jacques Duval, Macha Grenon, Rita Lafontaine, Tex Lecor, Danielle Ouimet, Paul McCartney, Francine Raymond, Benoît Brière, Alanis Morissette, Jacynthe René.

PENSÉE POSITIVE POUR LES GÉMEAUX

Je suis en paix avec toutes les facettes de ma personnalité; je suis en harmonie avec moi-même et, par le fait même, j'ouvre la porte à de multiples bénédictions.

PENSÉE POSITIVE SPÉCIALE POUR 2001

J'accueille avec joie toutes les bénédictions qui se présentent et je les utilise avec discernement.

Le subconscient nous dirige toujours selon nos pensées. En répétant le plus souvent possible ces pensées conçues tout spécialement pour vous, vous vous attirerez plein de belles choses.

- SIGNE: Gémeaux
- ÉLÉMENT: Air
- CATÉGORIE: Double
- SYMBOLE: ♊
- POINTS SENSIBLES: Poumons, bronches, bras, épaules, mains, tension, nervosité, insomnie.
- PLANÈTE MAÎTRESSE: Mercure, planète du commerce.
- PIERRES PRÉCIEUSES: Topaze, cristal, aigue-marine.
- COULEURS: Tous les bleus, gris, kaki.
- FLEURS: Marguerite, jasmin, rose jaune.
- CHIFFRES CHANCEUX: 3-4-16-17-23-26-34-37-43-44.
- QUALITÉS: Intelligent, conciliant, vif, brillant, sociable, expressif, habile, convaincant, bon communicateur.
- DÉFAUTS: Bavard, superficiel, instable, frivole, parfois un peu profiteur.
- CE QU'IL PENSE EN LUI-MÊME: Je peux parler de n'importe quoi.
- CE QUE LES AUTRES DISENT DE LUI: Il parle tellement! Réussirons-nous à placer un mot?

Prévisions annuelles

Avec Jupiter dans votre signe, il ne saurait être question d'une année tranquille qu'on a tôt fait d'oublier. Vous vivrez quantité d'expériences inhabituelles, et votre forte capacité à vous adapter aux nouvelles situations servira parfaitement vos intérêts. Le 20 avril, Saturne aussi viendra s'installer dans votre signe, ce qui poussera encore plus loin votre transformation intérieure. Le temps du grand bilan est arrivé. Dans le passé, vous aviez tendance à vivre au jour le jour sans trop vous préoccuper du lendemain; à partir de votre anniversaire, vous ferez davantage preuve de prévoyance et songerez à assurer votre avenir.

SANTÉ Les puissants courants planétaires qui marquent votre signe tout au long de l'année vous invitent à la sagesse. Si vous décidez de vous occuper de vous, d'investir dans votre bien-être et d'écouter vos vrais besoins, vous ne pouvez que jouer gagnant. Par contre, si vous vous négligez, vous risquez d'être rappelé à l'ordre. Les excès sont définitivement à proscrire; abuser des bonnes choses alourdira votre silhouette et pourrait même nuire à votre vitalité. Même chose pour les excès de travail qui auront tôt fait de miner votre énergie. Le mot d'ordre: «modération en tout»!

SENTIMENTS Vous avez toujours joui d'une forte popularité, mais ce qui vient dépasse tout ce que vous avez vécu jusqu'à présent. Socialement, votre destinée prendra l'allure d'un tourbillon; vous rencontrerez toutes sortes de nouvelles gens, vous nouerez de solides amitiés. Bien sûr, avec une telle conjoncture, les solitaires ne le sont plus pour longtemps. À compter de votre prochain anniversaire, vous amorcerez un cycle de remise en question. Vous vous interrogerez sur le sens de certaines relations, vous ne tolérerez plus qu'on profite de vous ou qu'on vous gruge continuellement de l'énergie sans rien vous offrir en retour.

AFFAIRES On a toujours associé les passages de Jupiter dans un signe à un fort coefficient de chance. Cette année, c'est exactement votre cas: vous pourriez même décrocher un ou plusieurs prix dans les jeux de hasard. Au travail, plusieurs propositions intéressantes sont à prévoir. Il pourrait être question d'un gros investissement, de placements, de voyages et de déménagements. À vrai dire, vous commencez une nouvelle vie. Voilà pour le beau côté des choses; toutefois, vous devez savoir que Jupiter prédispose aux erreurs de jugement et que cette planète place souvent sur notre route des gens mal intentionnés. Si vous gardez l'œil ouvert, si vous évitez d'agir de manière impulsive, une année du tonnerre s'annonce!

JANVIER						
D	L	M	M	J	V	S
	1 D	2	3	4	5	6
7	8	9 ○	10	11	12	13 D
14 D	15 F	16 F	17	18	19	20
21	22	23	24 ● F	25 F	26 F	27 D
28 D	29	30	31			

○ Pleine lune et éclipse lunaire totale
● Nouvelle lune
F Jour favorable
D Jour difficile

SANTÉ Les dix premiers jours laissent un peu à désirer. Rien de grave en vue, si ce n'est que vous semblez plongé dans une espèce de torpeur dont vous avez du mal à vous sortir; vous êtes également plus vulnérable, il vaut donc mieux prendre quelques précautions supplémentaires. Le reste du mois s'annonce beaucoup mieux; vous serez au sommet de votre forme tant sur le plan physique que psychologique. Attention toutefois à la gourmandise.

SENTIMENTS Votre vie sociale vous fait passer des moments électrisants; par contre, à la maison, vous trouvez ça un peu trop tranquille. N'en faites pas un drame, vos amours vous feront bientôt vibrer à nouveau. Lors de la seconde quinzaine, un enfant ou un ami vous confiera une excellente nouvelle à moins qu'il ne vous prépare une belle grosse surprise.

AFFAIRES Indéniablement, votre meilleure période se situe entre le 11 et le 31. Profitez-en pour faire vos démarches, pour participer à des concours ou pour soumettre vos projets. Plusieurs bonnes nouvelles vous réjouiront, vous aurez même des chances au jeu. Excellente période pour les voyages d'affaires ou d'agrément.

FÉVRIER						
D	L	M	M	J	V	S
				1	2	3
4	5	6	7	8 ○	9 D	10 D
11 F	12 F	13	14	15	16	17
18	19	20 F	21 F	22 F	23 ● D	24 D
25	26	27	28			

○ Pleine lune	F Jour favorable
● Nouvelle lune	D Jour difficile

SANTÉ Intellectuellement, aucun problème en vue: vous continuez à avoir une vivacité d'esprit remarquable. Sur le plan physique, la première quinzaine est bonne, mais vous devrez faire davantage attention à vous lors de la seconde, car vous n'êtes pas à l'abri d'une blessure ou d'une infection. Bon mois pour perdre quelques kilos superflus ou pour améliorer votre image.

SENTIMENTS Dès le 3, vous bénéficierez de l'influence favorable de Vénus qui mettra du piquant dans votre vie amoureuse. Pour les solitaires, les possibilités de rencontres sont élevées, tandis que pour les autres, la passion revient en force. Vos rapports avec les amis et les nouvelles connaissances que vous ferez demeurent privilégiés.

AFFAIRES Ce n'est pas le temps de prendre des risques avec votre argent ni de vendre la peau de l'ours avant de l'avoir tué. En respectant ces consignes, vous pourrez profiter d'un très bon mois pour continuer à cheminer. Vous cumulez les succès, vous êtes en train de faire votre marque. Jusqu'au 23, les aspects planétaires favorisent encore vos voyages et déplacements.

MARS						
D	L	M	M	J	V	S
				1	2	3
4	5	6	7	8 D	9 ○ D	10 F
11 F	12	13	14	15	16	17
18	19 F	20 F	21 F	22 D	23 D	24 ● D
25	26	27	28	29	30	31

○ Pleine lune
● Nouvelle lune

F Jour favorable
D Jour difficile

SANTÉ La planète Mars s'oppose actuellement à votre signe. Afin de déjouer cet aspect contrariant, demeurez sur vos gardes pour ne pas vous blesser. Avouez que vous manquez de volonté ces temps-ci, ce qui risque hélas d'amoindrir votre résistance. Au lieu de vous laisser aller, prenez sur vous. Psychologiquement, tout va bien jusqu'au 17, mais par la suite, la tension nerveuse se fait plus menaçante; gardez-vous du temps pour relaxer.

SENTIMENTS Votre destinée amoureuse bénéficie toujours d'une conjoncture exceptionnelle. Une rencontre pourrait transformer la destinée de ceux qui sont seuls; si vous êtes en couple, préparez-vous à retomber amoureux. Évitez de prendre en grippe quelqu'un qui ne le mérite pas ou de déverser sur lui vos frustrations.

AFFAIRES Aucune catastrophe en vue, n'empêche que les choses ne marchent pas à votre goût. Retards, désagréments, prises de bec et pertes de temps se succèdent pendant ce mois, pire encore entre le 17 et le 31. Ce n'est pas en vous lançant à corps perdu dans les dépenses que vous trouverez du réconfort, au contraire. Tenez le coup, ce n'est que passager.

AVRIL						
D	L	M	M	J	V	S
1	2	3	4	5 D	6 D	7 ○ F
8 F	9	10	11	12	13	14
15	16 F	17 F	18	19 D	20 D	21
22	23 ●	24	25	26	27	28
29	30					

○ Pleine lune
● Nouvelle lune

F Jour favorable
D Jour difficile

SANTÉ Les risques d'incident fâcheux ou de défaillance sont toujours présents et, par conséquent, vous devez absolument continuer à être vigilant. Une fois la première semaine écoulée, on peut vous annoncer deux bonnes nouvelles: vous aurez davantage de volonté pour suivre vos bonnes résolutions, votre moral sera aussi plus solide.

SENTIMENTS Vos rapports avec la famille et l'entourage en général semblent quelque peu tendus jusqu'au 6. Par la suite, vous serez capable de vous parler et de régler ce qui accrochait; vous constaterez d'ailleurs que ce n'était pas grand-chose. En amour, ça demeure vibrant; vous ne pouvez pas dire que votre vie manque de piquant.

AFFAIRES Votre meilleure phase se situe entre le 6 et le 23. Si vous planifiez vos affaires en conséquence, tout devrait bien se passer puisque cette période est parfaitement propice aux démarches, aux demandes et aux nouveaux projets. À la même époque, vous aurez également quelques chances dans les tirages.

MAI						
D	L	M	M	J	V	S
		1	2 D	3 D	4 F	5 F
6	7 ○	8	9	10	11	12
13 F	14 F	15 F	16 D	17 D	18	19
20	21	22 ●	23	24	25	26
27	28	29 D	30 D	31 F		

○ Pleine lune
● Nouvelle lune
F Jour favorable
D Jour difficile

SANTÉ En plus de la planète Mars qui s'oppose toujours à votre signe, Saturne est désormais venue s'installer chez vous. Avec une telle conjoncture, vous ne pouvez guère vous permettre d'être insouciant, car un petit bobo que vous négligeriez pourrait prendre des proportions ou s'installer pour un bon moment. Voyez-y donc sans tarder et continuez d'être prudent pour ne pas vous blesser.

SENTIMENTS Tout le monde vous adore, mais avouez que c'est loin d'être facile de vous contenter. On dirait que vous cherchez l'impossible. Votre entourage ne sait plus à quel saint se vouer. Votre impatience, voire votre intolérance, risque de chagriner quelqu'un qui ne vous veut pourtant que du bien. Un membre de la famille file un mauvais coton.

AFFAIRES Mêmes tendances dans ce secteur, vos attentes ne sont pas toujours réalistes. Évitez d'investir trop d'énergie là où ça n'en vaut pas la peine. Prenez un peu de recul, rebranchez-vous sur vous-même et vous serez ainsi en mesure de mieux évaluer la situation. Ce n'est absolument pas le moment de prendre des risques avec vos sous ou vos biens. À compter du 22, la tension s'amenuisera, et vous aurez des possibilités au jeu.

JUIN						
D	L	M	M	J	V	S
					1 F	2
3	4	5 ○	6	7	8	9
10 F	11 F	12 D	13 D	14 D	15	16
17	18	19	20	21 ●	22	23
24	25 D	26 D	27 F	28 F	29 F	30

○ Pleine lune
● Nouvelle lune et éclipse solaire totale
F Jour favorable
D Jour difficile

SANTÉ Les aspects planétaires n'ont guère changé depuis le mois dernier. Il vous faut donc demeurer sur le qui-vive. En adoptant une attitude préventive, vous resterez à l'abri des contretemps et des malaises. Vous accordez possiblement trop d'importance à ce qui se passe à l'extérieur de vous, et pas assez à ce qu'il y a à l'intérieur. Une technique de relaxation vous ferait le plus grand bien.

SENTIMENTS Vous ressentez un certain mal-être et vous attendez que les autres le règlent à votre place. Voilà qui vous place dans un état de dépendance — ce qui ne vous ressemble pas du tout — et qui nuit à vos relations interpersonnelles. Prenez quelques initiatives, organisez une fête ou une réception par exemple, et tout s'arrangera. N'ayez pas peur de faire les premiers pas.

AFFAIRES Bien que vous ayez encore des chances au jeu jusqu'au 21, on ne peut pas dire qu'au travail tout baigne dans l'huile. La pression est grande, sans compter que vous ne savez pas au juste ce que vous voulez. Votre insatisfaction se traduit par de l'impulsivité, ce qui risque de vous faire commettre une bévue. Allez donc un peu plus doucement et réfléchissez avant de faire un geste important.

JUILLET						
D	L	M	M	J	V	S
1	2	3	4	5 ○	6	7 F
8 F	9 D	10 D	11 D	12	13	14
15	16	17	18	19	20 ●	21
22	23 D	24 D	25 F	26 F	27 F	28
29	30	31				

○ Pleine lune et éclipse lunaire partielle — ● Nouvelle lune — F Jour favorable — D Jour difficile

SANTÉ Désolé, mais Mars est encore dans le décor. Il n'y a pas d'autre choix que de continuer à exercer une vigilance accrue. Au moins, en agissant de la sorte, vous pouvez être certain que ni les ennuis de santé ni les blessures ne vous affecteront. Psychologiquement, les choses s'amélioreront beaucoup après le 13; vous vous sentirez mieux dans votre peau et contrôlerez plus adéquatement vos nerfs.

SENTIMENTS L'arrivée de Vénus dans votre signe le 6 ramènera beaucoup de paix et de sérénité dans votre existence. Mieux encore, votre aptitude au bonheur augmentera; vous ne demanderez plus l'impossible, vous ne chercherez plus ailleurs ce que vous aviez sous le nez. Socialement aussi, ça redevient palpitant. Vous vous ouvrez aux autres, et on vous le rend bien.

AFFAIRES Ici aussi, les choses commencent à se replacer. Petit à petit, vous découvrez ce que vous voulez faire et surtout comment y arriver. La chance vous sourit à nouveau, mais cette fois pas seulement au jeu. Vos entreprises, votre carrière et vos affaires en général redémarrent. Un pépin qui vous irritait depuis quelque temps se règle enfin.

AOÛT						
D	L	M	M	J	V	S
			1	2	3 F	4 ○ F
5 F	6 D	7 D	8	9	10	11
12	13	14	15	16	17	18 ●
19 D	20 D	21 F	22 F	23	24	25
26	27	28	29	30 F	31 F	

○ Pleine lune
● Nouvelle lune
F Jour favorable
D Jour difficile

SANTÉ Encore et toujours cette opposition de Mars qui vous recommande d'être prudent et de ne pas vous en mettre trop sur les épaules. Le mois prochain, vous serez débarrassé de ce transit contrariant mais, en attendant, il faut à tout prix continuer à prendre vos précautions. Attention à la tension nerveuse qui pourrait faire des siennes durant la seconde quinzaine.

SENTIMENTS Votre vie mondaine est de plus en plus emballante, vous vous faites de nouveaux amis. En amour, aucune raison de vous inquiéter puisque le climat est à la douceur et à la tendresse. Entre le 14 et le 31, un parent ou un enfant pourrait vous causer quelques inquiétudes, à moins que ce ne soit la relation entre vous qui se corse.

AFFAIRES Indiscutablement, vos chances de succès sont meilleures d'ici le 18; cette période est propice aux démarches pour un nouveau poste ou pour améliorer vos conditions de travail. On pourrait également vous faire une proposition alléchante. À vrai dire, le renouveau sert très bien vos intérêts. Bon temps également pour un déplacement ou pour vous inscrire à un cours.

SEPTEMBRE						
D	L	M	M	J	V	S
						1 F
2 ○ D	3 D	4	5	6	7	8
9	10	11	12	13	14	15
16 D	17 ● D	18 F	19 F	20	21	22
23/30 D	24	25	26 F	27 F	28 F	29 D

○ Pleine lune
● Nouvelle lune
F Jour favorable
D Jour difficile

SANTÉ La libération est proche! En effet, la planète Mars quitte votre ciel le 9 et avec elle, s'en iront les défaillances et les dangers d'accident. Vous retrouverez rapidement votre bonne mine, votre vitalité et votre joie de vivre. À vrai dire, vous commencez une de vos meilleures périodes de l'année.

SENTIMENTS Les trois premières semaines s'annoncent idylliques. Votre vie de couple redeviendra harmonieuse comme aux premiers jours et, si jamais vous n'aviez pas encore résolu votre problème de solitude, sachez qu'une belle rencontre est sur le point de se produire. Une situation épineuse avec un proche ou un enfant se règle enfin.

AFFAIRES Quelques ajustements seront sans doute nécessaires en début de mois, mais une fois la première semaine écoulée, vous serez sur une excellente lancée. Vous ferez d'énormes progrès en un temps record, mais ce qui est encore mieux, c'est que vous pouvez envisager des solutions et des entreprises à long terme. Une offre fort avantageuse vous parviendra et aura, elle aussi, des répercussions positives pendant longtemps.

OCTOBRE						
D	L	M	M	J	V	S
	1 D	2 ○ D	3	4	5	6
7	8	9	10	11	12	13 D
14 D	15 F	16 ● F	17	18	19	20
21	22	23	24 F	25 F	26	27 D
28 D	29	30	31			

○ Pleine lune
● Nouvelle lune
F Jour favorable
D Jour difficile

SANTÉ Un autre bon mois en perspective durant lequel la remontée, tant sur le plan physique que moral, se poursuit; elle semble même s'accentuer. Excellente période pour vous ressaisir, pour améliorer votre hygiène de vie et pour prendre de bonnes résolutions. La seconde quinzaine est particulièrement favorable pour améliorer votre apparence et votre silhouette.

SENTIMENTS En amour, la première quinzaine s'annonce toute douce et se déroulera dans la plus parfaite harmonie; quant à la seconde, elle sera torride, vous serez transporté au septième ciel. Pour ce qui est des autres facettes de votre vie affective, c'est tout le mois qui s'annonce trépidant. En société, vous volerez la vedette, de nombreuses rencontres intéressantes vous attendent, sans compter que vos amis sont adorables.

AFFAIRES Le moment est venu de tourner certaines pages, de laisser aller les projets qui stagnaient et de relever de nouveaux défis. De fait, vous commencez un nouveau cycle rempli d'innombrables satisfactions. Vous vous rapprochez de votre idéal, et vos finances se renflouent rapidement. Des honneurs ou une nouvelle qui vous fera sauter de joie vous attendent durant la seconde quinzaine.

NOVEMBRE						
D	L	M	M	J	V	S
				1 ○	2	3
4	5	6	7	8	9 D	10 D
11 F	12 F	13 F	14	15 ●	16	17
18	19	20 F	21 F	22 F	23 D	24 D
25	26	27	28	29	30 ○	

○ Pleine lune
● Nouvelle lune
F Jour favorable
D Jour difficile

SANTÉ Eh bien, vous voici au summum de votre forme. Fini le temps des bobos, de la déprime et de la vulnérabilité. S'il restait un petit quelque chose qui traînait, vous aurez tôt fait d'y remédier. Vous avez de l'énergie à revendre et vous savez parfaitement comment en disposer. Toutes ces bonnes tendances se reflètent sur votre allure; vous êtes beau à croquer.

SENTIMENTS Les aspects planétaires vous avantagent énormément jusqu'au 27, et vous jouez gagnant sur tous les plans. Vous éprouvez de nombreuses satisfactions en amour, votre partenaire sait même vous sécuriser pour le futur. La vie mondaine est animée, vous brillez partout où vous passez. Les nouvelles connaissances comme les anciennes succombent à votre incroyable personnalité.

AFFAIRES La conjoncture continue de favoriser toutes vos entreprises en plus de vous permettre d'asseoir votre avenir. Les décisions que vous prendrez et les gestes que vous ferez auront d'heureuses répercussions pendant un bon moment. Une prime, un nouveau contrat, des heures supplémentaires ou une augmentation de salaire contribueront à améliorer des finances qui ne se portaient déjà pas si mal.

DÉCEMBRE						
D	L	M	M	J	V	S
						1
2	3	4	5	6	7 D	8 D
9 F	10 F	11	12	13	14 ●	15
16	17	18 F	19 F	20 D	21 D	22 D
23/30 ○	24/31	25	26	27	28	29

○ Pleine lune et éclipse lunaire annulaire
● Nouvelle lune et éclipse solaire annulaire
F Jour favorable
D Jour difficile

SANTÉ Jusqu'au 12, tout ira comme dans le meilleur des mondes; par la suite cependant, vous pourriez ressentir les effets des éclipses si vous dérogez à vos bonnes habitudes. Attention donc aux abus et à la fatigue accumulée. Tant qu'à faire, prenez donc aussi quelques précautions dans vos déplacements et lorsque vous utilisez des objets dangereux.

SENTIMENTS La présence de Vénus dans votre septième secteur est l'indice d'une période de romantisme. On continue de vous inviter à gauche et à droite, mais vous êtes si bien à la maison que vous hésitez à accepter. Entre le 26 et le 31, vous reverrez une personne que vous n'aviez pas vue depuis un bon moment.

AFFAIRES La période la plus satisfaisante est certes la première quinzaine. Si vous songez à mettre en branle un projet ou faire un coup d'éclat, tâchez donc d'agir à cette époque. Le reste du mois n'annonce rien de mauvais, c'est tout simplement que la cadence ralentit un peu. Un conseil toutefois: ne prenez pas de risque avec vos sous et protégez ce qui vous appartient.

Cancer

22 juin au 23 juillet

Il a des parents de tous les signes, mais il n'y en a pas beaucoup comme vous. Les Cancer sont les papas et les mamans par excellence; c'est même une seconde nature chez eux.

Vous vous êtes peut-être déjà demandé pourquoi on vous représentait par un crabe? C'est que, tout comme lui, malgré une solide carapace, vous êtes tout tendre, tout doux à l'intérieur. Les crabes sortent selon les marées, qui, comme votre signe, sont gouvernées par notre belle Lune.

D'ailleurs, vous êtes vraiment marqué par l'influence lunaire; ses cycles, ses lunaisons se font sentir sur vous plus que sur tout autre signe du zodiaque. Votre humeur, votre état général, bref, toute votre vie suit les rayons de la Lune. Vous êtes donc changeant, et de méchantes langues vont parfois jusqu'à dire que vous êtes lunatique.

Avouez tout de même que vous y êtes souvent, dans la lune; votre imagination est extrêmement fertile, et vous vous laissez fréquemment bercer par toutes vos rêveries.

Pourtant, lorsqu'il s'agit de ceux que vous aimez, vous avez les pieds bien sur terre, parfois trop. Vous êtes toujours prêt à les dorloter, à les gâter, à les aider, qu'il s'agisse de vos parents, de vos amis, de vos relations ou même de gens que vous connaissez à peine. Mais ceux qui passent avant tout, et même avant vous, ce sont vos enfants.

Vous cherchez à les protéger, à les rendre heureux, vous vous inquiétez à leur sujet (même lorsqu'ils ne voient pas de raison de s'en faire): ce sont vos petits, vos bébés. Et ils le resteront toujours, même lorsqu'ils seront adultes, même lorsqu'ils seront vieux. Des enfants, ce sont toujours des enfants, vous dites-vous.

Évidemment, les enfants, eux, ne le voient pas sous cet angle; adultes, ils veulent faire leur vie et, quelquefois, ils en ont assez de se faire cajoler comme des bébés, surtout devant leurs amis. Si un directeur de compagnie en réunion dans son bureau se fait déranger par sa maman

qui lui apporte une collation, il a certainement une maman Cancer. Il aura beau tout faire, elle ne changera pas.

Les Cancer sont les mamans poule et les papas gâteau par excellence. Et si jamais ils n'ont pas d'enfants, ce qui crée toujours un vide dans la vie d'un Cancer, ils se jetteront sur ceux des autres. Il y a toujours une petite bouche avide de friandises et d'histoires pas loin... Et d'ailleurs, ils attirent les enfants.

Si doux, si généreux, le Cancer a du mal à se décider; il a toujours peur de faire de la peine. Dire non est aussi difficile pour lui que d'escalader l'Everest pour un autre. Si ce signe représente la féminité, les hommes Cancer sont toutefois persuadés de la supériorité du mâle. Mais eux aussi ont du mal à refuser quelque chose lorsqu'on sait les prendre.

Vous aimez bien votre logis, car c'est votre refuge, votre forteresse, et nulle part ailleurs êtes-vous si bien, si en sécurité, si heureux. D'ailleurs, vous avez du mal à sortir de chez vous; vous hésitez, vous remettez au lendemain, vous devez vous forcer et, finalement, vous avez presque toujours une bonne excuse pour rester à la maison. Si on vous prend de force, si on vous enlève, vous vous amuserez, mais avouez que vous êtes réticent à mettre le pied dehors... À moins que ce ne soit pour soigner un rejeton ou quelqu'un qui a besoin de vous. Dans ce cas, une armée entière ne réussira pas à vous arrêter.

Chez vous, la vie est rythmée par les repas. Oh! les repas de Cancer! Savoureux, invitants! Vous avez toujours quelque chose à nous faire goûter, toujours un gueuleton qui nous attend. La restauration, l'hôtellerie, l'alimentation vous conviennent à merveille, et même si vous n'en faites pas une carrière, cela vous occupera amplement chez vous. Chez un Cancer, on n'a pas faim. Jamais!

Votre vie imaginative est très riche, on l'a vu; vous avez beaucoup d'inspiration, vous passez des heures à rêvasser, le matin en particulier. Remarquez-le: vous êtes si lent à partir qu'on dirait que vous n'arrivez pas à démarrer. Pourtant, plus tard dans la journée, vous êtes en excellente forme et, lorsque la Lune paraît, votre énergie dure encore. Vous avez aussi besoin de beaucoup de sommeil; mais est-ce pour dormir ou pour rêver?

Vous avez un cœur d'or. Votre conjoint, vos enfants, vos amis ne peuvent que l'admettre, même si vous en faites parfois un peu trop. Comme vous êtes entièrement dévoué, les autres, mais surtout les vôtres, passent avant tout. S'ils sont là, vous les chouchoutez jusqu'à saturation et, s'ils ne sont pas là, vous vous rongez les sangs. Quelque chose pourrait toujours leur arriver. D'un bobo au genou à un accident d'auto en passant par la carrière de l'un et les rumeurs que l'autre ignore, vous avez tout un éventail de soucis à votre disposition. Les enfants en rient un peu… ou grincent des dents.

En fait, vous dorlotez ceux que vous aimez jusqu'à ce qu'ils n'en puissent plus: vous les enfermez dans votre nid, les couvez, les nourrissez, les suralimentez jusqu'à épuisement. Ils se plaignent de ne pas pouvoir respirer, mais, même s'ils sont incapables de l'avouer, dans le fond, ils aiment bien ça.

Une maman, un papa, un conjoint ou un ami Cancer, c'est la félicité!

COMMENT SE COMPORTER AVEC UN CANCER?

C'est facile: laissez-le faire. Il va s'occuper de vous, voir à ce que vous ne manquiez de rien: «As-tu mangé? Ah oui? Mais tu dois avoir un petit creux… Sûr?» Il est toujours prêt à écouter vos problèmes; d'ailleurs, si vous ne lui parlez pas de ce qui vous tracasse, il s'imaginera le pire. Dites-le-lui: c'est mieux.

Lorsque vous discutez avec lui, essayez de le comprendre; il s'en remet davantage à ses émotions qu'à une logique stérile. Intuitif, il devine ce que vous ressentez et s'y fie plus qu'à tous vos arguments. Comme il est insécure, si vous voulez son bonheur, rassurez-le constamment, donnez-lui de la confiance: il en manque un peu. Manifestez-lui votre affection et la moindre petite attention sera appréciée… démesurément!

Si vous ne parvenez pas à le convaincre de faire quelque chose, expliquez-lui que cela fera plaisir aux enfants ou que c'est pour leur bien. C'est un coup bas, mais ça marche presque toujours.

Incitez-le aussi à sortir, à voir des gens, à avoir des activités extérieures. Pendant ce temps, il oubliera tous ses soucis — réels ou bien souvent imaginaires —, et ce sera excellent pour son moral. Mais n'espérez pas qu'il le fasse par lui-même. Insistez un peu; il a tellement de mal à dire non que vous aurez le dessus.

SES GOÛTS

Ce qu'il aime par-dessus tout, c'est se mettre à table, chez lui, entouré de son petit monde: toutes les joies de l'univers sont alors réunies. Son

domicile est très chaleureux — la plupart des objets ont des formes rondouillettes et invitantes — et rempli de souvenirs. On s'y sent si loin des ennuis quotidiens: voilà peut-être pourquoi il ne veut pas en sortir. Pour un Cancer, c'est important d'être propriétaire de sa petite maison.

Les repas des Cancer sont comme eux: généreux, délicieux. Lorsqu'ils mangent, ils oublient tout ce qui va mal dans le monde parce que, à ce moment-là, ils savourent la vie... et leur nourriture. S'ils apprécient être entourés de ceux qu'ils aiment, ils sont aussi très hospitaliers. Quelle que soit l'heure du jour ou de la nuit, vous pouvez arrêter chez un Cancer: il y aura toujours une petite assiette bien appétissante pour vous.

La vieille dame qui court derrière les petits enfants de sa rue pour leur offrir les biscuits qu'elle vient de faire, c'est certainement une bonne maman Cancer.

SON POTENTIEL

Quand il s'agit de dorloter quelqu'un, un élève, un malade ou un client, le Cancer n'a pas son pareil. C'est dans sa nature.

Gourmand et généreux, il se surpassera dans l'alimentation, l'épicerie, la restauration (il aime tellement cuisiner), l'hôtellerie, la psychologie, les soins à autrui, l'éducation, les services de garderie ainsi que les chiffres.

Comme vous le voyez, les Cancer gagnent souvent leur vie grâce à leur côté maman poule ou papa gâteau... Et si ce n'est pas le cas, ils sont toujours attentifs lorsqu'il s'agit de réconforter un collègue, un confrère ou un employé qui a des problèmes.

SES LOISIRS

Le Cancer est un tantinet insécure; pour être vraiment bien, il doit avoir son petit monde autour de lui. Les activités familiales sont donc celles qu'il préfère entre toutes... Si vous avez un bébé à faire garder, c'est votre chance!

Il aime bien cuisiner, d'abord parce qu'il est gourmand et aussi parce qu'il peut réunir autour d'une table tous ceux qu'il aime. Il passera des heures à mitonner des petits plats succulents pour vous régaler, il échangera des recettes avec des amis et des parents. C'est un super cordon bleu et, s'il vous invite, ne ratez pas l'occasion.

On a vu que son esprit de famille est très développé; il peut donc s'intéresser à l'histoire et à la généalogie en particulier. Sans être vraiment collectionneur, il amasse des tas de souvenirs, de trucs anciens et des babioles que lui ont bricolées les enfants.

Comme il est très sensible, s'il veut lire ou aller au cinéma, suggérez-lui des histoires d'amour pleines de tendresse et de romantisme. N'ayez pas peur, ce ne sera jamais trop fleur bleue pour lui, surtout si le scénario se termine par un mariage ou des retrouvailles.

SA DÉCORATION

La maison du Cancer est un refuge destiné au bien-être en famille. Tout y est confortable et on s'enfonce dans des fauteuils bien rembourrés. Lorsqu'on est dans son petit nid, on se sent bien loin du monde et on a l'impression que rien ne pourra nous arriver; chez lui, on est si bien.

Son intérieur est rempli d'objets de toutes sortes qu'il a accumulés au fil des ans. Il y en a partout et, comme il conserve tout, il vit dans un décor chaleureux, parfait pour le cocooning. Si vous observez les murs, vous pourrez vous-même découvrir l'histoire de sa petite famille grâce aux nombreux souvenirs qui y sont exposés: des photos, le premier jouet de l'un, des bulletins de notes encadrés, un beau dessin de sa fillette… qui va fêter ses 50 ans, mais son dessin est encore là.

Féru d'histoire, il aime bien les meubles anciens, et les formes rondes (comme la pleine lune qui gouverne son signe) y sont à l'honneur. Les sièges profonds, le mobilier, tout semble arrondi, ce qui accentue le sentiment de douceur et de bien-être qu'on remarque dès l'entrée. Oui, on est bien chez nos Cancer, si bien qu'on n'a pas le goût d'en repartir.

SON BUDGET

Le Cancer est un peu peureux de nature et ce n'est certes pas lui qui va tout risquer sur un coup de tête. Il est trop sage.

Il agit lentement, avec modération, et il prend le temps de peser le pour et le contre avant de se lancer dans une dépense. Si ça peut attendre, s'il n'est pas sûr, il y pensera. D'ailleurs, s'il sent qu'on fait pression sur lui pour qu'il se décide, il se rebiffera, tout bonnement.

Pour des achats ou des placements, il mise sur des valeurs sûres: la bonne auto, un peu chère peut-être, mais qui durera longtemps et qui le véhiculera en toute sécurité, la solide maison où il sera à l'aise avec les siens et qui prendra de la valeur avec les années, les obligations et les investissements de tout repos.

Il se décide doucement, mais ne se trompe pas. Il planifie son ave-

nir, prépare sa retraite, se montre sage et avisé. Il ne mettra pas sa sécurité en jeu, mais s'il s'agit de dépanner quelqu'un qu'il aime, il accourra.

QUEL CADEAU LUI OFFRIR?

Rien de plus facile que de faire plaisir à un Cancer. Il aime tellement son petit intérieur que si vous lui offrez quelque chose pour sa maison, un bibelot, un souvenir, un objet pour enjoliver son cadre de vie, il sera enchanté.

On sait aussi qu'il aime cuisiner: des livres de recettes, des ustensiles pour la cuisine, de la vaisselle, des accessoires pour sa table seraient aussi tout à fait appropriés.

Comme il est très sentimental, le geste compte plus que le cadeau lui-même. Il sera donc vraiment touché par un objet que vous aurez fabriqué de vos mains... Un dessin fait par le petit, une céramique, une peinture, un accessoire que vous avez tricoté ou bâti, ou même une belle photographie, et il sera ravi. D'ailleurs, votre cadeau aura une place d'honneur parmi ses chers souvenirs. En fait, un rien le touche; ramassez un petit quelque chose en allant chez lui, et il sera aux anges.

LES ENFANTS CANCER

Voici un petit bébé facile: il fait ses nuits, il dort beaucoup, et il vaut mieux le laisser faire dodo, sinon il pleurnichera toute la journée. Il a une petite tendance à régurgiter et aime bien le sein de sa maman.

Il sera un petit bout de chou gentil, affectueux, sensible et bien obéissant; il cherchera toujours à faire plaisir. Les petits garçons en particulier sont très attachés à leur maman et le resteront toute leur vie. Évitez tout de même qu'ils ne s'accrochent à vos jupons.

Le bambin Cancer adore la maison de son enfance et sa famille, et, quand le temps sera venu, il faudra le pousser un peu pour qu'il sorte du nid. Ne craignez rien: il reviendra régulièrement chercher sa petite dose d'affection.

Il aura un cœur d'or, c'est sûr, mais il faut lui apprendre à être un peu plus terre à terre, un peu plus réaliste et, surtout, à ne pas trop dépendre des autres si on veut qu'il soit pleinement heureux plus tard.

L'ADO CANCER

Le fait que tu appartiennes à un signe d'eau te rend sensible, parfois même un peu trop. Tu es très émotif; ton milieu familial, et en particulier ta mère, t'influence beaucoup, même si tu ne t'en rends pas toujours compte.

Tu es affectueux, tranquille, plutôt réservé. Tu as une imagination très féconde; tu es même porté à la rêverie. C'est essentiel pour toi de te sentir aimé. Tu devines les désirs des gens qui t'entourent et tu te montres prévenant et aimable. Pourtant, lorsqu'on est dur avec toi ou lorsqu'on fait du mal à quelqu'un que tu aimes, tu te rebiffes.

Ta sensibilité te rend un peu timide; tu ne donnes pas ta confiance facilement et, dans un nouveau groupe, tu as tendance à rester à l'écart. Pourtant, lorsque tu es entouré de ceux qui t'aiment, tu t'ouvres: tu te sens vraiment à l'aise.

Tes humeurs sont changeantes... à l'instar de la Lune qui te gouverne. Pour cette raison, on te trouve parfois capricieux. C'est que tes états d'âme dépendent beaucoup de ta vie émotive, qui est si riche. L'avenir t'inquiète un peu. C'est vrai que tout ne va pas bien sur la planète, mais il y a aussi des belles choses; apprends à les apprécier!

Tu as de grandes qualités sur le plan humain; tu es généreux, tu as un très grand cœur, tu as un sens profond de la famille, tu es fidèle et loyal. La vie affective est vraiment importante pour toi et tu attends le grand amour; peut-être même rêves-tu déjà du jour où tu auras ta petite famille bien à toi.

Tes études

Idéalement, cela te prendrait une ambiance chaleureuse pour que tu donnes un bon rendement; les polyvalentes géantes et les cégeps impersonnels t'effraient; malgré tout, comme tu es doué et travailleur, tu réussis à te débrouiller. Ce n'est pas toujours facile pour toi de décider de ton orientation, de choisir entre toutes tes aptitudes qui ne demandent qu'à s'exprimer. Mais fais-toi confiance, puis, lorsque tu auras fait ton choix, fonce!

Ton orientation

Les arts, la musique, l'écriture et la poésie te plaisent. Tu as énormément de talents et ce serait bon de les développer, même si tu n'en fais pas une carrière. C'est une merveilleuse façon de t'exprimer, d'uti-

liser ton imagination et de canaliser ton émotivité. D'autres domaines qui te conviennent fort bien sont ceux qui concernent l'alimentation ou les enfants. Tu te surpasserais dans les techniques de garderie, l'enseignement, l'histoire, la géographie, la diététique, la restauration, l'hôtellerie, les services de traiteur, le cinéma, les soins à autrui, la médecine, les techniques infirmières, la gestion, la décoration, le jardinage, l'immobilier, la plomberie, le commerce et les antiquités.

Tes rapports avec les autres

Tu es très intuitif, et on dirait que tu pressens si quelqu'un que tu aimes ne va pas bien. En fait, tu as du flair, mais ne tu ne t'y fies pas assez. Tu as parfois tendance à critiquer et tu es un peu trop sensible à l'opinion que les copains ont de toi. Fais ce que tu as à faire; c'est toi le meilleur juge. Tu es un ami formidable; on apprécie ta générosité, tes attentions et ta gentillesse. En fait, tu es fidèle sur le plan des sentiments; je suis sûre que tu as gardé contact avec certains de tes amis d'enfance ou de l'école primaire.

Ils sont Cancer, eux aussi

Meryll Streep, Jean-Pierre Ferland, Robert Charlebois, George Michael, Claire Lamarche, Sylvie Tremblay, Charles Biddle Jr, Renée Claude, Sylvester Stallone, Ringo Starr, Nathalie Simard, Tom Hanks, Michel Louvain, Yves Corbeil, Carlos Santana, Marie-Josée Taillefer, Michel Tremblay, Tom Cruise, Isabelle Adjani, Joanne Prince.

PENSÉE POSITIVE POUR LE CANCER

Je vais de l'avant en toute confiance. Je suis libéré de mon passé et je deviens réceptif à tout ce que la vie et les autres veulent me donner de bon.

PENSÉE POSITIVE SPÉCIALE POUR 2001

J'arrive à une nouvelle étape de ma vie et je m'y engage en toute quiétude.

Le subconscient nous dirige toujours selon nos pensées. En répétant le plus souvent possible ces pensées conçues tout spécialement pour vous, vous vous attirerez plein de belles choses.

- SIGNE: Cancer
- ÉLÉMENT: Eau
- CATÉGORIE: Cardinal
- SYMBOLE: ♋
- POINTS SENSIBLES: Appareil digestif, foie, estomac, rate, pancréas, seins, glandes mammaires. Dyspepsie, digestion lente, besoin de beaucoup de sommeil.
- PLANÈTE MAÎTRESSE: La Lune, qui représente l'émotivité.
- PIERRES PRÉCIEUSES: Perle, onyx, pierre de lune.
- COULEURS: Blanc, gris, argent, toutes les couleurs pastel.
- FLEURS: Rose blanche, lys, nénuphar.
- CHIFFRES CHANCEUX: 3-8-11-15-23-29-33-35-46-48.
- QUALITÉS: Sensible, esprit de famille, dévoué, hospitalier, bienveillant, tenace, très maternel.
- DÉFAUTS: Indécis, peureux, rêveur, lent à démarrer, accroché à sa mère, dépressif, vit dans ses souvenirs et dans le passé.
- CE QU'IL PENSE EN LUI-MÊME: Qu'est-ce que je pourrais bien faire pour faire plaisir aux enfants?
- CE QUE LES AUTRES DISENT DE LUI: Les enfants d'abord, les autres ensuite!

Prévisions annuelles

Les années durant lesquelles votre destinée fut bouleversée sont maintenant loin derrière vous. À vrai dire, vous avez désormais tout ce qu'il faut non seulement pour prendre votre vie en main, mais pour en faire un authentique succès. Les six premiers mois vous permettront d'effacer toute trace des problèmes que vous avez connus antérieurement, et de repartir du bon pied. À compter du 12 juillet, vous recevrez la visite de Jupiter qui s'installera chez vous jusqu'au 31 décembre. Cette signature planétaire est toujours l'indice d'une libération et surtout d'un coefficient de chance à la hausse.

SANTÉ Un minimum de sagesse, ou tout simplement de gros bon sens, vous gardera à l'abri des contretemps. Vous aurez le vent dans les voiles et vous éprouverez un impérieux besoin de mordre dans la vie à belles dents. Il y a longtemps que vous ne vous serez senti aussi en forme; plusieurs trouveront même que vous rajeunissez. À partir de votre anniversaire, l'influence de Jupiter pourrait vous inciter à la gourmandise. À vous d'agir en conséquence.

SENTIMENTS Votre point faible, est-il nécessaire de le rappeler, est que vous vous en faites pour tout le monde. Cette année, vous serez presque obligé de chercher des raisons de vous inquiéter, puisque ceux que vous chérissez se porteront on ne peut mieux. Investissez donc en vous-même cette énergie et ce temps que vous consacriez auparavant aux autres; de toute façon, ils sont maintenant capables de voler de leurs propres ailes. Vos amis vous réclament, et avouez que vous avez négligé votre vie sociale. C'est en plein le temps d'y remédier et de jouir de l'existence. Avec votre chéri, tout va bien, et si vous étiez seul, une amitié amoureuse peut se révéler fort gratifiante.

AFFAIRES L'année se divise en deux tranches. La première moitié vous permettra à la fois d'aller plus loin dans ce que vous avez commencé récemment et aussi de caresser de nouveaux objectifs. Vous vous débarrasserez de plusieurs contraintes tant financières que professionnelles, bref, vous aurez la voie libre. Durant les six derniers mois, vous pourrez compter sur la chance: vos entreprises deviendront florissantes, vous mettrez des sous de côté et vous pourrez même faire des envieux au jeu. Bonne période pour un investissement sérieux, pour une nouvelle carrière ainsi que pour voyager.

JANVIER						
D	L	M	M	J	V	S
	1 F	2 D	3 D	4	5	6
7	8	9 ○	10	11	12	13
14 D	15 D	16 D	17 F	18 F	19	20
21	22	23	24 ●	25	26 F	27 F
28 F	29 D	30 D	31 D			

○ Pleine lune et éclipse lunaire totale — F Jour favorable
● Nouvelle lune — D Jour difficile

SANTÉ Sur le plan physique, ce début d'année vous trouve dans une forme splendide; vous débordez d'énergie et de vitalité, ça fait plaisir à voir. Moralement, on décèle un brin d'agitation jusqu'au 11, puis, par la suite, tout rentre dans l'ordre. Votre intuition est encore plus présente que d'habitude.

SENTIMENTS Entre le 4 et le 31, Vénus occupera un secteur privilégié de votre ciel. Voilà plus qu'il n'en faut pour redonner du fringant à votre vie de couple ou pour mettre sur votre route un être compatible si vous êtes seul. Il n'y a pas que dans l'intimité que Vénus vous comble, vous êtes également choyé en société; on n'a d'yeux que pour vous.

AFFAIRES Malgré quelques lenteurs en tout début de mois, on peut affirmer que vous êtes sur une excellente lancée. Bon temps pour donner suite à vos projets et pour aller de l'avant avec de nouvelles initiatives. Vos démarches portent fruit, vos finances remontent et vous vous rapprochez de votre but.

FÉVRIER						
D	L	M	M	J	V	S
				1	2	3
4	5	6	7	8 ○	9	10
11 D	12 D	13 F	14 F	15	16	17
18	19	20	21	22	23 ● F	24 F
25 D	26 F	27 D	28			

○ Pleine lune
● Nouvelle lune
F Jour favorable
D Jour difficile

SANTÉ Jusqu'au 15, on ne peut vous annoncer que des bonnes choses; c'est donc le temps idéal pour régler ce qui accrochait et vous remettre en forme. Le reste du mois ne se dessine pas mal du tout mais vous vous sentirez un tantinet plus vulnérable tant physiquement que moralement, et ce n'est pas en abusant des bonnes choses que vous améliorerez votre état, loin de là.

SENTIMENTS La première moitié du mois s'annonce merveilleusement bien, et on vous gâte sur tous les plans. Pour que ça dure, rien de plus simple: ne tenez pas vos proches pour acquis et démontrez-leur que vous appréciez ce qu'ils font pour vous. Aucune raison de vous inquiéter pour la marmaille ou la famille.

AFFAIRES C'est un peu le même scénario qui tend à se reproduire dans ce domaine: la première quinzaine est fantastique, et il suffit que vous touchiez à quelque chose pour que ça marche. Vraiment, la chance vous accompagne! Par la suite, vous devrez fournir davantage d'efforts pour arriver au même résultat; peu importe, vous réussirez, et c'est ce qui compte.

MARS						
D	L	M	M	J	V	S
				1	2	3
4	5	6	7	8	9 ○	10 D
11 D	12 F	13 F	14 F	15	16	17
18	19	20	21	22 F	23 F	24 ● F
25 D	26 D	27	28	29	30	31

○ Pleine lune
● Nouvelle lune
F Jour favorable
D Jour difficile

SANTÉ En évitant d'être négligent, vous avez tout ce qu'il faut pour profiter du mois. Croyez-moi, un peu de sagesse vaut beaucoup mieux que quelques petits bobos agaçants. La tension nerveuse sera plus présente durant la première quinzaine, mais vous devriez reprendre tout votre aplomb par la suite. Votre flair demeure aiguisé.

SENTIMENTS Plusieurs envient la stabilité de votre destinée amoureuse. Personnellement, vous trouvez votre vie un peu trop tranquille à votre goût et le conjoint passablement pantouflard... Avec votre nature pourtant, une petite vie rangée vaut certes infiniment mieux que des chambardements. Entre le 17 et le 31, un enfant pourrait vous confier une excellente nouvelle.

AFFAIRES Vous travaillez d'arrache-pied, j'en conviens, mais les résultats sont là. On exige beaucoup de vous et, à certains moments, vous avez l'impression que la lourdeur de la tâche finira par vous écraser. Il n'en est rien, vous êtes armé pour vous sortir de tout, ce qui ne manque pas d'impressionner l'entourage et le patron. La seconde quinzaine est propice aux voyages d'affaires ou de loisir.

AVRIL						
D	L	M	M	J	V	S
1	2	3	4	5	6	7 ○ D
8 D	9 F	10 F	11	12	13	14
15	16	17	18 F	19 F	20 F	21 D
22 D	23 ●	24	25	26	27	28
29	30					

○ Pleine lune — F Jour favorable
● Nouvelle lune — D Jour difficile

SANTÉ Il n'y a que la période comprise entre le 6 et le 22 qui soit plus délicate et, là encore, vous pouvez la traverser sans anicroche pour peu que vous demeuriez vigilant. Attention donc de ne pas contracter un virus ni de vous blesser. Cette vulnérabilité s'explique par de la fatigue accumulée: pourquoi ne pas prendre un peu plus de temps pour vous?

SENTIMENTS La première et la dernière semaine s'annoncent détendues et fort agréables; vous aurez du plaisir tant avec vos proches qu'avec les nouvelles personnes que vous rencontrerez. Le reste du mois exige toutefois plus de doigté; en effet, vous risquez d'être confronté à des gens qui interpréteront vos paroles ou vos gestes de travers.

AFFAIRES Ici aussi, c'est le même scénario qui tend à se reproduire: un début et une fin de mois fantastiques, entrecoupés d'une période plus délicate durant laquelle des retards et quelques légères déceptions peuvent survenir. Inutile donc de trop vous en faire, vous savez que les choses finiront par s'arranger; mieux encore, planifiez vos grands coups en conséquence!

MAI						
D	L	M	M	J	V	S
		1	2	3	4 D	5 D
6 F	7 ○ F	8	9	10	11	12
13	14	15	16 F	17 F	18 D	19 D
20 D	21	22 ●	23	24	25	26
27	28	29	30	31 D		

○ Pleine lune
● Nouvelle lune
F Jour favorable
D Jour difficile

SANTÉ La présence de Mercure, Jupiter et Saturne dans votre douzième secteur entre le 6 et le 31 marque un moment de fragilité. Rien de grave mais, si vous n'y prenez pas garde, vous risquez d'être dépassé par les événements. Ne laissez pas les petits bobos s'accumuler, voyez-y sans tarder et mettez de côté les exploits surhumains.

SENTIMENTS Vos rapports avec les autres devraient être excellents durant la première semaine, néanmoins les choses pourraient se corser par la suite si vous ne mettez pas un peu d'eau dans votre vin. Je sais que ça part d'une bonne intention, mais évitez de mettre le nez dans les affaires des membres de votre entourage, car ils pourraient le percevoir comme de l'ingérence.

AFFAIRES Ça ne va pas tout à fait comme sur des roulettes, et vous vous heurtez à beaucoup d'incompréhension. Vos demandes ne reçoivent pas l'attention qu'elles méritent, on n'accorde guère d'importance à vos suggestions. Pis encore, on trouve que vous n'en faites pas assez, même si vous vous démenez comme un diable dans l'eau bénite. Sachez que le temps est votre meilleur allié et que bientôt, tous ces désagréments seront oubliés.

JUIN						
D	L	M	M	J	V	S
					1 D	2
3 F	4 F	5 ○	6	7	8	9
10	11	12 F	13 F	14 F	15 D	16 D
17	18	19	20	21 ●	22	23
24	25	26	27	28 D	29 D	30 F

○ Pleine lune
● Nouvelle lune et éclipse solaire totale
F Jour favorable
D Jour difficile

SANTÉ L'éclipse de ce mois se produit sur un point stratégique de votre thème astrologique. Pour ne pas en subir les effets, il vous suffit de prendre les devants et d'investir dans votre capital santé. Alimentez-vous convenablement, ne rognez pas sur les heures de repos dont vous avez besoin et apprenez à relaxer. Tout ira alors à merveille et vous ne sentirez rien.

SENTIMENTS Dès le 6, vous bénéficierez d'un aspect fort encourageant de Vénus qui viendra adoucir toutes vos relations interpersonnelles. L'atmosphère sera plus détendue, vous pourrez même vous mettre d'accord avec quelqu'un avec qui vous avez eu un différend. Votre conjoint vous fera à nouveau la cour; quant aux solitaires, eux aussi seront courtisés avec assiduité.

AFFAIRES Bien que moins présentes que le mois dernier, certaines tensions persistent. Qu'à cela ne tienne, si vous usez de persévérance et de ténacité, vous finirez bien par avoir gain de cause. Bon mois pour voyager ou pour vous éloigner du tumulte du boulot. Un conseil toutefois: ne prêtez pas d'argent, n'achetez pas sur un coup de tête, n'investissez pas non plus sans garanties sérieuses.

JUILLET						
D	L	M	M	J	V	S
1 F	2	3	4	5 ○	6	7
8	9 F	10 F	11 F	12 D	13 D	14
15	16	17	18	19	20 ●	21
22	23	24	25 D	26 D	27 F	28 F
29	30	31				

○ Pleine lune et éclipse lunaire partielle
● Nouvelle lune
F Jour favorable
D Jour difficile

SANTÉ Aussitôt l'éclipse du 5 passée, vous devriez vous sentir beaucoup plus solide, et avec raison. Si vous avez eu des ennuis, vous serez désormais en bien meilleure posture pour vous en débarrasser définitivement. Vous ne laisserez plus l'angoisse vous assaillir, vous cesserez de ressasser de vieilles affaires et vous canaliserez plus adéquatement votre énergie.

SENTIMENTS La première semaine se déroule sous les mêmes influences planétaires qui prévalaient depuis le 6 juin. C'est donc dire que vous retirerez d'énormes satisfactions de tous vos contacts avec les autres. Le reste du mois ne s'annonce pas mal du tout. Il se déroulera tout simplement plus tranquillement. Entre le 13 et le 30, le téléphone ne dérougira pas; vous entendrez même parler de quelqu'un que vous aviez perdu de vue.

AFFAIRES N'oubliez pas que le 12, Jupiter vient s'installer dans votre signe, et que cette conjoncture apporte toujours un fort courant de chance. Voilà qui profitera certainement à votre carrière et à votre portemonnaie. Au fait, n'oubliez pas de vous acheter un billet de loto de temps à autre. Planifiez bien ce que vous voulez faire au cours des prochaines semaines et des prochains mois, car de grands succès vous attendent.

AOÛT						
D	L	M	M	J	V	S
			1	2	3	4 ○
5	6 F	7 F	8 D	9 D	10 D	11
12	13	14	15	16	17	18 ●
19	20	21 D	22 D	23 F	24 F	25 F
26	27	28	29	30	31	

○ Pleine lune	F Jour favorable
● Nouvelle lune	D Jour difficile

SANTÉ Un beau mois en perspective dénué d'éclipse et d'influences contraignantes. Vous vous sentez bien dans votre peau, et ça paraît: il y a longtemps que vous n'avez eu une mine aussi radieuse. Bon mois pour jouer la carte de la beauté, par exemple en adoptant une nouvelle tête ou un nouveau style. Seul hic, votre appétit insatiable qui risque d'alourdir votre si belle image.

SENTIMENTS La présence simultanée de Vénus et de Jupiter dans votre signe vous procure un énorme bonheur. Un coup de foudre transformera la destinée de ceux qui sont seuls, alors que ceux qui sont en couple retomberont amoureux de leur chéri. Il n'y a pas qu'à la maison qu'on veuille vous dorloter, les invitations se multiplient. Vous ne vous ennuierez pas.

AFFAIRES Peu importe ce que vous choisirez de faire, en ce mois, la réussite est au bout. De bonnes nouvelles concernant vos finances vous raviront, vous pourriez même gagner une jolie somme dans un tirage. Professionnellement, tous les espoirs sont permis, il vous suffit d'avoir confiance en vous et de foncer. Et, comme les bonnes nouvelles n'arrivent jamais seules, vous êtes aussi favorisé dans les voyages et les investissements.

SEPTEMBRE						
D	L	M	M	J	V	S
						1
2 ○ F	3 F	4 D	5 D	6 D	7	8
9	10	11	12	13	14	15
16	17 ●	18 D	19 D	20 F	21 F	22
23/30 F	24	25	26	27	28	29 F

○ Pleine lune F Jour favorable
● Nouvelle lune D Jour difficile

SANTÉ D'ici le 9, tout continuera d'aller comme dans le meilleur des mondes mais, par la suite, et jusqu'au 28 novembre, vous serez soumis à une influence négative de la planète Mars qui pourrait vous valoir un malaise, une infection ou une blessure. Heureusement, vous pouvez déjouer la conjoncture en prenant quelques précautions. Et si ça peut vous réconforter, sachez que plusieurs signes ont fait face à cette configuration pendant plus de six mois.

SENTIMENTS Vous vous sentez déchiré. Lorsque vous faites plaisir à l'un, ça déplaît à l'autre. Pas facile de concilier les amours, la famille, les enfants et les amis en même temps. Que voulez-vous, c'est ainsi quand tout le monde a besoin de nous. La meilleure chose à faire est certes d'écouter votre intuition et d'agir avec le plus de discrétion possible.

AFFAIRES La pression est grande, et vous n'avancez qu'au prix de bien des efforts. Ne lâchez pas, même si c'est ardu, vous finirez par tirer habilement votre épingle du jeu. Déjà les dix derniers jours s'annoncent plus encourageants: vous pourriez recevoir une bonne nouvelle ou gagner un montant d'argent que vous n'attentiez pas.

OCTOBRE						
D	L	M	M	J	V	S
	1 F	2 ○ D	3 D	4	5	6
7	8	9	10	11	12	13
14	15 D	16 ● D	17 F	18 F	19	20
21	22	23	24	25	26 F	27 F
28 F	29 D	30 D	31			

○ Pleine lune
● Nouvelle lune
F Jour favorable
D Jour difficile

SANTÉ N'oubliez pas que Mars vous guette jusqu'au 28 et que, par conséquent, vous devez être sur vos gardes. Une distraction pourrait vous valoir un accrochage, tandis que la négligence pourrait être à l'origine d'une défaillance. Il vaut mieux prendre trop de précautions que pas assez. Attention également à la tension nerveuse, vous vous en mettez trop sur vos épaules.

SENTIMENTS Une certaine accalmie marque la première quinzaine mais, par la suite, votre entourage se remet à réclamer sans cesse votre aide. Pas toujours évident pour vous d'établir vos limites; pourtant, si vous ne le faites pas, vous finirez pas vous sentir envahi. Profitez donc des invitations qui passent pour vous changer les idées, cela vous fera le plus grand bien.

AFFAIRES Un autre mois tendu durant lequel les sources de stress sont nombreuses. Vous avez des choix à faire, mais vous semblez bien hésitant; si vous pouvez vous permettre d'attendre au mois prochain pour prendre vos décisions, ce serait nettement plus favorable. À vrai dire, la meilleure chose à faire actuellement, c'est de temporiser et de planifier en fonction de l'avenir.

NOVEMBRE						
D	L	M	M	J	V	S
				1 ○	2	3
4	5	6	7	8	9	10
11 D	12 D	13 D	14 F	15 ● F	16	17
18	19	20	21	22	23 F	24 F
25 D	26 D	27 D	28	29	30 ○	

○ Pleine lune	F Jour favorable
● Nouvelle lune	D Jour difficile

SANTÉ Les vilains aspects des deux derniers mois sont révolus. Adieu les dangers d'accidents, l'inconfort, le stress et les malaises. Dès le 8, vous serez parfaitement remis, vous bénéficierez d'une réserve d'énergie sans bornes et d'un moral à toute épreuve. Ces bonnes dispositions se refléteront sur votre mine, qui deviendra radieuse. Au fait, bon mois pour vous refaire une beauté ou perdre quelques kilos.

SENTIMENTS Une fois la première semaine écoulée, votre entourage deviendra moins accaparant. Vos proches régleront leurs problèmes, ce qui, par ricochet, vous épargnera bien des maux de tête. Au sein de votre couple, l'amour renaît; pour les solitaires, il sera question d'un coup de foudre. En société, vous volez la vedette chaque fois que vous mettez le nez dehors.

AFFAIRES Quelques tensions subsisteront jusqu'au 8, mais elles disparaîtront totalement par la suite pour céder la place à un cycle de chance. Un gain inopiné, un emploi lucratif, un nouveau contrat ou des heures supplémentaires vous permettront d'amasser une jolie somme. Au travail, vous sortez de l'impasse, on reconnaît votre valeur.

DÉCEMBRE						
D	L	M	M	J	V	S
						1
2	3	4	5	6	7	8
9 D	10 D	11 F	12 F	13	14 ●	15
16	17	18	19	20 F	21 F	22 F
23 D/30 ○	24 D/31	25	26	27	28	29

○ Pleine lune et éclipse lunaire annulaire
● Nouvelle lune et éclipse solaire annulaire
F Jour favorable
D Jour difficile

SANTÉ Vous allez de mieux en mieux; d'ailleurs à partir du 9, vous serez dans une forme qu'on vous a rarement connue. Ceux qui traînaient encore de la patte se rétabliront complètement, alors que les autres battront tous les records. Moralement, c'est pareil, rien ne peut vous jeter par terre, pas même l'éclipse du 30 qui se produit dans votre signe!

SENTIMENTS Voici un autre domaine où les astres vous gâtent, particulièrement à compter du 9. Votre charme fera des ravages, vous recevrez une foule de compliments et de marques d'attention, sans compter que vos proches se rangeront à votre avis et pourraient même avouer que, dans le fond, vous avez toujours eu raison. Vous, habituellement si casanier, serez constamment sur la trotte et, le plus étonnant, c'est que même loin de votre petit nid, vous vous amuserez ferme.

AFFAIRES Gros mois en perspective durant lequel les succès et les aboutissements heureux ne cessent d'abonder. On dirait que vous avez une baguette magique! Fortes chances au jeu et dans les concours. Si vous arrivez à vous absenter de votre travail — ce dont je doute tant les opportunités pullulent — vous pourrez faire un extraordinaire voyage.

24 juillet au 23 août

Si vous êtes Lion, ça doit se voir. Le lion est le roi des animaux, et vous, vous régnez sur votre entourage. Il faut dire que vous avez un petit côté vedette. Partout où vous passez, les têtes se retournent et, de fait, cela ne vous déplaît pas. Votre façon de vous habiller, vos attitudes, votre démarche, tout contribue à ce qu'on vous remarque.

Quoi que vous fassiez, il faut que vous soyez le premier: votre maison doit être la mieux tenue, votre carrière doit monter en flèche... Que vous pratiquiez un sport ou que vous jouiez aux cartes, que vous mettiez une multinationale sur pied ou que vous laviez les casseroles, vous devez être le meilleur.

Ce n'est pas que vous soyez mauvais perdant, mais vous êtes si bon gagnant, débonnaire et généreux avec les autres: «Ils étaient très bons; c'est juste que j'étais encore meilleur.» Oui, la victoire vous va très bien.

Il faut dire que vous la méritez, bien souvent. Vous êtes énergique, ambitieux, vous avez du cœur à l'ouvrage, vous y mettez beaucoup d'ardeur (parfois trop pour votre santé), vous vous donnez à 200 %, vous vous concentrez sur votre but. Qu'il s'agisse d'un poste de direction, de la décoration de votre salon, de vos cours de tango ou d'une partie de bridge, toute votre attention, tous vos efforts — et vous ne les ménagez pas — contribuent à votre triomphe. Quoi que vous fassiez, il faut que le résultat soit remarquable et remarqué.

Évidemment, cela suscite des jalousies; on vous critique, on dit que vous prenez le plancher, que vous faites la star... Mais dans le fond, on vous admire.

Et on vous admire d'autant plus que vous réussissez à dissimuler votre travail et vos efforts. On dirait — je sais que ce n'est qu'une apparence — que votre succès vient tout seul, tellement vous avez l'air d'être toujours au-dessus de vos affaires. De la même manière, vous dissimulez vos soucis, vos inquiétudes et votre chagrin; vous dites que tout va bien, et tout le laisserait croire. Même lorsque vous êtes désemparé, vos proches n'y voient que du feu... Et dans ce cas, vous vous sentez bien seul.

Vous régnez sur votre entourage, mais vous êtes bon prince; effectivement, vous vous montrez très généreux, vous avez un cœur immense, vous êtes ardent, entier. Démonstratif en tout, vos amours se déroulent sous le signe de la passion et souvent, vous recherchez un partenaire qui vous fera honneur. Quelqu'un d'indifférent ou d'inaccessible devient un défi qui vous attirera d'autant plus.

Votre sens de la justice est très grand. En fait, vous êtes toujours très droit et vous vous attendez à ce que les autres le soient aussi, ce qui, hélas, n'est pas toujours le cas. Les associations que vous formez sont profitables, mais à vos associés et non à vous. Vous donnez de bon cœur lorsque cela vous plaît — et ça arrive souvent — mais vous ne supportez pas qu'on vous trompe ou qu'on vous mente. Ce sont des injures que vous ne pardonnerez pas de sitôt!

Il faut noter au passage que, comme les lionnes dans la nature, les femmes Lion ont tendance à prendre la première place dans leur foyer et à mener de front une carrière. Elles vont «chasser» pour rapporter la nourriture.

Votre signe est celui du commandement, de la gestion, et, même si vous commencez au bas de l'échelle, vous finirez par obtenir un poste de direction. D'ailleurs, lorsqu'on est avec vous, on remarque un peu votre goût pour l'autorité... Que ce soit pour choisir le film qu'ira voir votre conjoint, organiser les activités de vos enfants ou décider si votre sœur doit acheter ou non une maison et laquelle, vous êtes toujours là pour diriger... Il ne faut surtout pas essayer de vous dire quoi faire!

On dit que vous êtes orgueilleux, vaniteux; votre point faible, c'est effectivement la flatterie. Quand on vous voit à l'œuvre, tout semble facile, mais vous avez certainement travaillé très fort pour en arriver là et ça n'a pas toujours été tout seul. Maintenant que vous y êtes, vous vous pavanez un peu, avouez-le.

COMMENT SE COMPORTER AVEC UN LION?

Pour s'entendre avec un Lion, il ne faut pas s'opposer à lui directement; il croirait que vous le remettez en question et en ferait une affaire personnelle. Les cris, la colère ne donneront rien. Par contre, si vous montrez de la logique et du bon sens, il ne pourra pas s'opposer. Vous pouvez aussi faire appel à ses sentiments — il est si généreux — mais ne lui demandez pas carrément quelque chose. Exposez-lui la situation ou le besoin et laissez-lui le plaisir de proposer son aide; ça ira tout seul.

Le Lion a une haute opinion de lui-même et il aime bien qu'on fasse attention à lui. Au restaurant, chez vous ou en public, donnez-lui la première place; il vous en sera reconnaissant… Et comme il la prendra de toute façon, aussi bien qu'il vous en sache gré. Il aime sortir, il raffole des activités où on peut le remarquer, le théâtre, les premières, tout ce qui est chic. Accompagnez-le, car il déteste être seul et il a besoin de sa petite cour.

Si jamais vous avez des reproches à lui faire, attendez d'être seul avec lui: c'est primordial. Ne le faites jamais, au grand jamais, devant une tierce personne ou pire — quel outrage! — en public. Il serait très humilié et ne vous le pardonnerait pas. Soutenez-le devant les autres même si vous le croyez dans le tort, puis, quand vous serez en tête à tête, ouvrez-vous; il sera mieux disposé. Et si ce que vous dites est sensé ou s'il pense vous faire plaisir, il consentira à se laisser convaincre.

Il a un cœur d'or, mais il tient énormément à son image publique. Un affront, et aussitôt il sort ses crocs de fauve. Faites-lui croire que les idées viennent de lui et prenez-le plutôt avec douceur; flattez-le s'il le faut, il mangera dans votre main… Mais, chut! Il ne faut surtout pas qu'il le sache!

SES GOÛTS

Le Lion, vous le devinez, a des goûts royaux. Il aime tout ce qui contribue à le faire admirer; ses vêtements sont élégants, généralement griffés, un peu voyants mais classiques, souvent dans des teintes claires, beiges ou dorées. Les bijoux de prix, les pierres véritables, les fourrures complètent le tout. Sa maison est digne d'une exposition; les objets précieux, les belles choses, les dorures et surtout les miroirs créent un décor lumineux, luxueux et parfaitement à sa hauteur.

Pour manger, le Lion a besoin d'une mise en scène: de l'argenterie, un chandelier ou une belle table le ravit. Il aime beaucoup les viandes (le fauve ressort) et les sauces raffinées. À table comme ailleurs, ses manières sont élégantes et il se soucie du décorum.

SON POTENTIEL

Ne vous attendez pas qu'un natif d'un signe aussi royal se contente d'un poste subalterne. Le Lion veut toujours faire mieux que les autres; il met donc beaucoup d'énergie dans sa carrière et fait tout pour mériter de l'avancement et des promotions. Vous connaissez un balayeur qui s'est hissé à la présidence d'une compagnie? C'est certainement un Lion.

Les domaines qui lui conviennent le plus sont l'administration, la gestion, la politique, le gouvernement, la finance, les affaires (pas d'association, par pitié!), la haute fonction publique, les postes de responsabilité. Quoi qu'il fasse, il montera et accédera à un poste-clé. D'ailleurs, beaucoup de Lion décident de lancer leur propre entreprise ou de s'installer à leur compte.

Et puis, avec leur petit côté théâtral, ils excellent sur les planches; c'est donc aussi le signe des acteurs et des vedettes. Quoi qu'ils fassent, ils sont stars!

SES LOISIRS

Sans toujours s'en rendre compte, le Lion choisit des activités où il pourra briller. Aux passe-temps où il risque de se salir ou de déroger à son image, il préférera les sports nobles: le golf, l'équitation, peut-être le tennis. S'il est meilleur que ses adversaires, il sera enchanté: la victoire lui va très bien.

Il aime aussi les activités où il peut déployer tous ses talents, si possible devant un public. Le théâtre, qu'il a dans le sang, et le chant lui conviennent tout à fait. Sous les feux de la rampe, il s'illumine; c'est une vraie vedette. Il aime aussi assister et se montrer à des spectacles haut de gamme.

Sa vie mondaine est brillante et il ne déteste pas qu'on le remarque. Si un photographe de presse est dans le coin, il s'arrangera pour qu'on lui tire le portrait. Il est si photogénique! Quelle joie il éprouvera quand ses relations le verront dans le journal!

En fait, il évolue toujours comme si les caméras de télévision étaient braquées sur lui. Regardez-le cuisiner ou planter un clou: proprement, le petit doigt en l'air, impeccablement vêtu et le sourire aux lèvres. Tout lui semble facile. C'est un vrai plaisir de le voir réussir avec autant de brio.

SA DÉCORATION

Ce n'est pas dans une maison que vous entrez, mais dans son palais. Notre Lion a des goûts grandioses; il aime ce qu'il y a de mieux et de plus luxueux et il ne regarde pas à la dépense.

Dès les premiers pas, vous serez surpris de voir vos pieds s'enfoncer dans des tapis épais et moelleux, probablement très pâles, blancs ou ivoire. La richesse se dégage de partout: des miroirs magnifiques reflétant des bibelots précieux, des dorures, du cristal, des meubles de grand prix, des tentures à l'effet dramatique. Il a le don de choisir des éléments tous plus beaux les uns que les autres; bien sûr, la décoration est plutôt chargée, mais quel luxe et quelle opulence!

En effet, les œuvres d'art, les meubles de style, les objets de grand prix rendent ce décor encore plus théâtral. Les couleurs sont claires: crème, blanc ivoire, jaune doré, or brillant. Le tout est lumineux et, avouons-le, un peu impressionnant. Le Lion adore aussi les mises en scène; s'il vous invite pour un petit goûter à l'improviste, vous le verrez sortir des porcelaines précieuses, des dentelles délicates, des vases de fleurs; c'est tout à fait naturel pour lui. Ce n'est pas la demeure de n'importe qui, et ça se voit.

SON BUDGET

Vous croyez qu'il va se ruiner avec de tels goûts... Eh bien, détrompez-vous! Le Lion aime les belles choses, c'est un fait, et il s'arrange justement pour pouvoir se les procurer. En excellent administrateur, il gère très bien ses revenus, il fait des placements judicieux, et s'il vous donne des conseils en ce sens, soyez sûr qu'il sait de quoi il parle. Les différentes formes d'investissement, les valeurs mobilières et immobilières, la Bourse n'ont guère de secrets pour lui. En fait, il se débrouille si bien que, même malgré un budget minuscule, il fera des merveilles et réussira à mettre des sous de côté tout en s'offrant de petits luxes.

En fait, les natifs du Lion ont le sens de la gestion et, plutôt que de travailler pour autrui, la plupart décideront de se lancer à leur compte ou de partir en affaires, ce qui leur permettra d'exploiter leurs divers talents. Même s'ils donnent toujours l'impression que cela vient facilement, ils y mettent beaucoup d'ardeur et de travail, et c'est ce qui les conduit au succès.

QUEL CADEAU LUI OFFRIR?

On a vu que le Lion aime les belles choses. Évidemment, on ne peut pas toujours offrir une Porsche ou un manteau de vison, mais en respectant notre budget, il y a moyen de lui faire plaisir. Une petite règle à suivre: n'achetez que de la première qualité. Au lieu de lui offrir un ensemble ou un chandail quelconque, optez plutôt pour une cravate, un foulard, des gants ou même des fleurs, mais choisissez ce qu'il y a de mieux.

Le Lion aime qu'on fasse attention à lui; dans son esprit, un cadeau doit être un hommage, quelque chose qu'on a choisi en pensant tout spécialement à lui. Donc, ne lui offrez pas d'argent; il en serait offusqué.

Le cadeau idéal serait un bijou: les diamants sont toujours appréciés, mais si votre budget ne vous le permet pas, des parfums importés, des objets de luxe ou rares, des vêtements élégants (et préférablement griffés) ou des billets pour un spectacle seront vraiment appréciés. Quoi que vous décidiez de lui offrir, n'oubliez pas la présentation: du papier de soie, un emballage élégant, un ruban doré, et vous pouvez être certain de doubler son plaisir.

LES ENFANTS LION

Si vous prenez une photo d'un groupe d'enfants, le plus photogénique sera un petit Lion, c'est sûr. Il ne sait pas encore parler, mais si vous sortez un appareil photo, il fera risette aussitôt.

C'est un enfant qui fait toutes sortes de mimiques, qui pose avant même de savoir marcher; il a déjà du magnétisme et s'arrange pour être le centre d'intérêt. Plus tard, il continuera à prendre la vedette auprès de ses petits compagnons à la garderie, à l'école. Il a besoin de briller et demande beaucoup d'attention. C'est déjà un chef de groupe.

Il faut se montrer présent, lui manifester de l'affection, même quand il se trompe ou qu'il perd, lui expliquer que d'autres aussi peuvent gagner et que ça ne lui enlève rien. Il faut surtout qu'il comprenne qu'il n'est pas nécessaire d'être toujours parfait en tout, et que, malgré ses échecs occasionnels, vous l'aimez autant. C'est un petit bonhomme ou une petite bonne femme très brillant dont vous serez fier.

L'ADO LION

Ce n'est pas pour rien qu'on représente ton signe par le roi des animaux. En fait, où que tu ailles, tu te fais remarquer… et avoue que tu ne détestes pas cela. Tu as une nature noble et généreuse: on dirait que tu es né pour diriger. Dans ton entourage, c'est probablement toi qui mènes et lorsque ce n'est pas le cas, il peut y avoir des étincelles.

Tu as besoin de t'exprimer, de manifester ton point de vue. Tu as une bonne opinion de toi-même, mais, quand tu as une petite faiblesse ou que tu n'es pas en forme, tu préfères rester dans ton coin, jusqu'à ce que ça aille mieux. Ce n'est pas toi qui vas raconter tes problèmes et essayer de te faire consoler; tu es bien trop indépendant pour cela.

Par contre, lorsque ça va bien, tu as le don de briller. Tu es intelligent, tu as bon cœur et tu es conscient de ton potentiel. Tu es fier aussi; si on te critique en public, si on te dénigre, cela te blesse beaucoup. L'opinion et l'estime des autres comptent beaucoup pour toi. Je sais que tu aimes briller, mais sois sur tes gardes: quelqu'un qui sait te flatter peut te manipuler facilement.

Tu raffoles des belles choses, des beaux vêtements, du luxe, et tu t'arranges pour pouvoir te les offrir. Pour ce qui est de ton avenir, tu as des projets ambitieux, mais, crois-moi, avec la volonté que tu déploies, tu y arriveras. Quand on te regarde agir, on dirait que tout vient aisément à toi, mais ce n'est pas vrai. Ton succès, tu le mérites: tu travailles dur pour en arriver là.

Tes études

Tu appartiens à un signe fixe et lorsque ton choix est fait, la réussite te sourit; tu es prêt à mettre l'énergie et les efforts qu'il faut pour atteindre tes objectifs élevés. Tu aimes être le meilleur, et la compétition te stimule. Les concours, les examens sont des défis pour toi. Dans les travaux d'équipe, laisse un peu de place aux autres et donne-leur le crédit qui leur revient; cela va les motiver, et, ainsi, la réussite ira à ton groupe.

Ton orientation

Tu es quelqu'un d'ambitieux. Bien sûr, quand tu parles de tes projets, les autres peuvent sourire... Mais tu connais ton potentiel et, si tu es vraiment déterminé, tu atteindras tes objectifs. Tu es un chef-né, un leader; un emploi subalterne ne t'irait pas du tout. Choisis plutôt une sphère où tu pourras t'épanouir. L'administration, la gestion, la finance, la politique, le génie, les relations publiques, les arts, le cinéma, le droit et la fonction publique te conviendraient bien. Tu peux réussir dans n'importe quoi à condition de pouvoir montrer que tu es le meilleur. Il est rare que le Lion reste employé toute sa vie. Peut-être est-ce même déjà dans ton plan de carrière d'avoir un jour ta petite affaire à toi.

Tes rapports avec les autres

Tes copains comptent beaucoup pour toi; d'ailleurs, tu es probablement un peu le «chef de la bande». Ta vie sociale est importante: elle te permet de rencontrer du nouveau monde, de briller. Tu es très attaché à tes amis; tu les aides, tu les défends. Par contre, quand quelque chose cloche pour toi, tu n'oses pas demander. Ce que tu détestes par-dessus tout, c'est le mensonge. Si quelqu'un perd ta confiance, tu ne la redonnes pas de sitôt. Tu es foncièrement honnête, tu t'attends donc à ce que tout le monde le soit aussi.

Ils sont Lion, eux aussi

Claude Barzotti, Mick Jagger, Sandra Bullock, Pascale Montpetit, Martha Stewart, Arnold Schwartzenegger, Yvon Deschamps, Félix Leclerc, André Gagnon, Marjolaine Morin, Maurice Richard, Carole Laure, Julie Snyder, Dustin Hoffman, Bruno Pelletier, Whitney Houston, Louise Forestier, Judy Richards, Michel Jasmin, Napoléon, Madonna, Marc Messier, Sean Penn, Laurence Jalbert, Luce Dufault, Lynda Lemay, Martin Drainville.

PENSÉE POSITIVE POUR LE LION

Je rayonne sur les autres et les nombreux bienfaits que je leur offre me sont rendus au centuple. Je suis un soleil bienfaiteur.

PENSÉE POSITIVE SPÉCIALE POUR 2001

Je choisis une voie plus facile en me disant que je mérite ce qu'il y a de meilleur.

Le subconscient nous dirige toujours selon nos pensées. En répétant le plus souvent possible ces pensées conçues tout spécialement pour vous, vous vous attirerez plein de belles choses.

- SIGNE: Lion
- ÉLÉMENT: Feu
- CATÉGORIE: Fixe
- SYMBOLE: ♌
- POINTS SENSIBLES: Cœur, système cardiovasculaire, taux de cholestérol, tension artérielle, infarctus, colonne vertébrale, maux de dos.
- PLANÈTE MAÎTRESSE: Le Soleil, source de la vie.
- PIERRES PRÉCIEUSES: Diamant, brillant, rubis.
- COULEURS: Les nuances du soleil et de l'or, jaune, beige.
- FLEURS: Rose rouge, pensée, coquelicot.
- CHIFFRES CHANCEUX: 5-9-10-14-25-26-30-35-41-46.
- QUALITÉS: Noble, fier, généreux, énergique, doué de magnétisme, vedette, juste.
- DÉFAUTS: Orgueilleux, autoritaire, goût exagéré du luxe, vaniteux, cherche à en imposer aux autres.
- CE QU'IL PENSE EN LUI-MÊME: Il faut absolument que je fasse mieux que les autres.
- CE QUE LES AUTRES DISENT DE LUI: Voilà notre vedette qui arrive!

Prévisions annuelles

Vous qui avez été soumis à d'innombrables perturbations aurez enfin le bonheur de voir les choses s'arranger: vous entrez bientôt dans un véritable cycle de libération. L'année se divise en trois tranches. D'ici le 20 avril, vous éprouverez encore les effets restrictifs de Saturne qui vous poussent à vous interroger sur le sens de votre vie et à en réorganiser plusieurs aspects. Par la suite, vous sentirez un important relâchement des tensions et commencerez à régler vos problèmes. Votre anniversaire passé, vous vous retrouverez dans une phase beaucoup plus positive et vous pourrez enfin dire adieu aux obstacles, frustrations et limitations. Vous aurez la voie libre et pourrez agir comme bon vous semble, sans craindre d'être bousculé.

SANTÉ Avec Saturne dans le décor pendant encore quelques mois, vous n'avez d'autre choix que de privilégier la sagesse. En effet, si vous prenez soin de vous, vous défierez les contrecoups souvent associés à ce transit. Après le 20 avril, vos forces physiques et morales reviendront; graduellement, vous recouvrerez cette solidité qui vous caractérisait dans le passé. Vous aurez à nouveau confiance en vous et dans la vie.

SENTIMENTS Voici un secteur dans lequel vous investirez beaucoup d'énergie. Bien que le début de l'année puisse encore comporter quelques inquiétudes, vous finirez par vous affranchir de tout ce qui nuisait à votre épanouissement. Si vous avez vécu une rupture, la vie pourra mettre sur votre chemin un être avec qui vous pourriez bâtir une relation sérieuse; par contre, ceux qui sont demeurés avec leur partenaire verront leur union évoluer de manière positive. Vous continuerez à faire du ménage parmi vos relations familiales et amicales; sachant désormais ce que vous voulez, il vous sera plus facile de faire des choix éclairés. Grâce aux bons aspects de Jupiter, vous aurez tôt fait de remplacer les personnes incompatibles par des gens qui partagent vos valeurs. Bref: une année de renouveau.

AFFAIRES Un autre domaine où le renouveau se fait sentir avec force. Ce qui vous semblait autrefois si intéressant présente aujourd'hui moins d'attrait. Vous avez le goût d'élargir vos horizons, de vous lancer dans de nouvelles entreprises et de relever d'autres défis. Plus le temps avancera, plus il vous sera aisé de concrétiser ces aspirations. Vous trouvez enfin votre voie; mieux encore, les moyens d'y arriver s'offrent à vous presque par enchantement, mais soyez méfiant en affaires, surtout jusqu'à votre anniversaire. Possibilités de voyages et d'un petit prix lors d'un tirage.

JANVIER						
D	L	M	M	J	V	S
	1	2 F	3 F	4 D	5 D	6
7	8	9 ○	10	11	12	13
14	15	16	17 D	18 D	19 F	20 F
21	22	23	24 ●	25	26	27
28	29 F	30 F	31 F			

○ Pleine lune et éclipse lunaire totale	F Jour favorable
● Nouvelle lune	D Jour difficile

SANTÉ Les astres ne jouent pas vraiment en votre faveur: la configuration planétaire de ce mois devrait vous inciter à la plus grande prudence. Soyez vigilant tant dans vos déplacements que lorsque vous utilisez des objets avec lesquels vous pourriez vous blesser. De saines habitudes de vie vous garderont à l'abri des malaises. Finalement, vous avez tort de croire que vous êtes Samson; prenez du repos de temps à autre.

SENTIMENTS Un proche file un mauvais coton tandis qu'avec un autre, la communication se révèle difficile. Heureusement, un ami est là pour vous épauler et même vous dépanner au besoin. Une personne que vous aviez perdue de vue refait surface, mais êtes-vous vraiment enchanté de la voir réapparaître?

AFFAIRES Dans ce domaine également, la conjoncture vous donne du fil à retordre. Au lieu de gaspiller de l'énergie là où ça n'en vaut pas la peine, vous feriez mieux de prendre un peu de recul et de vous préparer pour la bonne période qui commencera le mois prochain. Entretemps, gare aux voleurs, aux escrocs et aux dépenses irréfléchies.

FÉVRIER						
D	L	M	M	J	V	S
				1 D	2 D	3
4	5	6	7	8 ○	9	10
11	12	13	14 D	15 F	16 F	17 F
18	19	20	21	22	23 ●	24
25 F	26 F	27 F	28 D			

○ Pleine lune
● Nouvelle lune
F Jour favorable
D Jour difficile

SANTÉ Jusqu'au 15, vous êtes toujours soumis à des aspects planétaires difficiles et, par conséquent, vous devez continuer à appliquer la loi de la sagesse. Prudence en tout si vous voulez traverser cette première quinzaine sans embâcle. Par la suite, les choses changent radicalement. Vous ferez d'énormes progrès, vous pourriez même vous débarrasser d'un problème qui sévissait depuis un bon moment.

SENTIMENTS Avec la famille, la première moitié du mois demeure éprouvante; il vaut mieux vous faire une carapace. Le reste du mois s'annonce beaucoup plus calme. En revanche, en amour vous commencez dès le 3 une période excitante durant laquelle les solitaires pourront avoir un coup de foudre et les autres renoueront avec leur douce moitié. Socialement, c'est aussi excitant: il sera question de belles rencontres et de moments enlevants.

AFFAIRES Ici aussi, vous ressentirez une énorme différence entre la première moitié du mois et la deuxième. Si rien ne va à votre goût en ce début de février, sachez qu'à compter du 15, le vent tournera. Vos démarches, qui étaient demeurées stériles, connaîtront enfin un dénouement heureux. Un nouvel emploi ou une amélioration significative de vos conditions de travail vous redonneront du cœur à l'ouvrage. Petites chances au jeu.

MARS						
D	L	M	M	J	V	S
				1 D	2	3
4	5	6	7	8	9 ○	10
11	12 D	13 D	14 D	15 F	16 F	17
18	19	20	21	22	23	24 ● F
25 F	26 F	27 D	28 D	29	30	31

○ Pleine lune
● Nouvelle lune
F Jour favorable
D Jour difficile

SANTÉ Votre énergie et votre résistance ne cessent d'augmenter. Ce n'est quand même pas une raison valable pour abuser de vos forces. Psychologiquement, vous risquez d'être passablement stressé jusqu'au 17, mais, par la suite, vous ferez plus aisément la part des choses. Excellent mois pour soigner vos petits bobos, pour suivre un régime amaigrissant ou pour améliorer votre apparence.

SENTIMENTS Il est vrai que depuis quelque temps, vous n'étiez plus tout à fait vous-même; vous aviez perdu de votre brillance, voire de votre assurance, mais tout ça, c'est terminé. Vous voici à nouveau éclatant, voire séduisant. Peu importe où vous vous trouvez, les regards se portent vers vous, on boit vos paroles. En amour, beaucoup de passion dans l'air!

AFFAIRES Ne regardez plus en arrière, mettez plutôt le cap sur l'avenir. Le moment est venu de mettre de l'ordre dans vos affaires et de donner un sérieux coup d'envoi à votre carrière. Les efforts que vous déploierez pour améliorer votre situation professionnelle donneront des résultats emballants. Les finances cessent d'être un casse-tête, vous avez même quelques possibilités dans les tirages. Bon temps pour voyager.

AVRIL						
D	L	M	M	J	V	S
1	2	3	4	5	6	7 ○
8	9 D	10 D	11 F	12 F	13	14
15	16	17	18	19	20	21 F
22 F	23 ● D	24 D	25	26	27	28
29	30					

○ Pleine lune
● Nouvelle lune
F Jour favorable
D Jour difficile

SANTÉ Les influences planétaires sont de plus en plus encourageantes. Vous faites d'énormes progrès, tant sur le plan physique que moral; vous vous sentez renaître. Vous avez le goût de vous occuper de vous, vous prenez de sages résolutions, bref, vous remontez la pente à pas de géant. N'oubliez pas que Saturne, qui vous fragilisait depuis quelques années, sort du décor pour de bon le 20.

SENTIMENTS Votre charisme ne faiblit pas, loin de là, vous impressionnez tout le monde. De fait, les solitaires seront tellement populaires qu'ils devront choisir entre deux prétendants. Quant aux autres, ils vivent un véritable conte de fées. Un proche pourrait vous confier une extraordinaire nouvelle ou vous préparer une grosse surprise.

AFFAIRES Autre mois très constructif. La période comprise entre le 6 et le 22 s'annonce particulièrement chanceuse. Servez-vous-en pour mettre en branle vos projets, pour faire vos démarches ou pour investir. Vous êtes sur une excellente lancée. Financièrement, la remontée se poursuit et pour couronner le tout, vous disposez encore de quelques possibilités au jeu. Pour voyager, ça demeure favorable.

MAI						
D	L	M	M	J	V	S
		1	2	3	4	5
6 D	7 ○ D	8	9 F	10 F	11	12
13	14	15	16	17	18 F	19 F
20 F	21 D	22 ● D	23	24	25	26
27	28	29	30	31		

○ Pleine lune
● Nouvelle lune
F Jour favorable
D Jour difficile

SANTÉ Ces merveilleuses dispositions qui vous habitaient le mois dernier continuent de s'exercer. Vous vous débarrassez de tout ce qui vous empêchait de fonctionner à plein régime. La première semaine vous retrouve un peu fébrile, mais le reste du mois se révèle plus serein. Si votre dos vous fait souffrir, c'est que vous en faites trop: il suffit simplement de ralentir la cadence.

SENTIMENTS Vous continuez de faire des ravages! Votre brillante personnalité impressionne toutes les nouvelles personnes que vous rencontrez et même vos proches qui vous redécouvrent. Les occasions de sortir se multiplient, votre agenda mondain est surchargé. Un enfant prend des risques, mais il finit par faire ses preuves. Serait-ce génétique?

AFFAIRES On ne vous laisse guère de répit. Non seulement les activités se succèdent-elles à un rythme effréné, mais en plus on vous sollicite de toutes parts pour de nouveaux projets. Vos finances sont toujours en pleine période de redressement et vous avez encore la main heureuse au jeu. Autre bon mois pour les déplacements d'affaires ou de loisir.

JUIN						
D	L	M	M	J	V	S
					1	2
3 D	4 D	5 ○ F	6 F	7	8	9
10	11	12	13	14	15 F	16 F
17 D	18 D	19	20	21 ●	22	23
24	25	26	27	28	29	30 D

○ Pleine lune
● Nouvelle lune et éclipse solaire totale
F Jour favorable
D Jour difficile

SANTÉ Vous êtes toujours dans une forme splendide, pourtant on dirait que vous vous aimez moins et que vous ne pouvez plus supporter votre apparence. À vrai dire, vous avez le goût de tout changer autour de vous, et vous y allez peut-être un peu fort. Ce sont sans doute là les effets de l'éclipse qui, heureusement, ne vous malmène pas plus que ça.

SENTIMENTS La première semaine se déroule exactement comme les mois précédents; c'est un véritable tourbillon qui se révèle extrêmement gratifiant. Le reste du mois ne s'annonce pas mal du tout, mais on dirait que le doute vous envahit. Vous vous interrogez sur les sentiments qu'on vous porte et sur les motifs qui animent votre entourage... Et pourtant on vous adore.

AFFAIRES Autre mois très occupé durant lequel vous ne verrez pas le temps passer. Vous avez tellement de choses à accomplir que, parfois, vous avez l'impression que votre vie ne se résume qu'au travail. Vous voudriez vous la couler douce, mais les activités se font pressantes et, comme les offres demeurent alléchantes, vous n'osez pas vous défiler. Au moins, les finances continuent d'être prospères.

JUILLET						
D	L	M	M	J	V	S
1 D	2 F	3 F	4	5 ○	6	7
8	9	10	11	12 F	13 F	14 D
15 D	16 D	17	18	19	20 ●	21
22	23	24	25	26	27 D	28 D
29 F	30 F	31 F				

○ Pleine lune et éclipse lunaire partielle
● Nouvelle lune

F Jour favorable
D Jour difficile

SANTÉ Une fois la première semaine écoulée, vous vous réconcilierez avec vous-même. Vous cesserez de vous compliquer la vie inutilement et pourrez ainsi profiter à plein de cette magnifique vitalité qui vous anime. Bon mois pour les activités en plein air, pour vous prendre en main ou suivre un petit régime amaigrissant. Durant la seconde quinzaine, votre intuition sera particulièrement forte.

SENTIMENTS Votre meilleure période se situe entre le 6 et le 31. Vous vivrez des moments palpitants avec vos amis, vous pourriez même vous en faire de nouveaux. Une prise de bec pour un détail insignifiant risque de survenir avec votre conjoint, mais vous réaliserez rapidement tous les deux que, dans le fond, vous avez tout ce qu'il faut pour être heureux. Un petit dîner en tête à tête arrange tout.

AFFAIRES Le téléphone ne dérougit pas, on continue de vous solliciter à gauche et à droite. Les commerçants voient leur chiffre d'affaires augmenter tandis que les salariés se font proposer des heures supplémentaires ou un deuxième emploi. Excellente période pour les démarches et, encore une fois, pour les déplacements. Au jeu, misez sur la première quinzaine.

AOÛT						
D	L	M	M	J	V	S
			1	2	3	4 ○
5	6	7	8 F	9 F	10 F	11 D
12 D	13	14	15	16	17	18 ●
19	20	21	22	23 D	24 D	25
26 F	27 F	28	29	30	31	

○ Pleine lune
● Nouvelle lune
F Jour favorable
D Jour difficile

SANTÉ Physiquement, vous avez l'étoffe d'un champion. Vous disposez d'une solide réserve de dynamisme, votre métabolisme est solide. Entre le 1er et le 14, la présence de Mercure dans votre signe peut éveiller un soupçon de nervosité ou d'agitation, mais le reste du mois vous trouve calme et détendu.

SENTIMENTS La première quinzaine s'annonce féerique, vous entretiendrez des rapports très harmonieux avec votre entourage; votre vie sociale demeurera trépidante. Par la suite, vous serez enclin à dramatiser; c'est un peu comme si vous vous retrouviez dans une phase d'insécurité émotive. Toutes les preuves d'amour qu'on vous donne n'arrivent pas à calmer vos doutes. Dommage!

AFFAIRES Bien que tout le mois s'annonce positif, c'est surtout sa première moitié qui vous permettra de marquer le plus de points. Bon temps donc pour aller de l'avant avec vos nouveaux projets et pour entreprendre des démarches. Du 15 au 31, ne courez pas de risque avec votre argent, n'achetez pas sur un coup de tête et, surtout, ne vendez pas la peau de l'ours avant de l'avoir tué.

SEPTEMBRE						
D	L	M	M	J	V	S
						1
2 ○	3	4 F	5 F	6 F	7 D	8 D
9	10	11	12	13	14	15
16	17 ●	18	19	20 D	21 D	22 F
23 F/30	24	25	26	27	28	29

○ Pleine lune
● Nouvelle lune
F Jour favorable
D Jour difficile

SANTÉ La plupart des planètes forment actuellement des angles favorables à votre signe; pas étonnant donc que vous vous sentiez si bien. En plus d'être fringant, vous affichez une mine radieuse. Seule, la gourmandise risque de perturber cette grande vitalité et d'alourdir votre si jolie silhouette. Moralement, vous demeurez inébranlable.

SENTIMENTS Lors des trois premières semaines, Vénus se balade dans votre signe. Ceci peut déclencher un coup de foudre si vous êtes seul; s'il y a déjà quelqu'un dans votre vie, attendez-vous à une relation plus complice, voire plus passionnée. Un frère ou une sœur éprouve quelques difficultés et vient vous demander conseil; vos paroles lui feront le plus grand bien.

AFFAIRES Durant les dix premiers jours, tout marchera comme sur des roulettes et vous continuerez à cumuler les succès. Le reste du mois ne se révélera pas désastreux, mais il se peut que vous éprouviez quelques tensions ou lenteurs. Même si ce n'est pas du premier coup, je vous fais confiance, vous finirez certes par arriver à vos fins. Une dépense imprévue n'a pas trop d'impact sur votre budget.

OCTOBRE						
D	L	M	M	J	V	S
	1	2 ○ F	3 F	4 D	5 D	6
7	8	9	10	11	12	13
14	15	16 ●	17 D	18 D	19 F	20 F
21	22	23	24	25	26	27
28	29 F	30 F	31 D			

○ Pleine lune
● Nouvelle lune

F Jour favorable
D Jour difficile

SANTÉ Rien de grave ne vous guette, mais vous avez tendance à somatiser les tensions que vous éprouvez. Si vous laissez le stress vous envahir, il aura tôt fait de se traduire en troubles digestifs, en insomnie ou en problèmes de dos. Prenez le temps de décompresser et de vous changer les idées: c'est essentiel à votre équilibre.

SENTIMENTS Ce n'est pas tant la réalité qui vous dérange que la perception que vous en avez. Vous montez la moindre petite affaire en épingle, vous vous sentez attaqué, et pourtant personne ne vous veut de mal. Avouez que, dans le fond, vous ne savez pas vraiment ce que vous voulez et que, par conséquent, vous êtes bien difficile à contenter. En y regardant de plus près, vous découvrirez qu'on n'a que de bonnes intentions envers vous.

AFFAIRES Un climat d'instabilité prévaut en ce mois. À chaque fois que vous n'avez pas le plein contrôle de la situation, vous devenez hors de vous et ça risque de vous faire commettre une bêtise. Ne mettez pas l'accent sur ce qui accroche, mais plutôt sur vos accomplissements actuels et ceux des derniers mois. Utilisez donc la grande créativité dont vous disposez présentement pour élaborer de nouveaux projets, plutôt que pour inventer de sombres scénarios.

NOVEMBRE						
D	L	M	M	J	V	S
				1 ○ D	2 D	3
4	5	6	7	8	9	10
11	12	13	14 D	15 ● D	16 F	17 F
18	19	20	21	22	23	24
25 F	26 F	27 F	28 D	29 D	30 ○	

○ Pleine lune — F Jour favorable

● Nouvelle lune — D Jour difficile

SANTÉ La planète Mars s'oppose actuellement à votre signe. Cette configuration est réputée pour engendrer de la tension nerveuse, une diminution de la résistance et une propension aux accidents. En étant prévenu d'avance, vous avez tout le loisir de prendre vos précautions et de déjouer la destinée. En ce mois, une once de prévention vaut mieux qu'une tonne de remèdes.

SENTIMENTS Jusqu'au 9, toutes vos relations interpersonnelles se dérouleront dans l'harmonie. Le reste du mois exige davantage de doigté, sans quoi un conflit pourrait surgir. Pesez bien les mots que vous utiliserez et ne mettez personne au pied du mur. Le mieux serait d'éviter les altercations mais, si jamais ça se produit, sachez que, même si cela prend quelque temps, vous finirez par trouver un terrain d'entente.

AFFAIRES Votre vie est mal synchronisée, particulièrement entre le 8 et le 27, et comme cela ne vous ressemble pas, vous avez de la difficulté à le supporter. Une attitude agressive ne fera qu'envenimer les choses. Donnez-vous du temps, tout finira par s'arranger. D'ici là, misez sur les projets à long terme plutôt que sur les petites victoires dans l'immédiat.

DÉCEMBRE						
D	L	M	M	J	V	S
						1
2	3	4	5	6	7	8
9	10	11 D	12 D	13 F	14 ● F	15
16	17	18	19	20	21	22
23 F/30 ○	24 F/31	25 D	26 D	27	28	29

○ Pleine lune et éclipse lunaire annulaire
● Nouvelle lune et éclipse solaire annulaire
F Jour favorable
D Jour difficile

SANTÉ Dès le 9, vous serez libéré de l'opposition de la planète Mars. D'ici là, continuez à exercer la plus grande vigilance et à appliquer un minimum de sagesse. Le reste du mois s'annonce beaucoup mieux, vous ne ressentirez même pas les effets des éclipses; au contraire, vous pourrez même en profiter pour «éclipser» un problème qui vous dérangeait depuis quelques semaines.

SENTIMENTS La présence de Vénus et de Pluton dans votre cinquième secteur vous confère un charisme à tout casser; partout où vous mettez les pieds, vous suscitez l'admiration. Avec vos proches, les choses sont nettement plus faciles, et les petits différends du mois dernier sont complètement oubliés. Rencontres possibles pour les solitaires.

AFFAIRES Si le mois commence dans le brouhaha, sachez qu'à partir du 10, tout ira beaucoup plus rondement. Une situation qui stagnait évoluera enfin de façon positive. Le moment est venu de tourner certaines pages et de vous consacrer à de nouvelles entreprises. Une prime ou une rentrée d'argent inattendue vous parvient d'ici le 26.

Vierge

24 août au 23 septembre

Si vous voulez que quelque chose soit fait à la perfection jusque dans les moindres détails, demandez à un natif de la Vierge de le faire. Vous ne vous tromperez pas.

Il faut dire que vous avez réellement le sens pratique, que vous êtes travailleur, attentif, minutieux. Les gens se plaignent qu'avec vous ça ne va pas vite, mais si vous vous dépêchiez, ce serait être brouillon. Et ça, vous en êtes incapable. Quand vous entreprenez une tâche, vous vous appliquez, et ça prend forcément du temps, mais le résultat est tellement parfait! Ce n'est pas du travail, c'est une œuvre d'art.

Évidemment, si vous mettez des heures pour nettoyer votre poignée de porte avant de sortir, vous n'aurez plus le temps d'aller bien loin. Mais votre poignée sera la plus brillante en ville!

Une autre de vos caractéristiques, c'est certainement votre tempérament craintif. Vous manquez de confiance et, surtout, de confiance en la vie. Vous avez peur de la maladie, de la contamination, des guerres, de la pollution, de manquer de travail, d'argent... Vous avez peur de tout.

En matière de finances justement, vous êtes tellement sage. Vous êtes économe, vous n'avez jamais de coups de tête dans les magasins, vous faites des placements sûrs et vous n'oubliez pas vos REÉR pour vos vieux jours; pas de dépenses qui ne soient planifiées. Si vous voyez quelqu'un acheter un litre de lait et noter sa dépense sur un petit calepin, c'est assurément un natif de la Vierge! Vos amis rient de vous, vous traitent de Séraphin... mais ils sont bien heureux de vous emprunter vingt dollars lorsque leur porte-monnaie est vide!

En toute chose, vous essayez d'atteindre la perfection; avec vous, les moindres détails sont fignolés, rien n'est laissé au hasard, rien n'est oublié. Vous pouvez passer des heures, prendre une journée entière pour placer une virgule dans un texte, pour trouver une erreur de trois cents dans la comptabilité de la compagnie, pour retrouver la mitaine que bébé a oubliée au parc avant-hier, mais vous y arriverez. Si vous travaillez, j'espère que vous êtes payé à l'heure, pas au contrat ni à la pièce.

Votre esprit est d'une logique cartésienne; vous maîtrisez fort bien les concepts abstraits, les sciences pures, les mathématiques; pourtant, votre timidité vous empêche souvent de profiter de vos réussites. Vous hésitez à prendre la vedette et, fréquemment, il se trouve quelqu'un pour tirer parti de vos efforts à votre place.

Votre santé est une autre de vos préoccupations constantes. Vous y faites attention, et c'est très bien, mais admettez que vous y pensez trop. Vous vous nourrissez bien, vous menez une vie rangée, extrêmement rangée et, malgré tout, vous éprouvez toutes sortes de petits malaises qui vous inquiètent énormément. Dans votre esprit, un rhume devient une pleurésie avec complications et un comédon le symptôme d'un cancer de la peau. Votre pharmacien est toujours sûr de faire de bonnes affaires lorsqu'il vous voit arriver en courant! Il s'en frotte les mains, j'en suis persuadée.

À première vue, vous semblez froid, austère, peut-être parce que vous n'extériorisez pas beaucoup vos sentiments. Pourtant, vous êtes très dévoué et vous ressentez le besoin d'aider les autres; c'est pourquoi les soins à autrui ou les carrières qui demandent un dévouement à une belle cause vous conviennent tout à fait. Vous resterez peut-être dans l'ombre, vous êtes si timide, mais vous contribuerez beaucoup au bien-être de vos semblables, et cela satisfera votre âme de missionnaire.

Durant la première partie de votre vie, vous aurez d'ailleurs tendance à ne vivre qu'en fonction des autres. Mais, peu à peu, vous vous apercevrez qu'ils sont plutôt égoïstes et vous apprendrez à penser un peu plus à vous. Vous verrez alors des gens qui vous conseillaient de prendre la vie du bon côté se plaindre que vous avez changé... Probablement parce qu'ils ne réussissent plus à vous manipuler comme avant. Tant pis pour eux. La culpabilité, vous n'en voulez plus, et il était temps!

COMMENT SE COMPORTER AVEC UNE VIERGE?

Avoir de bonnes relations avec un natif de la Vierge, c'est facile; il est assez accommodant. Bien sûr, il tient mordicus à ses idées, mais des arguments logiques, des citations ou des extraits d'un manuel pour appuyer vos dires vous aideront peut-être. Ça peut être long — il ne change pas d'idée rapidement — mais le lendemain, ou une autre fois, vous serez surpris de l'entendre dire comme vous. Si vous le lui faites remarquer, il trouvera d'autres références qui vont dans le même sens.

Pour obtenir quelque chose, rappelez-lui son sens du devoir, c'est un de ses points faibles, tout comme la peur de l'avenir et la crainte de ne pas être aimé. En tenant compte d'un de ces trois éléments, vous devriez réussir à lui faire faire n'importe quoi... de raisonnable. Autrement, vous perdez votre temps.

C'est quelqu'un qui ne communique pas facilement, qui est un peu renfermé et, parfois, il faut aller le chercher, lui tirer les vers du nez. Il semble froid avec autrui, mais c'est surtout avec lui-même qu'il est dur; il ne se permet aucune erreur, et votre estime compte beaucoup pour lui.

Lorsque vous faites quelque chose ensemble, donnez-lui un délai à respecter. S'il lave l'auto à sa manière, elle sera rutilante... mais dans six mois. Le projet au bureau, l'emballage des étrennes de Noël ou même vider le lave-vaisselle peuvent s'étirer indéfiniment; il s'apercevra en même temps que les armoires doivent être nettoyées au complet et, peut-être même, réorganisées.

Sans exercer sur lui trop de pression (cela le rend malade), donnez-lui toujours un échéancier: ce sera fait à temps et mieux que par quiconque. Si vous lui montrez que vous appréciez son travail, il sera enchanté. Il a avant tout besoin d'être réconforté, sécurisé; soutenez-le, donnez-lui confiance, il vous en sera éternellement reconnaissant.

SES GOÛTS

Le natif de la Vierge a des goûts raisonnables comme lui. Il aime les teintes sobres, neutres, les couleurs de terre notamment; il opte pour des tenues classiques (les autres disent démodées) et préfère les fibres naturelles. Il garde ses vêtements longtemps, mais je vous mets au défi d'y trouver la moindre petite tache! Chez lui, lorsqu'on peut y aller — un rare privilège! — on est surpris par l'ambiance dépouillée; l'esthétique passe au second plan. L'éclairage, les objets, tout y est strictement fonctionnel. Mais c'est drôlement propre!

Pour lui faire plaisir, offrez-lui quelque chose de pratique, dont il a besoin. Ce n'est pas tout le monde qui aime recevoir un poêlon ou un escabeau, mais lui, il sera ravi, croyez-moi.

Le natif de la Vierge ne mange pas; il compte ses calories, puis les avale. Il fait très attention à ce qu'il consomme et il est le champion des régimes de toutes sortes. Informez-vous avant de l'inviter, sinon il ne touchera pas à son assiette!

SON POTENTIEL

Souvent, au travail, les Vierge sont pris à la gorge par des patrons qui veulent un employé modèle, capable de faire leur besogne à leur place… mais pour un salaire de crève-la-faim.

Minutieux, méthodique et silencieux, le natif de la Vierge excelle dans tout ce qui touche le classement, la paperasse, les chiffres, les mathématiques, la recherche en laboratoire ou les travaux en solitaire. Dans les soins à autrui, c'est la perle rare!

Logique et consciencieux, il accomplit beaucoup sans faire de bruit. Après la trentaine, il se réveille et reprend un peu sa place, mais il sera toujours un perfectionniste zélé et efficace.

SES LOISIRS

Le natif de la Vierge est sérieux jusque dans le choix de ses loisirs, qui doivent de préférence lui rapporter quelque chose: des sous, des éléments de connaissance ou autre. Il n'aime pas perdre son temps. La lecture lui plaît bien, mais il choisira des ouvrages techniques qui l'aideront dans son travail, qui lui permettront d'avancer dans ses études ou de poursuivre son cheminement personnel. Il a aussi une préférence pour les biographies. S'il regarde la télévision, il choisira des documentaires ou des émissions éducatives.

Il n'est pas joueur de nature, mais si vous réussissez à lui trouver un jeu qui mette son esprit, ses connaissances ou son intelligence à l'épreuve, cela lui plaira. Les échecs, *Quelques arpents de pièges* ou le *Scrabble* peuvent donc l'attirer.

Ce n'est pas parce qu'un film vient de sortir qu'il va l'intéresser… Optez plutôt pour une conférence sur un sujet qui le passionne.

Ajoutons que la Vierge est le signe du bénévolat et que beaucoup d'entre eux consacrent quelques heures chaque semaine à une œuvre qui leur tient à cœur.

SA DÉCORATION

On a vu que notre Vierge a des goûts simples, c'est le côté pratique qui prime, le reste est vraiment superflu. Son décor suit cette règle; il choisira un mobilier adapté à ses besoins, sans recherche d'effets décoratifs.

Il choisit des teintes sages et neutres; le grège, le beige et le blanc lui plaisent bien, peut-être aussi un peu le bois. Les meubles doivent être fonctionnels: il choisira donc sans hésiter ceux qui sont moins beaux, moins à la mode, mais plus conformes à ses besoins. Par exemple, s'il habite seul, il n'aura peut-être qu'une chaise dans sa cuisine… Après tout, il ne peut pas s'asseoir sur deux chaises à la fois!

Le côté esthétique de sa décoration passe vraiment au second plan. Un mur vide, sur lequel un autre s'empresserait d'accrocher un tableau ou un laminage, ne l'incommodera nullement; les fanfreluches, il n'en a pas besoin. Il est aussi d'une propreté méticuleuse et, chez lui, on pourrait manger par terre.

SON BUDGET

Ici, la sagesse de notre ami Vierge devient de la prévoyance. Jamais il ne prend de risques avec ses sous. Les spéculations audacieuses, les placements hasardeux, la Bourse, ce n'est pas pour lui. Il préfère des investissements sûrs qui rapporteront peut-être moins, mais qui n'engloutiront pas ses économies.

Lorsqu'il achète quelque chose, il sait ce qu'il veut et ce que ça vaut et, dans les magasins, il ne succombe jamais aux coups de foudre. En fait, peu importe ses revenus, il en met toujours une petite partie de côté en cas de besoin. Il est un peu anxieux de nature; une maladie, un imprévu, sa retraite sont donc autant de raisons d'économiser.

Ajoutons que toute sa vie durant il aura peur de manquer d'argent. Il n'en manquera probablement jamais, il est si sérieux, mais il pense à tout ce qui pourrait arriver et s'inquiète.

QUEL CADEAU LUI OFFRIR?

Ne pensez pas l'éblouir en lui offrant des bagatelles coûteuses ou des articles de luxe. Pour notre Vierge, le côté pratique passe avant tout. Essayez de savoir s'il n'a pas besoin de quelque chose. Si vous lui offrez un bibelot précieux ou des diamants alors qu'il n'a pas de laveuse ou que son réveille-matin ne fonctionne plus, il ne sera pas content et, en plus, il se sentira coupable. Coupable de vous avoir fait dépenser ou de ne pas aimer votre cadeau, mais coupable.

Il aime la lecture. Aussi pourriez-vous songer à un bouquin, à une biographie, peut-être de quelqu'un qu'il admire ou qui l'intrigue, ou à un recueil de trucs santé, à un guide pratique. Des ustensiles utiles ou un appareil ménager, comme un presse-agrumes, une centrifugeuse ou un mélangeur, le raviront davantage qu'un collier de perles qui restera dans son écrin, au fond d'un tiroir.

Si c'est à un vêtement que vous pensez, laissez faire les nouvelles extravagances de la mode et rappelez-vous qu'il aime les fibres naturelles, comme le lin, le coton et la laine, et qu'il a des goûts plutôt classiques, sobres même. Le beige, le café au lait, le gris et le noir lui plaisent particulièrement.

LES ENFANTS VIERGE

Les bébés Vierge sont un peu chétifs; ils ont donc besoin de beaucoup de soins pendant leurs premières années. Ils attrapent tout ce qui passe et le reste aussi. Ce sont, par ailleurs, des enfants très obéissants, dociles, bien sages; ils ne sont pas bruyants et ne font pas de mauvais coups.

Leur défaut, c'est d'être très timides. Habituez-les à rencontrer des gens, à aller dans des endroits qu'ils ne connaissent pas. S'ils ont peur de quelque chose (ils ont souvent de petites phobies), apprivoisez-les peu à peu, que ce soit pour prendre l'ascenseur, dormir dans le noir, s'approcher d'une chenille ou rencontrer les nouveaux petits voisins l'autre côté de la rue. Cela renforcera leur confiance en eux. Entraînez-les aussi à fonctionner un peu plus rapidement; cela les aidera plus tard.

Ils ont un énorme potentiel, mais ils ne s'en rendent pas compte; à vous de leur ouvrir les yeux.

L'ADO VIERGE

Tu es timide et réservé; tu n'aimes pas te faire remarquer sans raison, et il faut dire que tu n'es pas tout à fait à l'aise avec des gens que tu ne connais pas. Tu restes donc souvent un peu à l'écart.

Par conséquent, les autres ne voient pas toujours ton potentiel et tes qualités. De ton côté, tu les observes, et il faut dire que ton sens critique est très développé. Tu ne parles pas beaucoup, mais lorsque tu ouvres la bouche, c'est que tu connais ton affaire en long et en large.

En fait, tu es quelqu'un d'ordonné, tu fais attention à tes affaires, et tu as parfois même certaines petites manies. Tu es perfectionniste; ton esprit d'analyse est très développé. Tu te fais ta propre idée sur beaucoup de sujets, ton opinion est toujours bien fondée, mais tu as tendance à voir les «bibites» et à négliger le reste.

Tu es davantage logique qu'impulsif; c'est pour cette raison que tu peux paraître froid à première vue. Cela t'évite bien des ennuis: tu sais où tu t'en vas et, malgré les délais ou les embûches, tu t'arranges pour y arriver. Tu es travailleur et, en plus, tu as un sens de la méthode vraiment remarquable; deux atouts qui te permettront de réussir.

Soulignons que tu es craintif de nature; tu te tracasses souvent, que ce soit pour ton avenir, pour la planète, la pollution, ta santé, pour ce que les autres pensent de toi... pour bien des choses, en somme.

On pourrait dire que ton défaut principal est celui de ne pas reconnaître ton potentiel. Tu sous-estimes tes capacités, tu es trop sévère avec toi-même, ce qui te porte à être négatif, à tout voir du mauvais côté. C'est un peu dommage. Ouvre-toi les yeux, fais-toi confiance, tu vas voir, ça va changer ta vie.

Tes études

Tu es intelligent et même un peu intellectuel. Dans tes études, tu te montres appliqué, studieux, voire zélé. Ton sens critique t'aide à faire la part des choses. Malgré ton talent, tu demeures un peu hésitant. Lorsque tu travailles en groupe, on te taquine sur ton «perfectionnisme», mais comme tu obtiens toujours d'excellents résultats, tes coéquipiers sont bien contents dans le fond. Ils ne sont peut-être pas souvent là pour les travaux, mais le jour du résultat, tu peux être sûr de leur voir le bout du nez. Prends tout de même les crédits qui te reviennent.

Ton orientation

L'avenir t'inquiète un peu... beaucoup! Tu y penses souvent. Comme tu es sérieux, tu arrives à déterminer assez vite quels sont tes points forts. Les stages et les années d'études ne te font pas peur; tu sais que c'est le meilleur moyen d'arriver là où tu veux. Le travail solitaire ou qui demande de l'application ne te rebute pas non plus. Tu excelleras donc dans des domaines comme les recherches scientifiques, la médecine, les sciences de la santé, la diététique, les médecines douces, les soins à autrui, l'alimentation, la pharmacie, la chimie, la fonction publique, le secrétariat, l'édition, l'éducation et la comptabilité.

Tes rapports avec les autres

Tu as un bon cœur, tu es toujours prêt à aider et à dépanner les autres... Pourtant, lorsque ton tour arrive, tu te trouves parfois seul. Apprends à

t'entourer de gens qui t'apprécient pour toi-même et non pas à cause de ce que tu fais pour eux. Reste loin des personnes à problèmes. En fait, tu es un peu sensible et tu souffres d'insécurité; c'est facile de te blesser. Avec les copains, tu laisses la première place aux autres, tu ne dis pas toujours ce que tu penses et tu les regardes aller… Souvent, ils feraient mieux de suivre tes conseils!

Ils sont Vierge, eux aussi

Geneviève Brouillette, Claudia Schiffer, Louise Marleau, Normand Brathwaite, Michael Jackson, France Castel, Gilles Latulippe, Mitsou, Gloria Estefan, Nicole Leblanc, Guy A. Lepage, Joane Labelle, Claude Meunier, Paul Piché, Frenchie Jarraud, Jo Bocan, Parick Norman, Brian De Palma, Michel Drucker, Agatha Christie, David Copperfield, Stéphane Rousseau, Greta Garbo, Lise Dion, Andrée Boucher, Johanne Blouin, Stephen King, Paul Houde.

PENSÉE POSITIVE POUR LA VIERGE

J'ai confiance en mes merveilleuses possibilités. Je suis sur la terre pour apprendre la joie et la cultiver. Enfin, je suis récompensé.

PENSÉE POSITIVE SPÉCIALE POUR 2001

Je choisis le chemin du bonheur sans me poser de questions, me disant simplement que je le mérite parfaitement.

Le subconscient nous dirige toujours selon nos pensées. En répétant le plus souvent possible ces pensées conçues tout spécialement pour vous, vous vous attirerez plein de belles choses.

- SIGNE: Vierge
- ÉLÉMENT: Terre
- CATÉGORIE: Mutable
- SYMBOLE: ♍
- POINTS SENSIBLES: Intestins, appendicite, dépression, constipation, phobies, maladies psychosomatiques, angoisses.
- PLANÈTE MAÎTRESSE: Mercure, planète de l'intelligence.
- PIERRES PRÉCIEUSES: Agate, marcassite, aigue-marine.
- COULEURS: Beige, brun, marine, les teintes de terre.
- FLEURS: Pétunia, lavande, belle-de-jour.
- CHIFFRES CHANCEUX: 4-8-11-17-23-28-30-35-40-44.
- QUALITÉS: Sage, sérieux, prudent, minutieux, ordonné, propre, discret, économe, travailleur.
- DÉFAUTS: Peureux, manque de sécurité, timide, refoulé, angoissé, nerveux, manque de confiance.
- CE QU'IL PENSE EN LUI-MÊME: Qu'est-ce que les autres vont penser de moi?
- CE QUE LES AUTRES DISENT DE LUI: Pour une mission impossible, c'est lui qu'il faut demander: il fait des miracles!

Prévisions annuelles

Des influences puissantes s'exercent cette année dans votre thème astral. D'ici votre anniversaire, vous bénéficiez de l'appui de Saturne qui vous permet d'accéder à la stabilité; aussi, la quadrature de Jupiter vous met en garde contre les actes précipités et les excès de tout genre. Après votre fête, l'inverse se produira. Jupiter se rangera de votre côté, vous apportant beaucoup de petits coups de chance, alors que Saturne vous incitera à remettre des choses en question, entre autres, votre échelle de valeurs, votre position par rapport aux autres et à votre idéal. Il s'agit donc d'une année déterminante dont les répercussions se feront sentir pendant longtemps.

SANTÉ Le meilleur moyen de composer avec la conjoncture est d'adopter une attitude préventive et de proscrire les abus. Ainsi, vous ménagerez votre monture et, surtout, vous éviterez que vos réserves de vitalité ne diminuent. L'année est propice aux bonnes résolutions, à l'adoption d'une meilleure hygiène de vie; non seulement ceci vous convient-il dans l'immédiat mais, en plus, vous permet d'envisager l'avenir en toute confiance.

SENTIMENTS Comme nous l'avons vu plus haut, vous vous interrogerez sur le rôle que vous avez à jouer face à autrui. De nature généreuse et dévouée, vous continuerez à vouloir aider les autres, mais pas à n'importe quel prix. Vous apprenez à établir vos limites, vous êtes prêt à donner du moment qu'on vous respecte. Fini l'époque où on profitait de vous: vous êtes désormais trop aguerri pour vous laisser faire. Au besoin, vous mettrez de côté certaines personnes qui se comportaient comme de véritables parasites; si par le passé vous n'aviez pas osé faire ce genre d'action, craignant de vous retrouver seul, maintenant vous en avez la force. Le plus merveilleux, c'est que la vie se chargera de remplacer les gens qui sortiront du décor par des êtres beaucoup plus compatibles.

AFFAIRES Tous vos projets sérieux et vos entreprises à long terme sont privilégiés. Par contre, les actes téméraires, les spéculations risquées, les coups de tête n'annoncent rien de bon. On dit que petit train va loin, et c'est justement ce qui vous arrivera d'ici votre anniversaire. Par la suite, vous serez appelé à faire des choix, peut-être même à vous recycler ou à vous renouveler. À cette époque, vous bénéficierez de l'aide de Jupiter, ce qui peut transformer cette situation en véritable coup de chance. Parlant de chance, vous pourriez alors toucher une somme que vous n'attendiez pas, peut-être au jeu.

JANVIER						
D	L	M	M	J	V	S
	1	2	3	4 F	5 F	6 D
7 D	8	9 ○	10	11	12	13
14	15	16	17	18	19 D	20 D
21	22 F	23 F	24 ●	25	26	27
28	29 F	30	31			

○ Pleine lune et éclipse lunaire totale

● Nouvelle lune

F Jour favorable

D Jour difficile

SANTÉ La présence de Mars dans votre troisième secteur vous donne une incroyable erre d'aller. Vous vous sentez inspiré et motivé, sans compter que vous possédez une formidable énergie qui vous permettra de mettre en chantier tout ce qui vous passe par la tête. La seule chose avec laquelle vous ayez de la difficulté, c'est la gourmandise; vous avez du mal à résister aux tentations.

SENTIMENTS Un beau parleur tente de vous faire croire à ses sornettes mais, avec votre flair, c'est peine perdue. Votre partenaire redouble d'efforts pour vous faire plaisir et même si, par moments, il semble maladroit, ses bonnes intentions vous touchent énormément. Un frère ou une sœur en arrache; par contre, un enfant arrive avec une bonne nouvelle.

AFFAIRES Vous ne disposez peut-être pas de toute la sécurité dont vous rêvez; avouez néanmoins que vous ne vous débrouillez pas mal du tout. Un petit contrat par-ci, par-là ou quelques heures supplémentaires vous aident à boucler le budget, mais attention aux dépenses futiles. Bon mois pour faire des démarches ou effectuer un déplacement.

FÉVRIER						
D	L	M	M	J	V	S
				1 F	2 F	3 D
4 D	5	6	7	8 ○	9	10
11	12	13	14	15 D	16 D	17 D
18 F	19 F	20	21	22	23 ●	24
25	26	27	28 F			

○ Pleine lune
● Nouvelle lune
F Jour favorable
D Jour difficile

SANTÉ Jusqu'au 15, tout ira comme sur des roulettes mais, par la suite, vous devrez prendre certaines précautions; en étant sur vos gardes, vous éviterez une blessure ou une infection. Lors de la seconde quinzaine, vous aurez du mal à tenir vos bonnes résolutions: dommage, c'est justement à cette époque que vous en aurez le plus besoin.

SENTIMENTS En voulant bien faire, vous risquez de vous immiscer dans les affaires de vos proches qui ne l'apprécient guère; attendez donc qu'on vous le demande avant de donner votre avis. Vous trouvez votre vie monotone; il faut avouer que vous avez probablement de trop grandes attentes face aux autres. Essayez d'avoir vos propres activités, de développer vos propres champs d'intérêt.

AFFAIRES Si vous souhaitez mettre un projet en branle ou faire des démarches, agissez avant le 15, puisque c'est à ce moment que vos chances de succès sont meilleures. Vos capacités d'analyse sont extraordinaires, évitez tout de même de vous perdre dans les détails. Au travail, une nouvelle situation surgit, et vous vous y adaptez de façon surprenante.

MARS						
D	L	M	M	J	V	S
				1 F	2 D	3 D
4	5	6	7	8	9 ○	10
11	12	13	14	15 D	16 D	17 F
18 F	19 F	20	21	22	23	24 ●
25	26	27 F	28 F	29 D	30 D	31

○ Pleine lune
● Nouvelle lune
F Jour favorable
D Jour difficile

SANTÉ Avec la quadrature de Mars et la pleine lune qui se produit dans votre signe, vous avez tout intérêt à demeurer sur le qui-vive. En étant vigilant, vous éviterez non seulement un incident fâcheux, mais aussi de dissiper vos réserves d'énergie. Entre le 17 et le 31, vos nerfs vous joueront des tours si vous ne prenez pas le temps de décompresser.

SENTIMENTS Un membre de la famille est loin de partager vos opinions; vos tentatives pour le raisonner ne donnent pas les résultats que vous escomptiez. En amour, vous vous sentez ambivalent, ce qui est loin d'arranger les choses. Heureusement, un ami est là pour vous écouter et aussi pour vous offrir son appui.

AFFAIRES Ici aussi, vous ressentez les effets de la conjoncture. Vous déployez de spectaculaires efforts et pourtant les retombées sont plutôt minces. Des retards, des frustrations et quelques déceptions ajoutent à ce climat déjà lourd. Sachez que bientôt, ça ira mieux, et que vous pourrez alors rattraper le temps perdu. Côté argent, mûrissez bien vos décisions.

AVRIL						
D	L	M	M	J	V	S
1	2	3	4	5	6	7 ○
8	9	10	11 D	12 D	13 F	14 F
15 F	16	17	18	19	20	21
22	23 ● F	24 F	25 F	26 D	27 D	28
29	30					

○ Pleine lune
● Nouvelle lune
F Jour favorable
D Jour difficile

SANTÉ Physiquement, vous devez continuer à vous protéger, car Mars est toujours dans le décor. Attention donc aux blessures, aux malaises et aux infections. Psychologiquement, vous serez nettement moins tendu après le 6; ce regain d'enthousiasme pourrait même vous aider à avoir le dessus sur vos petits bobos.

SENTIMENTS Ne comptez pas trop sur la première semaine pour régler ce qui accrochait avec vos proches. Par la suite cependant, on se montrera beaucoup plus réceptif, et vous pourrez enfin vous entendre. Les dix derniers jours s'annoncent même féeriques; il pourrait être question de réconciliation, d'amours qui redémarrent ainsi que de sorties fort plaisantes.

AFFAIRES Dans ce domaine également, vous sentirez que ça commence à débloquer à partir du 7. En plus d'avoir les idées plus claires, vous aurez du «pif», ce qui vous permettra d'agir au moment opportun. Écoutez votre voix intérieure: elle vous indiquera avec justesse à quel moment foncer ou faire vos démarches. Vers la fin du mois, vous recevrez une excellente nouvelle qui vous fera sauter de joie.

MAI						
D	L	M	M	J	V	S
		1	2	3	4	5
6	7 ○	8 D	9 D	10 D	11 F	12 F
13	14	15	16	17	18	19
20 F	21 F	22 ● F	23 D	24 D	25	26
27	28	29	30	31		

○ Pleine lune
● Nouvelle lune
F Jour favorable
D Jour difficile

SANTÉ À la quadrature de Mars s'ajoute en ce mois celle de Mercure. Vos nerfs et votre vitalité pourraient s'en trouver affectés si vous ne prenez pas quelques précautions. Faites attention de ne pas vous blesser, prenez tout le repos dont vous avez besoin et, ainsi, vous contournerez aisément les aspects planétaires. Ces temps-ci, c'est vrai que vous devez fournir des efforts mais, d'une part, ils sont récompensés et, d'autre part, vous pourrez bientôt faire la fête.

SENTIMENTS Un parent vous donne du fil à retordre; heureusement qu'un proche se fait votre allié et vous aide à passer à travers. Vous vous ennuyez à la maison, mais vous refusez les invitations qu'on vous lance. Faites un petit effort et acquiescez, vous vous en féliciterez. Une ancienne connaissance refait surface, cela tombe à point.

AFFAIRES Vous trimez dur, hélas les résultats ne sont pas toujours probants, du moins pour l'instant. Les choses ne semblent pas vouloir fonctionner du premier coup; toutefois je vous assure qu'en usant de persévérance, vous finirez par tirer votre épingle du jeu. Une dépense imprévue pour la maison ou votre véhicule vous attend; heureusement que vous êtes prévoyant.

JUIN						
D	L	M	M	J	V	S
					1	2
3	4	5 ○ D	6 D	7 F	8 F	9 F
10	11	12	13	14	15	16
17 F	18 F	19 D	20 D	21 ●	22	23
24	25	26	27	28	29	30

○ Pleine lune
● Nouvelle lune et éclipse solaire totale
F Jour favorable
D Jour difficile

SANTÉ Un tas de petites choses accrochent actuellement, et cela finit par affecter votre moral. Évitez tout de même de trop vous en faire et adoptez une attitude plus positive. Un bon moyen de chasser la grisaille serait de vous gâter un peu plus: pourquoi ne pas en profiter pour visiter votre coiffeur ou pour vous faire donner un massage? Sur la route et lorsque vous manipulez des objets coupants, ouvrez l'œil.

SENTIMENTS Dès le 6, vous bénéficierez d'un transit très favorable de Vénus qui vous vaudra une foule de joies. Les célibataires feront une agréable rencontre tandis que les couples verront l'harmonie revenir au sein de leur union. Socialement aussi ça promet: en plus de vous inviter à gauche et à droite, on vous traite aux petits oignons. Avouez qu'il était temps.

AFFAIRES Bien que les tensions demeurent nombreuses, vous commencez à voir poindre la lumière. Quelqu'un qui vous estime pourrait suggérer votre nom pour un contrat ou un nouvel emploi. Un vieux problème refait surface mais, cette fois, vous avez les bons arguments pour vous en débarrasser définitivement. Financièrement aussi, ça commence à être plus constructif.

JUILLET						
D	L	M	M	J	V	S
1	2 D	3 D	4 F	5 ○ F	6 F	7
8	9	10	11	12	13	14 F
15 F	16 F	17 D	18 D	19	20 ●	21
22	23	24	25	26	27	28
29 D	30 D	31 D				

○ Pleine lune et éclipse lunaire partielle
● Nouvelle lune
F Jour favorable
D Jour difficile

SANTÉ Dès le 13, vous ressentirez une importante diminution des tensions, mais ce n'est pas une raison pour relâcher votre vigilance. Votre moral gagnera en solidité, vous ferez plus aisément la part des choses et vous aurez à nouveau confiance en vous et en la vie. Jupiter qui vous compliquait l'existence depuis plusieurs mois sort enfin du décor.

SENTIMENTS La première semaine s'annonce idyllique sur le plan amoureux. Par la suite, vous devrez agir avec tact, car votre partenaire semble plus susceptible que de coutume. Avec un membre de la famille, la tension perdure mais, pour ce qui est de vos autres relations, les choses iront à merveille dès la seconde quinzaine. En amitié, vous serez particulièrement gâté, vous pourriez aussi rencontrer de nouvelles gens.

AFFAIRES Vos deux meilleures périodes s'inscrivent entre le 1er et le 6, puis entre le 13 et le 30. Choisissez ces jours pour faire vos démarches ou pour chercher du boulot. Après avoir essuyé plusieurs revers, voici que les bonnes nouvelles commencent à arriver, et ce n'est que le début puisque la seconde moitié de l'année s'annonce fort encourageante.

AOÛT						
D	L	M	M	J	V	S
			1 F	2 F	3	4 ○
5	6	7	8	9	10	11 F
12 F	13 D	14 D	15	16	17	18 ●
19	20	21	22	23	24	25 D
26 D	27 D	28 F	29 F	30	31	

○ Pleine lune
● Nouvelle lune
F Jour favorable
D Jour difficile

SANTÉ Vous semblez beaucoup mieux dans votre peau, d'ailleurs ça paraît: on vous complimente sur votre allure. Comme la quadrature de Mars est toujours en vigueur, vous devez absolument continuer à vous prémunir contre les blessures et les accrochages; tenez le coup, il ne reste que quelques semaines.

SENTIMENTS Vénus et Jupiter vous font de l'œil. Cette conjoncture peut signer un nouveau départ en amour. Une amitié amoureuse transformera la destinée des solitaires tandis que les autres jouiront d'un important rapprochement avec leur bien-aimé. Avec la famille, ça demeure compliqué mais comme vous êtes plus solide, cela vous affecte bien moins. Les amis, anciens et nouveaux, constituent une très belle facette de votre existence.

AFFAIRES Voici le moment venu de tourner certaines pages et de regarder en avant. Ça ne vaut plus la peine d'investir davantage dans ce qui stagne; mettez plutôt votre énergie et votre créativité au service de nouvelles entreprises. Un retour aux études, un autre emploi, voire une nouvelle carrière, serviront beaucoup mieux vos intérêts. Une rentrée d'argent inattendue tombe du ciel.

SEPTEMBRE						
D	L	M	M	J	V	S
						1
2 ○	3	4	5	6	7 F	8 F
9 D	10 D	11 D	12	13	14	15
16	17 ●	18	19	20	21	22 D
23 D/30	24 F	25 F	26 F	27	28	29

○ Pleine lune
● Nouvelle lune
F Jour favorable
D Jour difficile

SANTÉ Dès le 9, vous serez enfin libéré de cet épineux transit de Mars qui vous empoisonnait l'existence depuis plusieurs mois. Non seulement pourrez-vous dire adieu aux dangers de blessure, aux défaillances et à la fragilité nerveuse, mais en plus, vous sentirez une profonde transformation. Vous retrouverez rapidement vos forces et votre aplomb; vous arriverez également à trouver une solution à vos ennuis.

SENTIMENTS Vous reprenez goût à la vie. Vous avez envie de voir des gens, et ça tombe bien: les occasions de sortir abondent. En amour, les choses vont de mieux en mieux, vous pouvez faire des projets sérieux. Toutes les tracasseries que vous a occasionnées la famille sont sur le point de disparaître; bref, vous pourrez pleinement profiter de votre bonheur.

AFFAIRES Si vous pensiez que les bonnes nouvelles allaient s'arrêter ici, détrompez-vous. À partir du 10, vous entrerez dans un cycle de chance et de prospérité durant lequel vous jouirez d'une plus grande liberté d'action. Vos rêves se concrétiseront, vos espoirs deviendront réalité. Excellente période pour prendre des initiatives, pour foncer, pour mettre des projets sur pied et pour améliorer votre situation professionnelle.

OCTOBRE						
D	L	M	M	J	V	S
	1	2 ○	3	4 F	5 F	6
7 D	8 D	9	10	11	12	13
14	15	16 ●	17	18	19 D	20 D
21	22 F	23 F	24	25	26	27
28	29	30	31 F			

○ Pleine lune
● Nouvelle lune
F Jour favorable
D Jour difficile

SANTÉ Tout continue d'évoluer favorablement. Vous faites tellement de progrès que tout le monde s'en aperçoit; pas étonnant d'ailleurs que vous receviez autant de compliments sur votre mine épanouie. Si vous traînez encore de la patte, ça ne saurait durer puisque vous êtes en pleine période de récupération.

SENTIMENTS Jusqu'au 28, les astres vous favorisent au plus haut point, et ce, dans tous les domaines. Votre vie amoureuse redevient parfaitement satisfaisante, et si vous n'aviez pas encore trouvé l'âme sœur, c'est sur le point de se faire. Socialement, vous êtes toujours très en demande, vous revoyez d'anciennes connaissances et vous vous faites de nouveaux amis.

AFFAIRES Le cycle de chance et de réussite dont il était question le mois précédent se poursuit de plus belle. C'est en plein le moment d'aller de l'avant et de vous mettre en valeur. Bon mois pour vous tailler une place de choix, de même que pour mettre des sous de côté. Au fait, vous pourriez avoir la main heureuse au jeu, plus spécialement pendant la première quinzaine.

NOVEMBRE						
D	L	M	M	J	V	S
				1 ○ F	2 F	3 D
4 D	5	6	7	8	9	10
11	12	13	14	15 ●	16 D	17 D
18 F	19 F	20	21	22	23	24
25	26	27	28 F	29 F	30 ○ D	

○ Pleine lune
● Nouvelle lune
F Jour favorable
D Jour difficile

SANTÉ Les astres continuent de vous sourire. Vous semblez animé par un nouveau dynamisme; à vrai dire, on jurerait que vous êtes en train de rajeunir. En plus d'être en beauté, vous avez le goût d'entreprendre des choses que vous n'osiez pas entreprendre auparavant. Bon mois pour suivre une cure ou pour parfaire votre image.

SENTIMENTS Du 9 au 27, la présence simultanée de Mercure et de Vénus dans votre troisième secteur vous vaudra d'innombrables satisfactions. Des amours enchanteresses, une vie sociale exaltante et de solides amitiés sont au menu. Avec la marmaille, le climat est détendu; en passant, un enfant pourrait vous confier une excellente nouvelle.

AFFAIRES Vous savez bien investir votre énergie pour en tirer profit, entre autres sur le plan financier. De nouveaux éléments viennent se greffer aux activités que vous menez déjà, ce qui vous stimule au plus haut point. Vous avez des traits de génie, sans compter que vous êtes dangereusement convaincant. À partir du 8, vos déplacements d'affaires ou de loisir s'annoncent privilégiés.

DÉCEMBRE						
D	L	M	M	J	V	S
						1 D
2	3	4	5	6	7	8
9	10	11	12	13 D	14 ● D	15 F
16 F	17 F	18	19	20	21	22
23/30 ○	24/31	25 F	26 F	27 F	28 D	29 D

○ Pleine lune et éclipse lunaire annulaire
● Nouvelle lune et éclipse solaire annulaire

F Jour favorable
D Jour difficile

SANTÉ L'éclipse de Soleil peut vous rendre plus nerveux jusqu'au 16, mais vous aurez tôt fait de retomber sur vos pattes. Physiquement, c'est entre le 9 et le 31 que nous décelons une certaine vulnérabilité. Un minimum de précautions, entre autres lors de vos déplacements, vous permettra de rester à l'abri des contretemps.

SENTIMENTS Quelques petits pépins peuvent survenir durant les trois premières semaines; heureusement, ils se régleront aisément et disparaîtront sans laisser de trace. Quant à la dernière semaine, elle s'annonce enlevante: vous recevrez des témoignages et des marques d'affection qui vous feront chaud au cœur.

AFFAIRES Ne soyez pas trop indépendant en ce mois, car il se peut que vous ayez besoin de l'appui de quelqu'un pour arriver à vos fins. Vous avez dépanné tellement de monde dans le passé qu'il est tout à fait normal qu'on vous donne un coup de pouce. Une réponse se fait attendre jusqu'au 16, mais lorsqu'elle vous parviendra, vous sauterez de joie. En groupe, vous avez quelques chances au jeu. Un conseil: protégez vos avoirs et vos biens entre le 9 et le 31.

Balance

24 septembre au 23 octobre

On vous reconnaît facilement... Il n'y a que vous pour balancer aussi longtemps avant de prendre une décision!

En tout, vous recherchez l'harmonie, la beauté, la justice, et c'est vrai qu'il est parfois difficile de faire la part des choses. Mais prendre une heure pour choisir entre deux paires de chaussures dans un magasin, il faut le faire! Et surtout, espérer que vous ne viendrez pas les échanger le lendemain.

Pour vous, évoluer dans une ambiance harmonieuse où règnent la bonne entente et la cordialité, c'est vital. Vous êtes d'une courtoisie remarquable; qu'il s'agisse d'un premier ministre, d'une voisine malade, d'une petite serveuse ou d'un vieux clochard, vous aurez un mot gentil ou une attention délicate pour chacun. En fait, vous êtes d'une politesse exquise; c'est rare de nos jours, et on l'apprécie d'autant plus.

Vous êtes sociable; votre agenda est d'ailleurs rempli d'invitations, de dîners et de sorties de toutes sortes, et vous adorez ces mondanités. Toujours de bonne humeur, toujours aimable et éternellement optimiste, il n'est pas surprenant que vous ayez tant d'amis. Et puis, vous avez tellement de charme qu'on fond tout simplement devant vous.

L'amour est le point central de votre vie. C'est autour de lui que s'organise toute votre existence et, là comme en tout, vous recherchez ce qu'il y a de mieux: le grand amour, le partenaire idéal. Ce n'est pas toujours facile de le trouver, mais lorsque ce sera fait, vous vivrez dans la félicité.

La beauté est aussi une chose que vous appréciez beaucoup. Tout ce que vous choisissez doit être joli: les fleurs pour votre parterre, les chaussures du petit, l'automobile que vous conduisez ou votre intérieur. Vos vêtements doivent aussi vous aller comme un gant, vous voulez être à la mode, du dernier chic. Vous y mettez beaucoup d'efforts mais, avec tous les compliments qu'on ne manque pas de vous adresser, cela vaut la peine, avouez-le!

Une autre chose compte énormément pour vous: la justice. Avez-vous remarqué qu'on la représente par une femme aux yeux bandés portant un glaive et une balance, comme votre signe? Qu'il s'agisse des affaires de l'État ou d'une querelle entre les enfants, d'une mésentente au bureau ou des conflits au Moyen-Orient, vous voudriez que la justice règne partout. Et quand vous savez que les droits et les mérites de chacun ne sont pas respectés, cela vous révolte.

La violence, l'agressivité vous déplaisent au plus haut point, et vivre dans un climat orageux serait très éprouvant pour vous. Ajoutons que la solitude et la vulgarité vous blessent énormément.

Heureusement, vous avez une humeur remarquable, vous débordez d'optimisme et trouvez toujours le côté positif. Une amie a perdu son emploi? Elle pourra se réorienter. Votre frère est malade? Cela lui permettra de se reposer. Vous avez toujours le mot — et surtout l'attitude — pour aider vos proches à passer à travers les difficultés, ce qui vous attire d'ailleurs toutes sortes de belles choses.

Vous dégagez une impression de douceur et d'harmonie. Vos gestes sont élégants, votre démarche, sensuelle, et vous avez de petits tics tout à fait charmants, comme pencher la tête lorsque vous réfléchissez ou balancer la jambe quand vous êtes assis... Ne le faites-vous pas en ce moment?

Évidemment, quand on recherche ce qu'il y a de mieux en tout et, surtout, quand on voit le beau côté des choses, il est difficile de se décider. Quand vous magasinez, vos compagnons trépignent; ils n'en peuvent plus. Et deux heures plus tard, vous hésitez encore.

COMMENT SE COMPORTER AVEC UNE BALANCE?

C'est facile, il est si charmant... Lorsque vous discutez avec lui, donnez-lui tous les éléments, le pour, le contre, ainsi que les circonstances. Il a besoin de tout savoir avant de rendre son verdict. Et c'est long. Il n'avait pas pensé à ceci, il devait aussi considérer cela. Qu'il siège à l'ONU ou qu'il compare les ingrédients de deux sauces tomate, c'est long... comme les tribunaux! Alors, armez-vous de patience!

Pour lui, l'harmonie est primordiale; s'il est coincé entre deux opposants, il suggérera des compromis pour tenter d'accommoder tout le monde. S'il entre en conflit avec quelqu'un, il ne se fâchera pas; il essaiera plutôt de convaincre par la douceur. Il en faut beaucoup —

vraiment beaucoup — pour le faire sortir de ses gonds. Si vous discutez avec lui, ne vous emportez surtout pas; gardez votre sang-froid, restez courtois, exposez vos doléances ou votre point de vue. Il cherchera une solution équitable et il peut avoir des idées ingénieuses.

Si vous habitez avec lui, évitez les chicanes continuelles et les orages pour un rien; il dépérirait. Et puis, ce n'est pas la bonne façon. Utilisez plutôt votre charme: avec la douceur et la gentillesse, on peut tout obtenir de lui!

Enfin, si vous voulez qu'il soit à l'heure, donnez-lui rendez-vous une heure plus tôt. Avec le temps qu'il met à se décider, il est toujours en retard, partout, systématiquement. Il arrive avec de bonnes raisons et de gentilles excuses, mais bien en retard. Une Balance à l'heure, c'est vraiment un hasard!

SES GOÛTS

La Balance aime les belles choses. Tout le monde aime les belles choses, me direz-vous; mais le natif de ce signe est d'abord sensible à la beauté. Il s'habille avec beaucoup de goût et avec une élégance rare: des bas à la cravate, ou de la ceinture aux boucles d'oreilles, en passant par le portefeuille et la couleur du sac ou de la mallette, tout est assorti, harmonisé, harmonieux. Vous commencez à comprendre pourquoi c'est si long dans les magasins... Les couleurs sont douces, tendres — comme lui — et les tissus, fluides et soyeux.

Sa maison surprend: chaque élément est étudié et a été l'objet d'une recherche poussée. Tout va ensemble: les plantes, le papier peint, l'éclairage, les tableaux, tout, sans exception... On en reste bouche bée.

À table aussi, il a besoin de beauté avant tout: de belles assiettes, des bougies et une jolie nappe contribueront au plaisir de ses yeux. Avec des mets raffinés et, surtout, une présentation étudiée, il sera aux anges. La seule vue d'un dessert le fait fondre... Quoi que vous fassiez, il vous complimentera: c'est l'invité le plus charmant qu'on puisse imaginer.

SON POTENTIEL

Évidemment, un poste où il doit prendre des décisions rapides n'est pas pour lui... En revanche, pour peser le pour et le contre, il n'a pas son pareil.

Son intérêt le pousse avant tout vers les arts et la beauté. Ce sera donc un artiste remarquable, un artisan talentueux, quel que soit le domaine. Il excellera dans l'esthétique, la décoration, l'étalage, la mode, la coiffure, la bijouterie, mais aussi dans la justice, le droit, le notariat. Ce sera un relationniste ou un diplomate habile. Et quel fleuriste il ferait!

Sa seule difficulté, c'est de se décider pour une profession plutôt que pour une autre.

SES LOISIRS

On vient de voir que la Balance est le signe des arts; pour ses loisirs, vous le verrez donc choisir la peinture, l'aquarelle, la céramique, la poterie, la couture, la broderie, etc. Bref, toutes les formes d'art ou d'artisanat peuvent le tenter, et il a généralement beaucoup de talent. D'ailleurs, tout ce qu'il fait devient presque un art; qu'il s'agisse de se coiffer ou d'assortir les couleurs des coussins du salon, il le fait avec goût et élégance.

Il aime aussi beaucoup les plantes, et son intérieur en est probablement rempli. S'il a quelques mètres de terrain, ça déborde de fleurs: il a le pouce vert, c'est le moins qu'on puisse dire.

Toutefois, il ne doit pas rester seul trop longtemps, car il aurait tôt fait de s'ennuyer. Les sorties, les réunions entre amis, les dîners au restaurant, les spectacles occupent aussi beaucoup ses loisirs. Il a besoin de voir du monde, c'est son carburant... et il a tellement le tour de nous enjôler!

SA DÉCORATION

Comme c'est joli chez lui! On croirait entrer dans un rêve: tout est bien harmonisé, on l'a dit. Mais on ne se doute pas du temps et de l'énergie qu'il a pu mettre pour choisir la nuance du tapis qui reprend, avec exactitude, celle des roses thé du papier peint et qui se marie si bien avec le bois de rose de la table à café.

Tout y est harmonieux. C'est une symphonie suave de couleurs subtiles et de formes délicates où rien ne détonne. Tout y est parfait. Le moindre petit élément a été sélectionné avec soin et si vous avez magasiné avec lui, vous en savez certainement quelque chose. Quel effet! On se croirait sur la couverture d'un magazine de décoration!

En fait, la Balance a un don inné pour la décoration, un goût sûr qui fait de son intérieur un écrin d'élégance et de beauté.

SON BUDGET

Évidemment, quand on aime tellement les jolies choses, il faut avoir un portefeuille bien garni. Notre Balance est un excellent consommateur, en ce sens qu'il aime bien magasiner, se laisser tenter et dépenser facilement.

Bien sûr, il voudrait mettre un peu d'argent de côté, mais il y a tant de jolies choses qu'il aimerait avoir... qu'il remet incessamment l'épargne à plus tard. Son budget s'en ressent évidemment.

Et puis, il se dit: «À quoi bon acheter un REÉR quand je pourrais refaire ma garde-robe de printemps? Pourquoi des obligations? J'aimerais tellement mieux changer le mobilier de ma chambre.» Pour lui, l'argent n'est qu'un moyen d'échange, simplement du papier qui sert à obtenir des choses. Alors, à quoi bon l'entasser dans un coffre-fort?

Heureusement, il a une nature résolument optimiste et ne s'inquiète pas outre mesure quand les comptes arrivent; après tout, c'est seulement du papier, ça aussi. Et ainsi, il garde son sourire si charmeur.

QUEL CADEAU LUI OFFRIR?

Le natif de la Balance est toujours content, et rien n'est plus facile que de lui faire plaisir.

Bien sûr, il raffole des belles choses: un joli objet ou un vêtement à la dernière mode le raviront. Un bijou précieux (il les aime tellement), une création haute couture ou une œuvre d'art, et il sera aux anges.

Il sera aussi très content de recevoir du matériel d'artiste qui lui permettra d'exploiter ses talents, et on sait qu'il en a. C'est aussi un mélomane averti et des disques lui plairont certainement. Et pourquoi pas des plantes (il les dorlote si bien), des fleurs ou du parfum qui embaume?

Il aime tant les cadeaux... Rien qu'à voir un emballage, un joli ruban et une carte, il est déjà fou de joie!

LES ENFANTS BALANCE

Ce sont les bébés les plus mignons qu'on puisse imaginer. Ils sont toujours souriants, toujours de bonne humeur. Ils aiment bien la compagnie et la solitude les contrarie.

Tout jeunes, ils réussissent à vous charmer; je pense qu'ils apprennent à séduire avant même de parler. Et ainsi, ils finissent par obtenir tout ce qu'ils veulent. Avec eux, pas moyen de résister!

L'enfant Balance est gentil et aimable, il a plein de petits camarades et est toujours disposé à faire plaisir. Il aime beaucoup les jolies choses. À l'école, son intérêt n'est pas toujours très marqué — il adore jouer — mais vous pourrez facilement le motiver. Apprenez-lui aussi à se décider et à ne pas revenir sur son choix et, pendant que vous y êtes, essayez de lui inculquer la ponctualité, mais ça...

L'ADO BALANCE

On peut dire que tu as une belle personnalité; tu es sociable, tu t'intéresses aux gens et tu trouves toujours quelque chose à dire pour faire plaisir. Ça fait de toi un vrai charmeur.

Tu aimes beaucoup sortir, voir du monde, échanger, rencontrer de nouvelles personnes. Les arts, la musique te font vibrer; il faut dire que tu es très sensible à la beauté sous toutes ses formes.

L'amour occupe une place très importante dans ta vie; quand tu te sens aimé, ça te donne des ailes. Pour te sentir bien, l'harmonie doit régner autour de toi, qu'il s'agisse de ta famille ou de ton cercle d'amis. Il faut dire que tu as beaucoup de tact et que lorsque survient un petit différend, tu arrives presque toujours à le régler.

Une autre chose primordiale pour toi est la justice. Je ne parle pas de la loi et de ses incohérences, mais de la vraie justice. Tu essaies toujours de faire la part des choses, de peser le pour et le contre... Et justement, à cause de cela, il t'est parfois difficile de te décider: tu hésites, tu balances, tu ne sais pas... Tes amis trouvent que tu «ne te branches pas».

Tu as deux petits défauts à corriger: tu cherches tellement à faire plaisir et à te faire aimer que cela peut te rendre superficiel si tu n'y fais pas attention. Et tu es toujours en retard... Par contre, tu as une qualité vraiment magnifique: c'est ton optimisme à toute épreuve; tu es toujours capable de voir le beau côté des gens et des situations.

Tes études

Tu es brillant, flexible, tu as un bon jugement, tu es même capable de suivre deux formations très différentes à la fois. Le problème est de savoir ce que tu veux faire... Comme tu apprécies les belles choses, tu peux briller dans les cours d'art ou de musique. Le petit hic, c'est que tu t'intéresses plus à la vie sociale de l'école, aux sorties de groupe et aux réunions qu'aux études. Et comme tu es un peu paresseux de nature, c'est une bonne excuse pour ne pas travailler. Pourtant, si tu te disciplines le moindrement, la réussite t'attend. En passant, en classe aussi, tu arrives souvent en retard.

Ton orientation

Évidemment, il n'est pas facile de te diriger; tant de choses t'intéressent! Même une fois que tu as pris ta décision, tu peux revenir sur ton idée... Parfois, cela s'impose, mais si tes buts changent constamment, il sera difficile de faire quelque chose de ta vie. Les domaines qui te conviennent le mieux sont tous ceux qui ont un rapport avec la beauté: les arts, la décoration, l'esthétique, la coiffure, la mode, la joaillerie, la musique, la comédie, l'horticulture, l'architecture et la littérature. Tu pourrais aussi laisser ta marque dans les communications, la diplomatie, la justice, le droit, le commerce, l'éducation ou les relations publiques.

Tes rapports avec les autres

Les autres comptent beaucoup pour toi. En fait, tu as besoin d'être entouré; seul, tu t'ennuies royalement. Même pour travailler, tu aimes qu'il y ait des gens autour de toi. C'est essentiel que tu évolues dans une atmosphère de bonne entente; la chicane, les cris te perturbent énormément. Dans ton groupe, on te reconnaît pour tes belles qualités; tu penses toujours aux autres, tu es généreux... Évite toutefois d'être trop dépensier. Tu as le don de te faire facilement des amis, c'est excellent, mais apprends à bien les choisir!

Ils sont Balance, eux aussi

Dominique Michel, Sonia Benezra, Sean Connery, Brigitte Bardot, Diane Dufresne, Hélène Lauzon, Julien Clerc, André Robitaille, Susan Sarandon, Kate Winslet, Matt Damon, François Pérusse, Sigourney Weaver, John Lennon, Guylaine Tremblay, Daniel Lemire, Jean-Jacques Goldman, Chantal Fontaine, Danielle Proulx, Gilles Vigneault, Luck Mervil, Claude Léveillée, Claude Charron, Luciano Pavarotti, Éric Lapointe, Catherine Deneuve, Will Smith.

PENSÉE POSITIVE POUR LA BALANCE

Je capte toute l'harmonie de l'univers et la canalise dans ma vie. Je fais le bon choix en toute situation et j'avance vers l'amour.

PENSÉE POSITIVE SPÉCIALE POUR 2001

Ma vie est parfaitement synchronisée et j'accepte avec joie ce nouvel équilibre.

Le subconscient nous dirige toujours selon nos pensées. En répétant le plus souvent possible ces pensées conçues tout spécialement pour vous, vous vous attirerez plein de belles choses.

- SIGNE: Balance
- ÉLÉMENT: Air
- CATÉGORIE: Cardinal
- SYMBOLE: ♎
- POINTS SENSIBLES: Reins, vessie, appareil urinaire, bas du dos, obésité, diabète, hypoglycémie. Attention au sucre!
- PLANÈTE MAÎTRESSE: Vénus, planète de l'amour.
- PIERRES PRÉCIEUSES: Opale, jade, corail.
- COULEURS: Les tons pastel et les couleurs tendres, rose, turquoise.
- FLEURS: Violette, jonquille, rose thé... et toutes les autres.
- CHIFFRES CHANCEUX: 6-9-15-18-23-26-36-39-41-45.
- QUALITÉS: Doux, tendre, affectueux, romantique, amoureux de l'amour, juste, diplomate, charmeur.
- DÉFAUTS: Indécis, instable, dépensier, toujours en retard, peur de la solitude.
- CE QU'IL PENSE EN LUI-MÊME: Je voudrais que tout soit si beau autour de moi.
- CE QUE LES AUTRES DISENT DE LUI: Il ne se branche pas... Mais on lui pardonne; il est si adorable!

Prévisions annuelles

Vous voici à l'orée d'une année faste, comme vous n'en avez pas connu depuis longtemps. Certains d'entre vous ont déjà commencé à goûter à la chance, tandis que pour les autres, ce cycle de bonne fortune est sur le point de commencer. Avec un minimum d'efforts, vous pourrez transformer votre vie en véritable triomphe, peu importe les rêves que vous caressez; mieux encore, vous pourrez bâtir un bonheur à long terme. Il s'agit d'une année déterminante durant laquelle beaucoup de bonnes choses vous arriveront et durant laquelle aussi vous pourrez asseoir votre avenir. Si vous le voulez vraiment, il n'y a rien de trop beau pour vous en 2001.

SANTÉ Les bons aspects de Jupiter augmenteront votre vitalité ainsi que votre positivisme. Vous aurez un moral beaucoup plus solide que par le passé, vous serez même en mesure de rompre avec certaines dépendances qui vous empêchaient de jouir librement de l'existence. Ceux qui ont eu des ennuis de santé par le passé entrent dans une phase de récupération; bonne année donc pour vous débarrasser de vos bobos, pour repartir du bon pied. Si Jupiter a une influence positive sur la santé, elle en a également une sur l'appétit; la gourmandise est le seul problème qui vous guette, particulièrement durant la deuxième moitié de l'année.

SENTIMENTS La conjoncture est si bonne que vous aurez sans doute droit à plusieurs bonnes surprises. Vous, qui détestez la solitude et vous étiolez quand vos relations interpersonnelles laissent à désirer, serez entouré d'êtres compatibles. En plus d'une vie sociale exaltante, vous connaîtrez un grand et profond bonheur en amour. Un rapprochement avec le bien-aimé, un engagement sérieux ou une rencontre pour les solitaires sont au programme. Année en or pour les fiançailles et les mariages.

AFFAIRES Les insatisfactions passées font place à une ère de réalisation. Votre carrière évoluera de façon favorable; on peut parler de déblocages. Les chômeurs trouveront un emploi à la hauteur de leurs aspirations, les salariés graviront d'importants échelons, tandis que les commerçants connaîtront une phase d'expansion. Vos placements, vos transactions et vos investissements pourraient rapporter gros, pour peu que vous agissiez avec sérieux. Au fait, même si les rentrées sont importantes, vous ne devriez pas prendre de risque avec votre argent durant la seconde moitié de l'année. Au jeu, vous ferez des envieux et vous traversez également une excellente période pour voyager.

JANVIER						
D	L	M	M	J	V	S
	1	2	3	4	5	6 F
7 F	8 D	9 ○ D	10	11	12	13
14	15	16	17	18	19	20
21 D	22 D	23 D	24 ● F	25 F	26 F	27
28	29	30	31			

○ Pleine lune et éclipse lunaire totale
● Nouvelle lune
F Jour favorable
D Jour difficile

SANTÉ En couvrant bien votre gorge et en ménageant votre dos, vous devriez passer un excellent mois, malgré l'éclipse. Psychologiquement, nous décelons un brin de tension jusqu'au 11, mais vous aurez tôt fait de retrouver votre joie de vivre. Du 12 au 31, vos réflexes seront vifs, tout comme votre intuition.

SENTIMENTS Lors de la première quinzaine, il se peut que vous éprouviez un léger malaise dans vos relations avec les autres. La communication ne passe pas facilement, un proche vous cause aussi quelques soucis. Le reste du mois s'annonce beaucoup mieux, les ennuis disparaissent et le dialogue redevient facile. Socialement, vous serez très en demande, ce qui vous fournira l'occasion d'échanger avec des gens fort intéressants.

AFFAIRES Votre bonne période débute le 11, alors que vous aurez énormément de succès dans vos démarches, vos nouveaux projets et vos déplacements d'affaires ou de loisir. Une demande que vous présenterez recevra un accueil positif; vous pourriez aussi remporter un petit prix lors d'un tirage. Seul hic: une dépense imprévue pour la maison ou la voiture.

FÉVRIER						
D	L	M	M	J	V	S
				1	2	3 F
4 F	5 D	6 D	7	8 ○	9	10
11	12	13	14	15	16	17
18 D	19 D	20 F	21 F	22 F	23 ●	24
25	26	27	28			

○ Pleine lune
● Nouvelle lune
F Jour favorable
D Jour difficile

SANTÉ À part un petit rhume que vous pourriez de toute façon éviter en prenant quelques précautions, on vous trouve dans une forme splendide. Vous avez bon appétit, même un peu trop parfois. Vous aimez la vie et elle vous le rend bien. Le moral demeure solide, votre flair continue d'être étonnant et vous êtes bourré de bonnes idées.

SENTIMENTS Avec trois planètes dans votre cinquième secteur, votre charisme est évident. Les nouvelles gens que vous rencontrez sont impressionnées par votre brillante personnalité; même votre entourage vous redécouvre. Votre conjoint éprouve quelques difficultés; toutefois, vos bonnes paroles lui permettent de s'en sortir.

AFFAIRES Autre mois très constructif pour vos affaires en général. Vos idées géniales donnent un sérieux coup de pouce à votre carrière; vous vous exprimez avec brio; de fait, vous êtes si convaincant qu'on ne peut rien vous refuser. Pécuniairement, une tuile pourrait encore vous tomber dessus durant la première quinzaine, mais vous saurez trouver les sous pour y remédier. Bon temps pour les démarches et les voyages.

MARS						
D	L	M	M	J	V	S
				1	2 F	3 F
4 D	5 D	6	7	8	9 ○	10
11	12	13	14	15	16	17 D
18 D	19 D	20 F	21 F	22	23	24 ●
25	26	27	28	29 F	30 F	31

○ Pleine lune — F Jour favorable
● Nouvelle lune — D Jour difficile

SANTÉ Jusqu'au 17, tout continue d'aller comme dans le meilleur des mondes tant sur les plans physique que psychologique. Par la suite, vous devriez faire davantage attention à vous, car vous n'êtes pas à l'abri d'un refroidissement ou d'un accrochage. Pensez également à vous détendre, ne laissez pas la tension nerveuse vous envahir.

SENTIMENTS La première quinzaine se déroule de façon exquise. Toutes vos relations interpersonnelles sont privilégiées, vous continuez de rencontrer de belles personnes. Le reste du mois requiert un peu plus de doigté: en effet, vos proches, et en particulier votre partenaire, risquent de se froisser pour un rien. Un membre de la parenté qui d'ordinaire vous néglige arrive soudainement dans le décor; hélas ce n'est pas pour vos beaux yeux, mais parce qu'il a quelque chose à vous demander.

AFFAIRES Ici aussi, c'est la première quinzaine qui offre les meilleures possibilités, donc si un projet vous intéresse, agissez sans tarder; au jeu, c'est également à cette époque que vos chances sont les meilleures. Par la suite, vous éprouverez quelques lenteurs, vous pourriez aussi être confronté à des gens qui manquent nettement d'ouverture d'esprit.

AVRIL						
D	L	M	M	J	V	S
1 D	2 D	3	4	5	6	7 ○
8	9	10	11	12	13 D	14 D
15 D	16 F	17 F	18	19	20	21
22	23 ●	24	25 F	26 F	27 F	28 D
29 D	30					

○ Pleine lune
● Nouvelle lune

F Jour favorable
D Jour difficile

SANTÉ Vous disposez d'une énergie peu commune, pourtant on dirait que vous avez du mal à la canaliser. Entre le 6 et le 22, vous risquez de connaître une période creuse durant laquelle vous vous sentirez mêlé et facilement anxieux; au lieu de vous mettre de la pression, donnez-vous du temps, ça s'arrangera. Où sont passées vos bonnes résolutions?

SENTIMENTS Comme vous n'êtes pas particulièrement bien dans votre peau, vous avez tendance à trop attendre des autres; ça tombe mal, vos proches sont trop préoccupés par leurs propres affaires pour être suffisamment à l'affût. Plutôt que de vous désoler, prenez quelques initiatives, proposez une sortie ou une réception, ça fera le bonheur de tous, y compris le vôtre.

AFFAIRES Bien qu'il n'y ait pas de catastrophe en vue, il faut avouer que votre vie est mal synchronisée. Les choses n'arrivent pas au bon moment, on vous fait poireauter, bref vous ne savez trop sur quel pied danser. Prenez tout ça avec un grain de sel; dès le mois prochain, ça ira beaucoup plus rondement. D'ici là, ce n'est pas en magasinant frénétiquement que vous trouverez consolation.

MAI						
D	L	M	M	J	V	S
		1	2	3	4	5
6	7 ○	8	9	10	11 D	12 D
13 F	14 F	15 F	16	17	18	19
20	21	22 ●	23 F	24 F	25 D	26 D
27	28	29	30	31		

○ Pleine lune
● Nouvelle lune
F Jour favorable
D Jour difficile

SANTÉ Vous remontez la pente; d'ailleurs, une fois la première semaine passée, vous serez à nouveau en pleine forme. Vous gérerez plus adéquatement votre énergie, vous résisterez mieux au stress. Même si votre volonté fait encore un peu défaut, vous constatez que vous vous êtes négligé et vous vous reprenez en main.

SENTIMENTS Vous n'avez absolument pas le goût de rester encabané, c'est parfait puisque les invitations arrivent de tous les côtés. Votre chéri fait de gros efforts, n'empêche que vous le trouvez un peu vieux jeu... Un enfant rêve d'indépendance et n'en fait qu'à sa tête, ce qui vous tracasse quelque peu.

AFFAIRES Si tout se déroulait avec la plus grande lenteur le mois dernier, voici que ça se met à aller à toute vitesse, souvent un peu trop à votre goût. Du travail, du travail et encore du travail! Vous n'avez pas deux secondes à vous; heureusement que vous êtes en forme, sinon vous ne pourriez remplir toutes vos obligations. Bon mois pour les démarches, les déplacements et pour décrocher un prix dans un tirage.

JUIN						
D	L	M	M	J	V	S
					1	2
3	4	5 ○	6	7 D	8 D	9
10 F	11 F	12	13	14	15	16
17	18	19 F	20 F	21 ● D	22 D	23
24	25	26	27	28	29	30

○ Pleine lune
● Nouvelle lune et éclipse solaire totale
F Jour favorable
D Jour difficile

SANTÉ L'éclipse n'aura guère d'effet sur vous si vous êtes vigilant dans vos déplacements et si vous protégez votre dos ainsi que vos extrémités. Quelques épisodes de nervosité sont à prévoir, mais vous aurez tôt fait de faire la part des choses. Vous semblez également beaucoup plus discipliné que par les semaines passées.

SENTIMENTS Après le 6, votre relation avec le conjoint sera plus harmonieuse, vous cesserez de voir ses petits travers et mettrez davantage l'accent sur ses belles qualités. Bien qu'assez superficielle, votre vie sociale demeure enlevante et fort distrayante. Un frère ou une sœur traverse des moments difficiles. Avec un voisin, la courtoisie évitera une prise de bec.

AFFAIRES Malgré le climat d'instabilité qui prévaut autour de vous, vous tirez fort bien votre épingle du jeu, vous arrivez même à transformer certaines situations ambiguës à votre avantage. Vos finances sont prospères, mais on dirait que vous cherchez des occasions de dépenser! Au jeu, vous avez encore la main heureuse.

JUILLET						
D	L	M	M	J	V	S
1	2	3	4 D	5 ○ D	6 D	7 F
8 F	9	10	11	12	13	14
15	16	17 F	18 F	19 D	20 ● D	21
22	23	24	25	26	27	28
29	30	31				

○ Pleine lune et éclipse lunaire partielle — F Jour favorable
● Nouvelle lune — D Jour difficile

SANTÉ La conjoncture vous recommande encore un peu de prudence dans vos déplacements et lorsque vous utilisez des objets dangereux; ce n'est pas le temps de courir des risques inutiles. Psychologiquement, la première quinzaine s'annonce splendide; vous risquez néanmoins d'être un peu plus tendu par la suite.

SENTIMENTS À partir du 6, vous bénéficierez d'un transit fort encourageant de Vénus. Les solitaires trouveront enfin l'âme sœur tandis que les autres se rapprocheront tendrement de leur bien-aimé. En plus de nouer de nouvelles amitiés, vous savez parfaitement entretenir celles que vous avez déjà. Un parent connaît quelques difficultés en début de mois, mais il s'en remet rapidement.

AFFAIRES Bon mois pour faire des changements à la maison et pour voyager. Au travail, toutes les chances sont de votre côté jusqu'au 13; parlant de chance, vous pourriez à la même époque toucher une somme que vous n'attendiez pas. Entre le 14 et le 31, il vaudrait mieux vous méfier des beaux parleurs et de leurs balivernes qui pourraient vous coûter cher.

AOÛT						
D	L	M	M	J	V	S
			1 D	2 D	3 F	4 ○ F
5 F	6	7	8	9	10	11
12	13 F	14 F	15 D	16 D	17	18 ●
19	20	21	22	23	24	25
26	27	28 D	29 D	30 F	31 F	

○ Pleine lune — F Jour favorable
● Nouvelle lune — D Jour difficile

SANTÉ La tension nerveuse disparaît aussitôt la pleine lune du 4 passée. Physiquement, vous devriez continuer à être sur vos gardes jusqu'au 18; en effet, le léger risque de blessure du mois dernier plane toujours. Vénus et Jupiter vous incitent à la gourmandise, ce qui pourrait malmener votre foie et votre silhouette.

SENTIMENTS Vous y allez peut-être un peu fort avec votre entourage. On vous aime, c'est vrai, mais ce n'est pas une raison pour vous croire tout permis. En voulant imposer votre point de vue, vous risquez de chagriner un proche. Êtes-vous bien certain d'octroyer vos largesses aux bonnes personnes? Votre partenaire trouve que vous le négligez.

AFFAIRES Des complications surgissent; elles sont sans gravité et, de toute façon, vous ne perdez pas de temps pour trouver des solutions. En mettant votre grande créativité au service de projets sérieux, vous êtes assuré de faire un bon coup; par contre, ce n'est pas le moment d'investir de l'énergie et encore moins de l'argent dans une affaire risquée.

SEPTEMBRE						
D	L	M	M	J	V	S
						1 F
2 ○	3	4	5	6	7	8
9 F	10 F	11 F	12 D	13 D	14	15
16	17 ●	18	19	20	21	22
23/30	24 D	25 D	26 D	27 F	28 F	29

○ Pleine lune
● Nouvelle lune

F Jour favorable
D Jour difficile

SANTÉ À compter du 9, vous serez soumis à des aspects planétaires délicats. En redoublant de vigilance et en adoptant une saine hygiène de vie, vous pourrez aisément déjouer la conjoncture. Psychologiquement, la pression est grande; le stress risque même de se traduire par quelques malaises.

SENTIMENTS Les trois premières semaines vous réservent de grandes joies en amitié et sur le plan social. Avec votre chéri, il vaut mieux marcher sur des œufs sans quoi vous pourriez déclencher une prise de bec. Même chose avec la famille, qui est à prendre avec des pincettes en ce mois. Usez de cette diplomatie qui vous caractérise habituellement, et tout ira bien.

AFFAIRES Les initiatives imprudentes sont absolument à proscrire. De fait, ce qui vous avantage le plus, ce sont les projets à long terme et les entreprises bien planifiées. Gardez-vous des sous pour une réparation ou le remplacement d'un appareil défectueux, d'autant plus qu'une rentrée d'argent que vous attendiez pourrait vous parvenir en retard.

OCTOBRE						
D	L	M	M	J	V	S
	1	2 ○	3	4	5	6 F
7 F	8 F	9 D	10 D	11	12	13
14	15	16 ●	17	18	19	20
21 D	22 D	23 D	24 F	25 F	26	27
28	29	30	31			

○ Pleine lune
● Nouvelle lune
F Jour favorable
D Jour difficile

SANTÉ Les aspects planétaires laissent encore à désirer jusqu'au 28. Par conséquent, vous devez continuer à exercer une vigilance accrue et à miser sur votre capital santé. Un peu d'exercice ou la pratique d'une forme de relaxation vous permettra de ventiler votre stress. Gâtez-vous… mais pas à table!

SENTIMENTS Durant la première quinzaine, vous aurez l'impression qu'on ne fait pas assez attention à vous; heureusement, un ami vous consolera. Par la suite, l'issue de votre vie affective dépend entièrement de vous. Si vous vous montrez gentil, on vous le rendra au centuple; par contre, l'arrogance risque de vous valoir une sérieuse déception. Vous vous tracassez au sujet d'un parent.

AFFAIRES Le scénario du mois dernier semble vouloir s'éterniser. Restez donc loin des affaires hasardeuses et apprenez à composer avec les imprévus. Au lieu de vous fier à Pierre, Jean, Jacques, ne comptez que sur vous-même et faites cavalier seul. Vous avez d'excellentes idées, mais vous avez du mal à les réaliser pour l'instant; le mois prochain, ça ira tout seul!

NOVEMBRE						
D	L	M	M	J	V	S
				1 ○	2	3 F
4 F	5 D	6 D	7	8	9	10
11	12	13	14	15 ●	16	17
18 D	19 D	20 F	21 F	22 F	23	24
25	26	27	28	29	30 ○ F	

○ Pleine lune
● Nouvelle lune
F Jour favorable
D Jour difficile

SANTÉ Les influences contrariantes des deux derniers mois sont enfin révolues. Vous voici désormais débarrassé des dangers de blessure et des risques de maladie; quant à vos nerfs, ils sont beaucoup plus solides. Si vous avez eu des ennuis, vous trouverez le moyen d'y remédier rapidement, bref vous faites des pas de géant.

SENTIMENTS Les relations avec la famille et le conjoint se détendent. Vous voici à nouveau dans un cycle d'harmonie durant lequel vous pourrez non seulement régler les différends, mais aussi repartir du bon pied. Coup de foudre possible pour les solitaires. Socialement, ça redevient pétillant.

AFFAIRES Après quelques semaines de déceptions et de lenteurs, ce mois vous permet de rattraper le temps perdu et même de donner un sérieux coup de pouce à votre situation. Vos projets se concrétisent, votre carrière redémarre. Un nouveau contrat, un meilleur emploi ou une transaction avantageuse vous donne l'occasion de mettre des sous de côté.

DÉCEMBRE						
D	L	M	M	J	V	S
						1 F
2 D	3 D	4	5	6	7	8
9	10	11	12	13	14 ●	15 D
16 D	17 D	18 F	19 F	20	21	22
23/30 ○ F	24/31 D	25	26	27 F	28 F	29 F

○ Pleine lune et éclipse lunaire annulaire
● Nouvelle lune et éclipse solaire annulaire

F Jour favorable
D Jour difficile

SANTÉ La première éclipse ne vous touche pas; par contre, la seconde peut avoir quelques répercussions. Du 15 au 30, il vaudrait donc mieux proscrire les abus de toutes sortes. Ne vous en mettez pas trop sur les épaules, gardez-vous du temps pour effectuer le plein d'énergie. Bon mois pour vous refaire une beauté ou pour adopter une nouvelle allure.

SENTIMENTS Les bons aspects de Vénus vous réservent toutes sortes de bonnes surprises. Une rencontre pour ceux qui n'auraient pas remédié à leur problème de solitude et un rapprochement pour les autres sont au menu. En société, vous avez une popularité monstre, on ne tarit pas d'éloges sur votre compte.

AFFAIRES Les treize premiers jours sont spectaculaires, tout marche comme sur des roulettes, vous raflez succès et honneur. Vos bonnes initiatives apportent de l'eau au moulin et, plus concrètement, une hausse de vos revenus. Entre le 14 et le 31, ne courez aucun risque avec votre argent et ne parlez pas trop; on pourrait vous voler une idée géniale.

Scorpion

24 octobre au 22 novembre

Même si vous voulez le cacher, tout indique que vous êtes Scorpion. Votre signe est très spécial, et vous le savez. Il faut dire que rien ne vous échappe. On remarque vos grands yeux sombres et mystérieux; en réalité, ce qui frappe d'abord, c'est votre regard scrutateur. On dirait qu'il pénètre bien au-delà de la surface. Lorsque vous fixez quelqu'un dans les yeux, il a l'impression que vous lisez dans son âme, que vous voyez tout. Et c'est vrai que vous en voyez beaucoup! Peut-être pas tout, mais pas loin!

Votre intuition est remarquable; vous pressentez les choses, vous devinez les gens et leurs intentions, vous découvrez leurs secrets les plus profonds.

Vous avez aussi un charisme puissant, beaucoup de magnétisme, et cela trouble souvent les gens que vous rencontrez, mais avouez que vous ne détestez pas cela. Ces qualités vous donnent un petit côté mystérieux qui contribue beaucoup à votre charme si particulier et à votre grand pouvoir de séduction.

Vous ne le laissez pas paraître, sans doute par peur d'être blessé, mais vous êtes très sensible et très émotif. Avec vous, jamais de sentiments mièvres: c'est toujours la passion ardente. Que vous aimiez ou que vous haïssiez, vous êtes prêt à tout.

Vos sentiments sont profonds, très profonds, et souvent un peu confus ou un peu troubles. En surface, cela donne l'impression que vous vous moquez des gens; en réalité, c'est plutôt que vous ne savez pas trop, que vous voulez être sûr — vous avez tellement peur d'être blessé. Vous vous faites donc une carapace, vous piquez comme la bestiole qui vous représente, puis vous jugez des réactions. Ce n'est pas de la méchanceté mais, en quelque sorte, un test. Sauf que les gens n'aiment pas tellement être testés et ils se plaindront que vous êtes cruel, méchant, démoniaque... Et cela intrigue ceux qui entendent parler de vous.

Votre tempérament est contrasté. Vous ne parlez pas, ce qui dérange, et quand vous parlez, cela dérange encore plus: vos propos sont si tranchés. Mais c'est votre carapace et si on passe par-dessus, tout ira bien; sinon, vous n'aurez pas perdu votre temps.

Vous êtes captivé par tout ce qui est étrange ou inconnu, que ce soit des gens bizarres, d'anciennes sciences ésotériques ou la psychologie. La mort, entre autres, vous fascine. Et comme vous finissez toujours par trouver ce que vous cherchez, vous excellez dans ces domaines; vous découvrez des tas de choses… que vous préférez souvent garder pour vous.

Vous êtes un visuel, vous analysez beaucoup, vous avez un flair terrible et votre mémoire est surprenante. Vous vous souvenez de ce qu'on vous fait et, surtout, de ce qui vous blesse, et vous vous le rappellerez encore dans vingt ans. Vous n'oubliez rien et vous êtes assez rancunier. Mais votre vraie vengeance se manifeste par une méfiance accrue… à moins que vous ne décidiez d'ignorer complètement la personne, de faire comme si elle n'existait plus.

Que ce soit le camarade de classe qui vous avait lancé un élastique en deuxième année, la fatigante qui tournait autour de votre premier ami de cœur, le vieil oncle qui vous taquinait un peu trop quand vous étiez petit ou le conjoint repentant qui revient avec des fleurs, mais que vous attendez de pied ferme malgré votre sourire, et qui ne perdra rien de votre venin… tant pis pour lui; il n'avait qu'à agir autrement. Quand on vous fait mal, ça finit nécessairement par se retourner contre nous! Et pour piquer ou lancer des sarcasmes, pour flairer le moment où les gens sont le plus vulnérables ou pour trouver leur point sensible, vous n'avez pas votre pareil. Avouons tout de même que vous vivez un peu trop dans le passé, que cela vous fait souffrir et que, somme toute, vous avez bien du mal à en sortir.

Pourtant, en amour ou en amitié, vous êtes très fidèle, extrêmement possessif peut-être, mais surtout très dévoué: c'est à la vie à la mort. Si vous taquinez parfois un peu vos proches, si vous mettez l'être cher à l'épreuve, vous ne laisserez cependant personne faire de la peine à ceux que vous aimez. Une fois qu'on a gagné votre confiance — et il faut en faire, des prouesses — votre amitié ou votre affection est acquise à tout jamais. Mais cela ne veut pas dire que vous ne lancerez pas vos petites remarques acidulées de temps à autre!

COMMENT SE COMPORTER AVEC UN SCORPION?

Il faut marcher sur des œufs… Ce n'est pas facile de deviner ce qu'on doit faire. Quand on vient de le rencontrer, on ne sait pas du tout comment le prendre ni quoi penser de lui. Rit-il avec nous ou de nous? On se questionne. Et malgré le temps, on demeure perplexe. Pour commencer, il faut gagner la confiance du Scorpion, ce qui est loin d'être facile ou spontané. Cela peut prendre des années. Et si jamais on l'a perdue, la retrouver n'est pas évident du tout. Il faut apprendre à endurer ses petites remarques et ses crises; il est très sensible, et ses angoisses sont lourdes à supporter, pour lui, bien sûr… mais aussi pour les autres.

Si vous voulez le convaincre, n'essayez pas de lui passer un sapin. Il découvrira pourquoi vous le poussez à faire quelque chose et en devinera les raisons profondes — que vous en soyez vous-même conscient ou non. Ensuite, il prendra sa décision, qui n'aura rien à voir avec vos raisonnements. Et si vous lui avez caché quoi que ce soit ou, pire, si vous lui avez menti, oh là là! faites-en votre deuil.

Ne croyez pas qu'il changera, qu'il deviendra plus sociable. Avec vous, il peut s'ouvrir — jamais complètement — mais avec les autres, il ne changera pas. Son esprit de contradiction, ses sarcasmes, son humour cinglant et ses attitudes mystérieuses font partie intégrante de sa personnalité.

Rappelez-vous qu'en toute circonstance, il est gouverné par sa vie émotive. Il a besoin de sentir qu'il peut se fier aveuglément à vous, que vous lui êtes dévoué et fidèle, et surtout de savoir que, même lorsque vous ne le comprenez pas, vous l'acceptez néanmoins totalement.

Le Scorpion n'est pas comme les autres, et c'est justement cela qui vous a attiré chez lui… Alors, n'essayez surtout pas d'en faire un être ordinaire; vous perdriez votre temps et dépenseriez votre énergie pour rien: il est trop spécial. Personne — pas même lui — n'en est capable! Et vous perdriez quelqu'un d'exceptionnel.

SES GOÛTS

Il aime, par-dessus tout, créer un léger trouble chez les gens qu'il rencontre. On ne l'oublie pas. Avec lui, c'est blanc ou noir: tout est tranché, contrasté. Ses vêtements le reflètent bien: il aime le blanc, le rouge et le noir, le cuir, le métal, les blouses de gitan. Les femmes sont presque toujours en pantalon, mais elles peuvent parfois enfiler une robe…

Dans ce cas, elle sera moulante et très sexy. De toute façon, le Scorpion dégage beaucoup de magnétisme, et on le remarque de loin.

Si vous allez chez lui, vous vous en souviendrez. La décoration est déconcertante, l'ensemble est glacial; on ne s'y sent pas toujours à l'aise, mais c'est chez lui après tout: vous êtes dans son repaire!

À table, il aime la viande, les fruits de mer, les mets très relevés, très épicés; n'ayez pas peur de brûler son palais! S'il a préparé le repas, demandez donc un verre d'eau: vous en aurez besoin, croyez-moi. Il aime les alcools grisants, les vins corsés. Ne vous demandez plus pourquoi il a l'estomac fragile.

SON POTENTIEL

Il est difficile de cacher quoi que ce soit à un Scorpion, vous en savez quelque chose. Alors, imaginez quel détective, quel espion ou quel découvreur il ferait!

Il brillera donc dans tout ce qui concerne les recherches (quel qu'en soit le domaine): les techniques policières, la sécurité, la médecine, la chirurgie, la psychiatrie, l'astrologie ainsi que la boucherie et le travail des métaux. Il est aussi attiré par tout ce qui touche de près ou de loin à la mort, à la sexualité ou au monde interlope.

Quoi qu'il fasse, son intuition lui permet de trouver ce qu'il veut... Et il vaut mieux ne pas être dans ses jambes!

SES LOISIRS

Dans ses moments libres, notre cher Scorpion aime bien mettre ses capacités et son flair à l'épreuve. Il adore faire des recherches, des enquêtes, des lectures pour comprendre un peu mieux un sujet donné. Et quand il veut trouver quelque chose, croyez-moi, il y arrive. Parfois, il faut remuer mer et monde, mais cela ne l'arrête pas, au contraire.

Les musées l'attirent particulièrement; pour lui, c'est une autre façon d'en apprendre un peu plus. D'ailleurs, il est intéressé par l'archéologie, mais aussi par le paranormal, les sciences occultes, en somme, par tout ce que les autres ignorent ou craignent un peu.

Toutefois, notre Scorpion est souvent trop cérébral; il analyse constamment. Il aurait besoin de pratiquer un sport ou d'avoir des activités manuelles qui lui permettraient de dépenser son trop-plein d'énergie et, en même temps, de se reposer un peu les méninges.

Un roman policier ou un bon film noir où, de rebondissement en rebondissement, on passe d'un suspect à l'autre, le divertiront beaucoup... Et il trouvera certainement le vrai coupable avant la fin.

SA DÉCORATION

On sait que le Scorpion a des goûts très tranchés et cela se reflète, bien sûr, dans sa décoration. D'abord, il aime les couleurs franches et audacieuses, comme le rouge, le noir: il choisit les objets en fonction de leur signification et non pas pour leur valeur décorative. Par exemple, s'il collectionne les armes, il peut en utiliser une comme presse-papiers à côté de la porte d'entrée. Cela peut parfois être déconcertant!

Bien sûr, tout cela donne une ambiance dramatique, surtout qu'il choisit des meubles aux angles marqués, des éclairages étonnants et insolites. Le tout est étrange, théâtral et déconcertant; quelquefois, on éprouve même une impression bizarre. Son cadre de vie ne plairait certainement pas à tout le monde, mais justement, il n'est pas comme tout le monde.

SON BUDGET

Dans ce domaine comme dans les autres, le Scorpion aime bien faire de petits mystères. Il vous demandera combien vous gagnez ou combien vaut votre maison, mais son tour venu, il refusera sans sourciller de vous dévoiler son salaire. Que voulez-vous?

Il faut dire que le Scorpion se fie davantage à son intuition qu'à son jugement. Étant donné qu'il a du flair, il fait souvent des achats ou des placements exceptionnels auxquels personne n'aurait pensé. Et comme ses pressentiments sont généralement justes, il fait de bonnes affaires.

Par contre, pour son budget quotidien, il ne calcule pas trop; il dépense ce qu'il veut quand il le veut et ne compte pas... du moins, en apparence. Encore là, il devine toujours ce qu'il lui reste dans son portefeuille ou à la banque et il ne se trompe pas.

QUEL CADEAU LUI OFFRIR?

Pour le Scorpion, ce qui compte le plus, ce sont les sentiments: le cadeau est bien secondaire. Si vous n'avez jamais de temps à lui accorder, vous aurez beau le couvrir de diamants et de rubis, il restera invisible.

Toutefois, s'il sait combien vous tenez à lui, une bagatelle lui fera plaisir. Regardez les choses auxquelles il tient le plus: ce sont des souvenirs ou des objets qui ont une signification bien spéciale pour lui, pas nécessairement les plus beaux ni les plus chers.

Pour lui faire un cadeau dont il se souviendra, choisissez quelque chose d'inhabituel ou de très rare. S'il sait qu'il n'y en a qu'un seul sur la terre (ou quelques-uns au plus), il sera encore plus touché. Si c'est un objet que vous avez fait faire spécialement pour lui, que ce soit un parfum ou un bibelot, il y tiendra d'autant plus.

C'est un excellent chercheur, et si vous lui offrez un roman policier, il essaiera de se mesurer à Sherlock Holmes ou à Hercule Poirot; d'ailleurs, il est à la hauteur. Des ouvrages sur des civilisations disparues ou anciennes, les Mayas, l'Atlantide, ou sur des sujets mystérieux piqueront sa curiosité.

Vous pouvez aussi lui offrir des alcools rares ou des épices peu connues (par exemple, de la vodka au poivre ou du poivre rose). Soyez sûr qu'il s'en régalera.

LES ENFANTS SCORPION

Dès le berceau, on les remarque par leur regard puissant. Ils observent, ils veulent voir tout ce qui se passe, ils veulent comprendre. Et, déjà, ils saisissent beaucoup plus de choses que vous ne le pensez. Très vite, vous en aurez la surprise, toute une... et plus d'une fois.

Préparez-vous; ils vont vous poser des questions et pas n'importe lesquelles. Parfois, vous serez désemparé, mais inutile dans ce cas de tenter de vous défiler ou de changer de sujet; il leur faut une réponse et la bonne. Ils devinent les choses, ils pressentent les gens, ils lisent dans vos pensées.

Ce ne sont pas des enfants faciles, ils sont trop intelligents. Et puis, ils aiment vous pousser à bout pour tester vos réactions. Ils vous manipulent déjà. Très curieux, ils fouilleront dans vos affaires, liront vos papiers personnels, essaieront de découvrir ce que vous leur cachez, sur votre passé notamment. Ils sont très possessifs, avec vous entre autres; ils n'acceptent pas de vous partager!

À l'école, comme ils sont très visuels, ils s'ennuient quand le professeur se met à parler trop vaguement; ils ont besoin de concret, ne l'oublions pas.

Le Scorpion est un enfant très sensible; il a peur d'être blessé, et c'est pourquoi il attaque sans arrêt. Il faut lui enseigner que les autres agissent souvent comme nous pour être aimé; il faut être aimable et faire des compromis, lui apprendre à partager et à faire confiance. Poussez-le à être plus sociable, à se faire des amis au lieu de rester dans son coin; cela contribuera beaucoup à son équilibre et à son bonheur.

L'ADO SCORPION

Ce n'est pas facile de saisir ta nature, cher Scorpion. Tes proches ne te comprennent pas toujours, et cela crée parfois des étincelles. Il faut dire que tu leur fais un peu peur: tu as une volonté très forte, tu es secret, passionné, et puis tu parles si peu!

Tu sembles très fort et c'est vrai que, dans une certaine mesure, tu l'es. Tu ne fais pas de compromis; quand tu t'exprimes, tu ne mâches pas tes mots, et ce n'est pas toi qui vas te montrer agréable ou gentil pour faire plaisir. Tu veux que les gens t'acceptent comme tu es. Ce qu'ils ne savent pas, c'est que, sous ta carapace, tu es très sensible, très émotif.

On dirait aussi que tu as des antennes pour deviner les choses et les gens. Tu as beaucoup de flair et on ne peut rien te cacher. Lorsque quelqu'un te déplaît ou t'agace, tu trouves toujours le mot juste pour toucher son point faible.

Quand tu aimes, tu es passionné... quand tu détestes aussi. Tu as des sentiments forts, puissants, et il n'y a rien qui te résiste. Ta volonté est exceptionnelle.

Évidemment, ça fait de toi quelqu'un de différent, de «pas comme les autres», et ça te donne beaucoup de charme auprès du sexe opposé. En fait, tu as une personnalité très magnétique et, même si tu restes un peu à l'écart, tu passes rarement inaperçu.

Tes études

Tu es très curieux et tu t'intéresses à ce qui est caché, difficile à comprendre; tu es d'ailleurs doué pour trouver la solution à des problèmes. L'échec t'effraie; pourtant, avec ta volonté et ta détermination, il ne s'en produit pas souvent. Tu as un esprit scientifique, tu peux être très travailleur, mais comme tu approfondis tout, les travaux de groupe ne te conviennent pas vraiment. Les autres se plaignent que tu es lent, tandis que toi, tu les trouves trop superficiels; ça ne marche pas toujours! Seul, par contre, tu peux donner un rendement formidable. Ajoutons que tu as une mémoire exceptionnelle; ce que tu entends et surtout ce que tu vois, tu ne l'oublies jamais!

Ton orientation

Tes proches peuvent être surpris par tes choix, mais l'important, c'est que tu fasses ce que tu aimes. Tu peux exceller dans tout ce qui est recherche, études, enquête; d'autre part, tu connais bien les gens et tu as un don inné pour la psychologie. Les champs d'action qui seraient intéressants pour toi sont la médecine, les sciences, la chirurgie, l'industrie minière, l'armée, la criminologie, la sexologie, les assurances, la sculpture. Et puis, grâce à tes antennes, tu pourrais faire ton nom dans des domaines concernant l'ésotérisme, la mort, la psychologie, l'enquête et les techniques policières.

Tes rapports avec les autres

Tu es plutôt solitaire, alors tu n'as pas beaucoup de copains. Néanmoins, tu peux compter sur eux: ce sont de vrais amis. Tu n'as pas besoin de parler des heures avec eux pour les comprendre. Avec les gens que tu rencontres, tu es plutôt méfiant; parfois, tes remarques sarcastiques les font grincer des dents… mais quand tu veux plaire, tu réussis, et ton petit côté mystérieux y est pour beaucoup. Là encore, tu devines les gens. Ajoutons que tu n'aimes pas à moitié: avec toi, c'est tout ou rien. Lorsqu'on te déçoit ou qu'on te fait quelque chose, c'est pratiquement impossible de regagner ta confiance. Évite tout de même de ressasser indéfiniment de vieilles histoires; il vaut toujours mieux aller de l'avant.

Ils sont Scorpion, eux aussi

Pablo Picasso, Noémie Godin-Vigneault, Patricia Paquin, Claude Poirier, Roberto Benini, Louise Deschâtelets, Julia Roberts, Brian Adams, Sally Field, Marc Favreau, Alain Delon, Lise Watier, Anne Dorval, Michel Pagliaro, Leonardo DiCaprio, Calista Flockhart, Demi Moore, Daniel Pilon, Andrée Lachapelle, Whoopi Goldberg, Serge Postigo, Sophie Marceau, Charlotte Laurier, Jodie Foster, Nanette Workman, Meg Ryan, Marc Labrèche, Sophie Lorain, Goldie Hawn.

PENSÉE POSITIVE POUR LE SCORPION

Je me libère de tout ce qui est arrivé par le passé. Je me pardonne et je pardonne aux autres. Ainsi, ma route devient de plus en plus agréable et lumineuse.

PENSÉE POSITIVE SPÉCIALE POUR 2001

Le ciel se dégage, ma destinée devient plus lumineuse, et je me consacre uniquement à cette nouvelle étape.

Le subconscient nous dirige toujours selon nos pensées. En répétant le plus souvent possible ces pensées conçues tout spécialement pour vous, vous vous attirerez plein de belles choses.

- SIGNE: Scorpion
- ÉLÉMENT: Eau
- CATÉGORIE: Fixe
- SYMBOLE: ♏
- POINTS SENSIBLES: Organes de reproduction, rectum, estomac (on se demande pourquoi!), nez, sinus, prostate, maladies vénériennes.
- PLANÈTE MAÎTRESSE: Pluton, planète de la mort.
- PIERRES PRÉCIEUSES: Tourmaline, malachite, sanguine.
- COULEURS: Noir, blanc, rouge et tout ce qui tranche.
- FLEURS: Orchidée, chrysanthème, fleurs exotiques… y compris les plantes carnivores!
- CHIFFRES CHANCEUX: 5-8-14-17-23-29-30-39-41-44.
- QUALITÉS: Ardent, passionné, intuitif, actif, doué de magnétisme, patient, capable de tout, trouve toujours ce qu'il cherche.
- DÉFAUTS: Renfermé, sarcastique, catégorique, méfiant, rancunier, tendance à se cantonner dans le passé.
- CE QU'IL PENSE EN LUI-MÊME: Je fais bien peu confiance aux êtres humains… Je reste sur mes gardes.
- CE QUE LES AUTRES DISENT DE LUI: Qu'est-ce qu'il va encore nous sortir aujourd'hui?

De très importantes étapes ponctueront le cours de cette année. Tout d'abord, le 20 avril marquera la fin de l'opposition de Saturne qui vous a valu quelques déboires lors des dernières années. Cette période difficile tire donc à sa fin, et même si elle vous a valu de sérieux contretemps, elle vous a fait grandir. Dès le 12 juillet, vous commencerez à bénéficier d'un transit fort avantageux de Jupiter qui vous permettra de donner un nouveau sens à votre vie. La chance se rangera graduellement de votre côté. Puis, à partir de votre anniversaire, vous entrerez dans une phase merveilleuse où tous les espoirs sont permis.

SANTÉ Vous demeurez vulnérable durant la première moitié de l'année. Pour en venir à bout, continuez à faire preuve de sagesse et prenez soin de vous. En agissant de la sorte, la conjoncture ne devrait pas vous affecter. Par la suite, vous sentirez vos forces revenir et même croître tant sur les plans physique que moral. Les six derniers mois, quant à eux, sont tout à fait cléments. Votre vitalité tout comme votre résistance iront en augmentant; vous vous débarrasserez de tout ce qui vous a dérangé auparavant. Excellente période pour vous soigner et repartir du bon pied.

SENTIMENTS Vous continuez à faire du ménage parmi vos relations. Vous vous connaissez mieux; désormais, vous arrivez à définir ce qu'il vous faut pour être heureux et vous n'aurez pas le goût de faire de compromis. À partir de la mi-juillet, la vie mettra sur votre route des gens à la hauteur de vos aspirations. Si vous avez vécu une rupture ou souffert de la solitude, les chances de rencontrer l'âme sœur sont élevées. Vous vous épanouirez également sur le plan amical et pourrez fraterniser avec des gens qui en valent vraiment la peine. Socialement aussi, ça promet d'être enlevant! Seule la santé d'un proche risque de vous inquiéter.

AFFAIRES Ici aussi, il existe une nette différence entre la première et la deuxième moitié de l'année. Jusqu'en juillet, vous traverserez une période de remise en question durant laquelle vous serez possiblement obligé de vous recycler ou du moins, de modifier votre plan d'action. Puis avec l'arrivée d'un fort coefficient de chance, vous pouvez espérer un sérieux déblocage tant dans votre carrière que dans vos finances. À cette époque, vous pourriez même décrocher un prix au jeu. Tout au long de l'année cependant, vous devez continuer à protéger votre argent et vos biens.

JANVIER						
D	L	M	M	J	V	S
	1 F	2	3	4	5	6
7	8 F	9 ○ F	10 D	11 D	12	13
14	15	16	17	18	19	20
21	22	23	24 ● D	25 D	26 D	27 F
28 F	29	30	31			

○ Pleine lune et éclipse lunaire totale
● Nouvelle lune
F Jour favorable
D Jour difficile

SANTÉ Avec Mars dans votre signe, le moins qu'on puisse dire c'est que vous commencez l'année avec une étonnante dose d'énergie. Toutefois, afin de ne pas miner cette vitalité, je vous invite à vous prémunir contre les accidents et les infections. Bon mois pour vous refaire une beauté ou pour changer de style.

SENTIMENTS Entre le 4 et le 31, Vénus évoluera dans votre cinquième secteur; ce transit mettra en relief votre vie amoureuse. Certains auront à prendre des décisions alors que d'autres feront une rencontre déterminante. Vous recevrez d'innombrables invitations que vous feriez bien d'accepter. Entre le 11 et le 31, les choses peuvent se corser avec un enfant ou un membre de la famille.

AFFAIRES Vous investissez beaucoup de temps et d'énergie dans vos entreprises; hélas, les résultats sont souvent décevants. Heureusement que vous êtes déterminé, quelqu'un d'autre aurait capitulé. Si vous éprouvez quelques frustrations, au moins vous pouvez aussi espérer des satisfactions; des félicitations ou un bon coup de pouce récompenseront en effet vos efforts.

FÉVRIER						
D	L	M	M	J	V	S
				1	2	3
4	5 F	6 F	7 D	8 ○ D	9	10
11	12	13	14	15	16	17
18	19	20 D	21 D	22 D	23 ● F	24 F
25	26	27	28			

○ Pleine lune F Jour favorable
● Nouvelle lune D Jour difficile

SANTÉ La planète Mars dans votre signe s'oppose toujours à Saturne jusqu'au 15; par conséquent, vous devez demeurer sur le qui-vive pour éviter les accidents et les blessures. La seconde quinzaine sera plus clémente. Psychologiquement, la tension est grande mais, là aussi, les effets se dissipent après le 15.

SENTIMENTS Jusqu'au 23, vous pourriez déplorer quelques désagréments. Un proche ne va pas très bien, et cela vous inquiète par ricochet; quand ce n'est pas cela, c'est le dialogue avec les autres qui présente des difficultés. Tenez le coup, les choses commenceront à s'arranger durant la dernière semaine.

AFFAIRES Des lenteurs et des tracasseries ponctuent la première quinzaine. Prémunissez-vous contre les voleurs et les beaux parleurs. Après le 15, vos efforts commenceront à porter fruit, et même si ça ne marche pas du premier coup, vous finirez par avoir gain de cause. Une proposition pour un nouveau poste pourrait changer bien des choses.

MARS						
D	L	M	M	J	V	S
				1	2	3
4 F	5 F	6 D	7 D	8	9 ○	10
11	12	13	14	15	16	17
18	19	20 D	21 D	22 F	23 F	24 ● F
25	26	27	28	29	30	31

○ Pleine lune
● Nouvelle lune
F Jour favorable
D Jour difficile

SANTÉ Vous voici libéré de la présence de Mars, et du fait même, des risques d'accidents et de défaillance. L'énergie revient, et vous remontez la pente. Psychologiquement aussi, vous faites des progrès, si bien qu'à partir du 17, toutes les angoisses passées ne seront plus qu'un mauvais souvenir. Bon temps pour vous prendre en main.

SENTIMENTS C'est la seconde quinzaine qui offre le plus de possibilités. Les inquiétudes au sujet d'un proche disparaîtront, tandis que vos rapports avec les autres en général seront nettement plus harmonieux. Vous mettrez un terme à une relation qui ne vous menait nulle part, ce qui se révélera un véritable soulagement. En plus, vous pourriez rencontrer de nouvelles personnes avec qui l'entente sera bien meilleure.

AFFAIRES Dans ce domaine également, les influences s'améliorent. Le moment est venu de tourner certaines pages, de prendre des décisions, de faire des choix et de vous orienter dans une nouvelle direction. La seconde quinzaine est particulièrement propice aux démarches ainsi qu'aux déplacements.

AVRIL						
D	L	M	M	J	V	S
1 F	2 F	3 D	4 D	5	6	7 ○
8	9	10	11	12	13	14
15	16 D	17 D	18 F	19 F	20 F	21
22	23 ●	24	25	26	27	28 F
29 F	30 D					

○ Pleine lune — F Jour favorable
● Nouvelle lune — D Jour difficile

SANTÉ N'oubliez pas que c'est le 20 que Saturne cesse de vous embêter. Ce transit éprouvant qui vous affectait depuis quelques années se termine enfin. Avec Mercure et Vénus dans votre sixième secteur, il vous sera plus facile de mettre le doigt sur ce qui accrochait et de régler vos ennuis une fois pour toutes.

SENTIMENTS Durant la première semaine, vous pourriez régler un sérieux problème que vous aviez depuis quelque temps. Quant au reste du mois, il se déroule dans la joie et le calme. Même s'il ne se passe rien de très excitant, vous pourrez au moins apprécier la quiétude de votre vie, surtout après les périodes mouvementées que vous avez connues.

AFFAIRES Mois très constructif en perspective. Vos efforts en vue d'améliorer votre situation financière ou professionnelle donneront des résultats encourageants. Le renouveau continue de vous favoriser, ainsi un nouvel emploi, un transfert ou l'obtention d'un contrat pourrait coïncider avec une étape décisive. Votre application et votre professionnalisme jouent en votre faveur.

MAI						
D	L	M	M	J	V	S
		1 D	2	3	4	5
6	7 ○	8	9	10	11	12
13 D	14 D	15 D	16 F	17 F	18	19
20	21	22 ●	23	24	25 F	26 F
27 F	28 F	29	30	31		

○ Pleine lune
● Nouvelle lune
F Jour favorable
D Jour difficile

SANTÉ Vous avez le vent dans les voiles, et ce n'est certainement pas le bref épisode de tension que nous décelons durant la première semaine qui viendra à bout de votre vitalité. Une personne que vous rencontrerez vous donnera un précieux conseil, ce qui fait que vous vous sentirez encore mieux.

SENTIMENTS La pleine lune se produit dans votre signe, ce qui vous pousse à douter de vos proches. Évitez cependant d'être trop possessif ou trop envahissant entre le 6 et le 31; ce n'est pas en vous imposant que vous vous assurerez la fidélité de votre entourage. Parlez-en avec un ami, ça vous aidera à faire la part des choses. Une personne que vous aviez perdue de vue revient dans le décor.

AFFAIRES Vous êtes emballé par les nouvelles perspectives qui s'offrent à vous, mais ce n'est pas une raison valable pour aller trop vite en affaires. Loin de servir vos intérêts, l'impulsivité et les actions irréfléchies pourraient se retourner contre vous. Ne prenez pas non plus de risque avec votre argent et ne signez rien sans garanties sérieuses.

JUIN						
D	L	M	M	J	V	S
					1	2
3	4	5 ○	6	7	8	9
10 D	11 D	12 F	13 F	14 F	15	16
17	18	19	20	21 ● F	22 F	23 D
24 D	25	26	27	28	29	30

○ Pleine lune
● Nouvelle lune et éclipse solaire totale
F Jour favorable
D Jour difficile

SANTÉ Si l'éclipse de ce mois en malmène plusieurs, vous au moins êtes épargné. Seuls les abus menacent votre bonne forme. Méfiez-vous donc des excès de travail et de la gourmandise. En y allant avec modération, vous avez tout ce qu'il faut pour profiter du mois. Votre intuition est encore plus percutante que d'habitude.

SENTIMENTS La présence de Vénus dans votre septième secteur provoque chez vous des sentiments mitigés. À certains moments, vous débordez de tendresse, tandis qu'à d'autres, vous êtes méfiant à l'excès. Une discussion peut survenir avec un proche à cause d'une question d'argent; on ne comprend pas votre point de vue.

AFFAIRES Le climat dans lequel vous évoluez manque de stabilité, c'est tout ou rien. Parfois, vous avez plus de travail que vous ne pouvez en prendre, puis tout à coup, vous vous retrouvez à ne rien faire. Pour ne pas mettre en danger votre situation financière, il serait sage encore en ce mois de fuir les beaux parleurs et les affaires trop alléchantes pour être vraies.

JUILLET						
D	L	M	M	J	V	S
1	2	3	4	5 ○	6	7 D
8 D	9 F	10 F	11 F	12	13	14
15	16	17	18	19 F	20 ● F	21 D
22 D	23	24	25	26	27	28
29	30	31				

○ Pleine lune et éclipse lunaire partielle
● Nouvelle lune
F Jour favorable
D Jour difficile

SANTÉ La position des astres devient de plus en plus encourageante, si bien qu'à partir du 12, vous devriez afficher une mine splendide. En fait, vous vous sentirez tellement mieux dans votre peau que plusieurs vous complimenteront sur votre allure détendue. Excellente période pour prendre de bonnes résolutions et pour vous occuper de votre santé.

SENTIMENTS Quelques petits nuages lors de la première semaine n'auront aucun impact sur le reste du mois. Vous recevrez de nombreuses invitations, ce qui vous permettra de nouer de nouvelles amitiés ainsi que de renouer avec certaines gens que vous aviez négligées. Un proche qui vous avait inquiété adopte enfin une meilleure attitude.

AFFAIRES N'oubliez pas qu'à partir du 12 et jusqu'à la fin de l'année, vous jouissez de l'appui de Jupiter. Votre carrière et vos finances devraient enfin évoluer à votre goût. Déjà en ce mois, une bonne nouvelle concernant votre travail pourrait vous stimuler. Petites chances au jeu entre le 13 et le 30; bon temps aussi pour les voyages et les démarches.

AOÛT						
D	L	M	M	J	V	S
			1	2	3 D	4 ○ D
5 D	6 F	7 F	8	9	10	11
12	13	14	15 F	16 F	17 D	18 ● D
19	20	21	22	23	24	25
26	27	28	29	30 D	31 D	

○ Pleine lune
● Nouvelle lune
F Jour favorable
D Jour difficile

SANTÉ Sur le plan physique, tout le mois est bon, et votre allure continue de susciter l'admiration de plusieurs. D'ailleurs, si vous vouliez changer de tête ou adopter un *look* plus à la page, cela ferait sensation. Moralement, nous décelons un brin d'insécurité, particulièrement entre le 1er et le 14.

SENTIMENTS Du 1er au 27, vous jouissez d'un double transit avantageux, celui de Vénus et de Jupiter. Voici plus qu'il n'en faut pour insuffler un nouvel élan à votre destinée amoureuse. Un coup de foudre pour les solitaires, une déclaration enflammée ou un tendre rapprochement pour les autres sont au programme. En plus, lors des mondanités, vous êtes la coqueluche.

AFFAIRES Excellent mois à l'horizon durant lequel la chance vous accompagne en tout, y compris au jeu. Que vous choisissiez de miser sur votre carrière, de faire un investissement ou de voyager, vous jouez gagnant. Si vous étiez sans emploi, on pourrait vous faire l'offre du siècle.

SEPTEMBRE						
D	L	M	M	J	V	S
						1 D
2 ○ F	3 F	4	5	6	7	8
9	10	11 F	12 F	13 F	14 D	15 D
16	17 ●	18	19	20	21	22
23/30 F	24	25	26	27 D	28 D	29 F

○ Pleine lune
● Nouvelle lune
F Jour favorable
D Jour difficile

SANTÉ Vous allez de mieux en mieux, si bien qu'à partir du 9, vous donnerez même l'impression de rajeunir. Moralement par contre, vous avez les nerfs à fleur de peau et vous prenez tout au pied de la lettre. C'est dommage, car personne ne vous veut de mal et, en plus, la destinée ne vous réserve que des bonnes choses.

SENTIMENTS Vous êtes constamment sur la trotte, vous rencontrez plein de gens fascinants, mais votre douce moitié commence à trouver que vous vous faites un peu trop rare. Un frère ou une sœur, à moins que ce ne soit un enfant, essuie un revers; toutefois, vos bonnes paroles l'aident à se ressaisir.

AFFAIRES Vous continuez à gravir d'importants échelons, particulièrement pendant les dix premiers jours. Le reste du mois n'annonce rien de fâcheux, mais il se peut que vous vous heurtiez à quelques obstacles. Votre détermination aura tôt fait de les franchir, vous pourriez même transformer une situation épineuse en tremplin. Écoutez votre flair.

OCTOBRE						
D	L	M	M	J	V	S
	1 F	2 ○	3	4	5	6
7	8	9 F	10 F	11 D	12 D	13
14	15	16 ●	17	18	19	20
21	22	23	24 D	25 D	26 F	27 F
28 F	29	30	31			

○ Pleine lune
● Nouvelle lune
F Jour favorable
D Jour difficile

SANTÉ Votre grande sensibilité vous joue parfois des tours, pas assez cependant pour compromettre votre vitalité ou pour vous empêcher de profiter de la vie. Si vous analysez bien ce que vous vivez, vous serez obligé de conclure avec moi que vous avez tout ce qu'il faut pour être heureux.

SENTIMENTS La première quinzaine s'annonce exquise tant en amour que sur le plan social. Partout, que ce soit à la maison ou à l'extérieur, on vous traitera aux petits oignons. Le reste du mois est un peu plus tranquille, c'est vrai, non pas qu'on vous aime moins, mais tout simplement parce qu'on est fort occupé ailleurs. Encore un léger nuage en ce qui concerne un membre de la famille ou un enfant.

AFFAIRES Même si les événements ne se déroulent pas tout à fait de la façon dont vous l'aviez prévue, vous vous débrouillez fort bien. Vous arrivez à vous ajuster aux nombreux changements de dernière minute que comporte ce mois, c'est même une excellente occasion de faire vos preuves. Petites chances au jeu entre le 1er et le 15.

NOVEMBRE						
D	L	M	M	J	V	S
				1 ○	2	3
4	5 F	6 F	7 D	8 D	9	10
11	12	13	14	15 ●	16	17
18	19	20 D	21 D	22 D	23 F	24 F
25	26	27	28	29	30 ○	

○ Pleine lune
● Nouvelle lune
F Jour favorable
D Jour difficile

SANTÉ Avec Mars qui fait un carré à votre signe, mieux vaut être sur vos gardes: ne prenez aucun risque lorsque vous vous déplacez ou quand vous utilisez des objets avec lesquels vous pourriez vous blesser. Une saine alimentation vous évitera aussi quelques malaises. Épisode de tension nerveuse entre le 8 et le 27.

SENTIMENTS Du 9 au 30, Vénus se baladera dans votre signe et fera de l'œil à Jupiter, un transit exceptionnel pour qui veut trouver l'âme sœur ou donner un nouvel élan à sa vie amoureuse. Socialement aussi ça promet d'être emballant. Les tracasseries que vous avez vécues avec un proche commencent enfin à se résorber.

AFFAIRES La pression est grande mais, croyez-moi, le jeu en vaut la chandelle. Vous trimez dur et parfois vous vous demandez si ça vaut le coup de continuer. Courage! Les résultats que vous obtiendrez ce mois-ci dépasseront vos espérances. Excellente période pour les déplacements d'affaires ou de loisir; possibilités intéressantes dans les tirages.

DÉCEMBRE						
D	L	M	M	J	V	S
						1
2 F	3 F	4 F	5 D	6 D	7	8
9	10	11	12	13	14 ●	15
16	17	18 D	19 D	20 F	21 F	22 F
23/30 ○ F	24/31 F	25	26	27	28	29

○ Pleine lune et éclipse lunaire annulaire
● Nouvelle lune et éclipse solaire annulaire
F Jour favorable
D Jour difficile

SANTÉ Dès le 9, vous serez débarrassé du carré de Mars et en même temps des dangers de blessures ou de malaises. Les éclipses qui se produiront par la suite n'auront donc aucun effet négatif sur vous. Alors que plusieurs se retrouveront sur le carreau, vous évoluerez en toute quiétude. Moralement, vous allez beaucoup mieux. Bravo!

SENTIMENTS Quel magnifique mois en perspective! Vos amours devraient vous procurer énormément de bonheur, vous aurez l'occasion de sortir et de rencontrer des gens formidables, et vos rapports avec les amis seront très chaleureux. Quant aux difficultés d'ordre familial, elles s'évanouiront après le 9.

AFFAIRES Ici aussi, c'est entre le 9 et le 31 que vous bénéficiez du plus grand courant de chance, y compris au jeu! Un nouveau contrat, un deuxième emploi ou des heures supplémentaires vous permettront de terminer l'année dans l'abondance. Bonne période pour voyager et pour investir.

Sagittaire

23 novembre au 20 décembre

Votre signe est gouverné par Jupiter, la planète de l'abondance, et, croyez-moi, son influence marque votre personnalité. On dit souvent que votre signe est le plus chanceux du zodiaque, ce qui n'est pas faux.

Votre chance vous vient de votre optimisme et de votre bonne humeur. Et quand ça ne va vraiment pas, vous n'avez qu'à mettre le nez dehors pour que ça se replace... Sortir est le meilleur des toniques pour vous, à tel point que vos amis se demandent pourquoi vous avez un domicile: vous n'y êtes jamais!

En fait, vous ne pouvez tout simplement pas rester en place. Une journée passée à l'intérieur et vous commencez déjà à dépérir. Que ce soit pour aller chercher du lait au coin de la rue, pour aller voir une vieille tantine à Sainte-Émilie-de-l'Énergie ou pour manger au sommet de la tour Eiffel, il faut absolument que vous passiez le seuil. Pas étonnant que vous aimiez tant les voyages; plus c'est loin, plus c'est long et plus ça vous plaît. Vos valises sont toujours prêtes.

L'étranger vous fascine réellement: les coutumes, le folklore régional, la cuisine et, surtout, les habitants des autres contrées vous séduisent énormément. Bien des Sagittaire choisissent un partenaire d'origine étrangère; pour le moins, vous vous ferez de nombreux amis au-delà des frontières. Vous avez besoin de changement, de renouveau, et les voyages vous en fournissent l'occasion. Vos proches se plaignent probablement que vous êtes toujours entre deux avions; s'ils veulent vous voir plus souvent, ils devront voyager, eux aussi.

On représente votre signe par un Centaure, et ça se comprend; mais au lieu de lui donner un arc et des flèches, on aurait dû lui mettre des bagages et des billets d'avion dans les mains.

Même à la maison, vous avez tendance à recréer les pays que vous avez visités ou que vous aimeriez connaître. Pourtant, vous appréciez beaucoup d'autres choses: les sports, les jeux, en particulier les jeux de hasard, le magasinage — quoique, avec votre façon de magasiner, cela devient vraiment un sport: personne ne peut vous suivre! — et surtout la danse. Vous passeriez des nuits entières à danser.

Un de vos traits les plus marquants est sans doute votre esprit indépendant; vous avez besoin d'être autonome, de vous sentir libre d'agir et d'aller à votre guise. Si on veut vous perdre, on n'a qu'à essayer de vous encabaner; on verra alors si on peut vous garder en cage longtemps... Cela rend les relations sentimentales avec vous un peu difficiles, au début, notamment. Vous tenez tellement à votre liberté.

En fait, vous avez besoin d'espace; la nature et la campagne vous plaisent, et vous aimez beaucoup les animaux: chats, chiens, perroquets, chevaux, tout y passe. Rares sont ceux d'entre vous qui n'en possèdent pas ou qui ne rêvent pas d'en avoir. Mais n'oubliez pas qu'il vous faudra quelqu'un pour les garder quand vous serez au loin.

Physiquement aussi, on voit que vous êtes régi par la planète de l'abondance; votre stature est imposante, vous faites de grands gestes et vous avez une légère prédisposition à l'embonpoint. Il faut dire que vous appréciez les plaisirs de la vie et ceux de la table en particulier.

Vous êtes une personne franche et directe. Tout le monde n'est pas comme vous, et cela ne plaît pas toujours; mais vous n'aimez pas faire des chichis et mettre des gants blancs: il faut vous accepter comme vous êtes. Avec vous, c'est à prendre ou à laisser. Une fois qu'on s'y est fait, on peut apprécier votre nature généreuse et votre cordialité.

Vous brassez de grandes idées, mais, en même temps, vous vous intégrez très bien au système et vous réussissez toujours à vous créer une existence confortable, quitte à mener de front deux activités. Et puis, vous vous en êtes déjà aperçu, j'en suis sûre, la chance vous suit. Quand vous en avez besoin, un chèque ou un contrat arrive à l'improviste! Certains disent que ce n'est pas juste... Et tant pis pour les jaloux!

COMMENT SE COMPORTER AVEC UN SAGITTAIRE?

La pire chose à faire est d'entraver sa liberté; s'il se sent enfermé, attaché, il ne pourra pas le supporter et se sauvera. S'il a l'impression que vous vous accrochez à lui, il prendra la fuite. Au contraire, il faut comprendre son besoin d'indépendance, son goût d'être libre. Bref, on doit le laisser sortir, voyager... Il finira bien par revenir!

Lorsque vous discutez avec lui, allez droit au but et ne le contrariez pas carrément. En contrepartie, ne vous attendez pas à ce qu'il mâche ses mots; il n'est pas diplomate pour deux sous. Et comme il est très volubile, dépêchez-vous de dire ce que vous avez à lui signifier, sinon, vous ne pourrez pas placer un mot… il sera parti.

Ce n'est pas facile de le convaincre parce qu'il n'écoute pas. Peut-être qu'à force de répéter, mais même cela… Le mieux à faire, c'est de s'arranger pour que l'idée vienne de lui; il vous expliquera la chose en long et en large, et vous n'aurez qu'à vous laisser convaincre… mais pas trop vite! Il n'aime pas les victoires faciles.

Le Sagittaire a besoin de bouger sans arrêt, d'être constamment actif. Si vous voulez le voir de temps à autre, il vaut mieux accepter les sorties qu'il vous propose parce qu'il ne restera certainement pas à la maison pour vous tenir compagnie. Il ne détesterait pas toutefois que vous, vous le fassiez; mais lui, c'est hors de question. S'il veut partir en voyage, accompagnez-le; il a besoin de quelqu'un pour bien fonctionner. Et de temps en temps, laissez-le partir seul; cela lui fera le plus grand bien: il aime bien s'ennuyer un peu… à condition que ce soit lui qui soit absent.

En résumé, soyez prêt à le suivre et, surtout, soyez prêt à l'attendre. La patience et la confiance sont indispensables avec un Sagittaire, et comme il n'en a pas tellement, il faudra que vous en ayez pour vous deux.

SES GOÛTS

Il aime voir du pays… ou au moins sortir de la maison. Tout ce qui vient de loin, tout ce qui est exotique le fascine. Lorsqu'il part en vacances, il choisit des destinations peu connues, des contrées inexplorées; son agent de voyages est souvent surpris, mais c'est un si bon client.

De l'étranger, il rapporte des connaissances de toutes sortes: des danses folkloriques aux recettes typiques en passant par la philosophie tibétaine et l'art de tuer les tarentules. Des choses bien pratiques, quoi! Comme il achète souvent ses vêtements en voyage, ils ne sont pas tout à fait adaptés à notre climat ou à nos usages; mais du moment qu'ils sont amples et lui permettent de bouger à son aise, cela lui convient. Il ajoutera quelques accessoires voyants, des bijoux gigantesques (il a dû les dénicher dans la vallée des Géants), et le *look* sera complet.

Pour son décor aussi, il choisit des objets qui viennent de partout sur la planète: entre les meubles africains et les gravures thaïlandaises, la vaisselle portugaise et les tentures marocaines, on se croirait... ailleurs. Mais c'est si chaleureux.

On se doute bien qu'en ce qui concerne la nourriture, là encore, il aime ce qui vient d'outre-mer; de la paëlla au couscous, des tacos aux sushis, tout sauf la cuisine de chez nous. Et comme il a bon appétit, il ne faut pas lésiner sur les portions. De bons vins, des alcools importés, du saké doivent évidemment accompagner le tout. Et un petit rappel, et un autre... Il a l'appétit d'un ogre; espérons qu'il n'en ait pas la taille. Justement, pour lui éviter des kilos superflus, amenez-le donc danser: il adore ça!

SON POTENTIEL

Vous pouvez lui demander n'importe quoi, sauf de rester en place. Ses goûts font de lui un agent de voyages hors pair, et il ira jusqu'à accompagner ses clients pour approfondir ses connaissances. L'import-export, les relations extérieures et toutes les professions qui l'obligent à se déplacer lui conviennent à ravir, que ce soit comme astronaute, agent de bord ou conducteur d'autobus.

Le gouvernement, la politique, la philosophie, la sociologie, les automobiles, la justice, l'élevage et le commerce de produits d'origine animale, le transport de personnes ou de marchandises sont d'autres sphères où il fera certainement ses preuves.

Il a beaucoup de potentiel... Mais ne lui demandez pas de travailler dans un bureau derrière une cloison. Il étoufferait!

SES LOISIRS

Ce qu'il préfère entre tout, vous vous en doutez, c'est de prendre l'avion pour aller découvrir des pays inconnus. En fait, notre Sagittaire ne reste jamais bien longtemps à la maison et s'il ne peut pas voyager, il va sortir, même si c'est simplement pour aller chercher un litre de lait; ça lui redonnera de l'énergie. D'ailleurs, il aime beaucoup magasiner et il peut traverser la ville pour découvrir une aubaine... Avec lui, faire les emplettes, c'est toute une excursion.

Comme il est actif, il aime beaucoup les sports qui lui permettent de dépenser son trop-plein d'énergie. C'est également un maniaque de la danse; aussitôt qu'il entend des notes de musique, il part... et il est infatigable. Le Sagittaire raffole aussi des animaux, de tous les animaux. Il peut en faire l'élevage, aller les voir, monter à cheval ou passer des heures à promener son chien. Quel prétexte parfait pour sortir!

Enfin, comme il est curieux de nature, les études peuvent le passionner; il peut fort bien décider de suivre des cours ouverts aux adultes à l'université ou apprendre l'analyse des rêves, ce qui lui conviendrait fort bien. Pour lui, ce seront d'autres façons de découvrir et d'explorer.

SA DÉCORATION

Vous rêvez de partir au loin et ce n'est pas possible? Allez donc rendre visite à un Sagittaire. S'il est chez lui, ce qui n'est pas évident, il vous accueillera à bras ouverts et vous fera voir les quatre coins du monde à la fois.

Dès qu'on met les pieds chez lui, on est complètement dépaysé. En effet, son intérieur est rempli de souvenirs de tous les pays qu'il a visités: un tapis du Pakistan, de la vaisselle de l'île de Crète, des peintures éclatantes des Antilles... Même son conjoint peut venir de l'étranger; alors, imaginez! Tous ces objets de différentes origines donnent néanmoins beaucoup de chaleur à l'ensemble, et on voit qu'il est avant tout un citoyen du monde.

Son logis est invitant; on a le goût d'y rester des heures pour tout regarder: chez lui, on se sent dépaysé, ailleurs... On croirait même entendre la mer et le vent chaud dans les palmiers. Pour compléter cette ambiance exotique, il ne manquerait que du café turc, de la tequila ou du saké... Soyez sûr qu'il en a quelque part!

SON BUDGET

Oh! notre ami Sagittaire ne tient pas de registres de comptabilité et ne planifie pas vraiment son budget. À quoi bon? Il se débrouille très bien sans cela. Son signe est gouverné par Jupiter, la planète de l'abondance, et c'est peut-être pour ça qu'il ne manque jamais de rien.

Il a beau être dans une passe épouvantable, il arrive toujours quelque chose pour le dépanner: un nouvel emploi, un contrat, une petite prime ou que sais-je encore. C'est souvent à la toute dernière minute, mais ça le dépanne, et tout rentre finalement dans l'ordre.

Pour lui, la vie matérielle est importante, les sous aussi: n'est-ce pas ce qui lui permet de s'accorder toutes sortes de plaisirs, y compris les sorties et les voyages qui lui plaisent tant? Pour ce qui est du travail, il est assez chanceux et n'en manque jamais bien longtemps. En fait, pour faire de l'argent, il a un certain flair; par exemple, il n'achètera qu'un ou deux billets de loterie par année, mais il gagnera plus souvent qu'un autre qui participe à chaque tirage. En somme, il aime l'argent, et l'argent l'aime bien.

QUEL CADEAU LUI OFFRIR?

Vous devinez que l'idéal, ce serait une enveloppe contenant des billets d'avion ou de bateau. Mais si votre portefeuille ne vous le permet pas, pourquoi ne pas lui offrir quelque chose d'exotique? Plus ce sera spécial, plus cela viendra de loin, et plus il sera ravi.

En fait, lorsque vous êtes en villégiature, pensez donc à lui rapporter quelque chose, quitte à le lui donner à la prochaine occasion. Une bagatelle qui a fait du chemin lui plaira infiniment plus qu'un objet coûteux qu'il verra dans les magasins.

Vous pourriez aussi lui offrir des récits de voyages, des guides sur des contrées exotiques qu'il n'a pas encore découvertes ou des billets pour une conférence des Grands Explorateurs. Les articles de sport seront également bien appréciés, de la musique de danse ou un accessoire pour son animal favori le ravira. Il n'en a pas encore? Alors, le cadeau est trouvé... mais assurez-vous qu'il soit à la maison assez souvent pour s'en occuper.

LES ENFANTS SAGITTAIRE

Quels beaux bébés joufflus, potelés! De vrais petits chérubins. Ils ont toujours l'air content et ont toujours faim. Mais ils vont bien vite devenir des enfants dynamiques, grouillants et... difficiles à suivre. Ils sont fascinés par le feu. Ils voudront des animaux de toutes sortes — des chiens, des chats, des lapins, des souris blanches — et comme ils ont beaucoup d'initiative, ils vont probablement en rapporter à la maison sans vous demander votre avis. L'idée de demander la permission ne leur viendrait jamais, en passant.

Ils aiment les sports, la compétition. Ils auront besoin d'un tricycle, puis d'une planche à roulettes, puis d'un vélo, puis d'une auto; bref, tout ce qu'il faut pour s'éloigner de la maison le plus souvent possible. Ils adorent les danses, les discothèques, les soirées; d'ailleurs, très jeunes, ils ont déjà leur groupe d'amis, et vous ne les verrez pas souvent, à moins qu'ils ne ramènent toute la bande dîner chez vous, sans prévenir évidemment.

Le petit Sagittaire est un bambin débordant de vitalité, d'initiative, mais ce serait bon de lui apprendre à respecter un peu les autres — à commencer par ses propres parents —, à écouter davantage, à être attentif aux gens et, surtout, à respecter ceux qu'il aime. Il est loin d'être égoïste, il n'y pense tout simplement pas... Ces principes l'aideront beaucoup plus tard.

L'ADO SAGITTAIRE

Tu es quelqu'un qui bouge beaucoup: tu ne restes pas en place. Tu as toujours quelque chose à faire, des gens à aller voir, des endroits à visiter. En fait, le seul endroit où tu n'es à peu près jamais, c'est chez toi.

Tu es à la fois impulsif et franc. Les gens n'apprécient pas toujours ton franc-parler; pourtant ta loyauté est une de tes plus belles qualités. La discipline, très peu pour toi: impossible de t'enfermer de force ou de te faire faire le singe savant, tu es trop indépendant pour cela. D'ailleurs, tu es très individualiste: tu as tes goûts et tes idées.

Tu adores découvrir des endroits que tu ne connais pas, rencontrer du nouveau monde, communiquer avec eux. Les grands espaces, la nature te plaisent énormément. Quant aux voyages, c'est ton rêve. Aller à l'étranger, rencontrer des gens différents, découvrir d'autres cultures, avoir une toute nouvelle vision de la vie; pour toi, c'est une merveilleuse façon d'apprendre. Le sport et la danse te permettent de te défouler.

En général, tu te débrouilles bien: tu es plutôt veinard et, en plus, tu as une attitude positive face à la vie et aux événements. Tu es très indépendant de nature et tu t'attends à ce que tout le monde le soit aussi; par conséquent, tu n'es pas toujours à l'écoute des autres. Ça peut donc devenir difficile d'échanger avec toi ou de te suivre.

Tes études

Tu apprends rapidement, tu es quelqu'un d'ambitieux et, si tu persistes dans tes buts au lieu de te disperser comme l'envie t'en prend souvent, tu pourras atteindre tes objectifs. Tu as la parole facile, tu as réponse à tout... Tu adores aussi te faire remarquer, parfois un peu trop, ce qui peut perturber les autres et déranger tes professeurs, mais tu aimes tellement rire. Rester assis sur un banc, dans une classe sombre, quand le soleil brille dehors, ce n'est pas facile pour toi.

Ton orientation

Bien des choses t'intéressent, voilà le problème; tu changes donc souvent tes champs d'intérêt. Tu as du talent, tu es vif... Fixe-toi un objectif, même s'il est très ambitieux, puis accroche-toi. Te connaissant, si tu te motives et si tu persistes, c'est le succès garanti. C'est évident qu'un emploi routinier et monotone, ce n'est pas pour toi; ça te prend du monde, du renouveau pour te stimuler. Les domaines qui te conviendraient bien sont les voyages, l'import-export, le commerce, la promotion, la publicité, les communications, les relations publiques, les finances, le journalisme, la philosophie, les sports, les soins vétérinaires, l'agriculture, l'élevage, ainsi que tous les emplois qui nécessitent des déplacements et des transports.

Tes rapports avec les autres

Tu es chaleureux, sociable et tu te fais facilement des amis. C'est souvent toi qui proposes une activité, une sortie au groupe; tu as plein d'idées, surtout quand il s'agit de bouger. Tu as beaucoup d'amis, tu connais des tas de gens, on recherche ta compagnie: tu es toujours de bonne humeur, plein d'entrain. Pas le temps de déprimer avec toi. Malgré tout, tu aimes bien faire des choses par toi-même de temps à autre et montrer à ton groupe que tu es indépendant. C'est une autre occasion de rencontrer de nouvelles personnes!

Ils sont Sagittaire, eux aussi

Francis Cabrel, Hugo St-Cyr, Clémence DesRochers, Louise Laparé, Thierry Lhermitte, Pierre Marcotte, Tina Turner, Bruce Lee, Shirley Théroux, Bette Midler, Maria Callas, Walt Disney, Patricia Kaas, Jean Lapointe, Marc-André Coallier, Marie-Louise Arsenault, Pierre Nadeau, Simon Durivage, Frank Sinatra, Kevin Parent, Jocelyne Cazin, André-Philippe Gagnon, Steven Spielberg, Chistina Aguilera, Brad Pitt, Édith Piaf, Michel Chartrand, Reine Malo, Diane Lavallée, Woody Allen.

PENSÉE POSITIVE POUR LE SAGITTAIRE

Je vais où la vie m'appelle, sachant que l'Univers s'apprête à me combler. Je déborde de reconnaissance pour toute la chance dont je dispose.

PENSÉE POSITIVE SPÉCIALE POUR 2001

Je m'adapte aux changements qui surviennent, car je sais que je suis né sous une bonne étoile.

Le subconscient nous dirige toujours selon nos pensées. En répétant le plus souvent possible ces pensées conçues tout spécialement pour vous, vous vous attirerez plein de belles choses.

- Signe: Sagittaire
- Élément: Feu
- Catégorie: Mutable
- Symbole: ♐
- Points sensibles: Hanches, cuisses, reins, troubles musculaires, crampes, problèmes de foie, obésité. Ils ont les plus belles jambes du zodiaque.
- Planète maîtresse: Jupiter, planète de l'abondance.
- Pierres précieuses: Turquoise, grenat, saphir.
- Couleurs: Crème, beige, brun, orange.
- Fleurs: Amarante, violette et narcisse.
- Chiffres chanceux: 8-9-12-18-23-27-35-36-44-45… et tous les autres. Ils ont tellement de veine!
- Qualités: Autonome, indépendant, bon vivant, robuste, sportif, goût du voyage, confiant, globe-trotter.
- Défauts: Dépensier, gourmand, incapable de rester en place, matérialiste, n'écoute pas.
- Ce qu'il pense en lui-même: J'ai tellement hâte d'aller me promener!
- Ce que les autres disent de lui: Il n'est jamais chez lui… Il devrait au moins acheter un répondeur!

Prévisions annuelles

De puissantes influences planétaires s'exerceront dans votre thème astral pendant la majeure partie de l'année. Vous qui détestez la monotonie vivrez une année trépidante. Beaucoup de choses se transformeront autour de vous, à certains moments parce que vous l'aurez décidé, tandis qu'à d'autres parce que la vie vous les imposera. Comme vous êtes vite sur vos patins, vous arriverez à composer avec les nombreux imprévus qui pointent à l'horizon. Au printemps, vous entamerez une période de questionnements et de réévaluation.

SANTÉ Jupiter et Saturne s'opposeront tour à tour à votre signe. Cette conjoncture rappelle à l'ordre ceux qui se négligent ou qui font fi des règles de sagesse élémentaire. En abusant des bonnes choses ou de vos forces, vous risquez d'avoir des embêtements; par contre, si vous vous prenez en main, si vous faites attention à vous et si vous investissez dans votre bien-être, vous traverserez l'année sans problème. À vrai dire, les excès et les imprudences sont à proscrire.

SENTIMENTS Voici un secteur où vous remettrez bien des choses en question, plus particulièrement votre position face aux autres et le rôle que vous voulez vraiment jouer. Puisque vous êtes en pleine redécouverte de vous-même, il ne faut pas vous surprendre que vos attentes et vos objectifs changent. Une chose est certaine, vous saurez exactement ce que vous ne voulez plus. Vous apprendrez à établir vos limites et ne laisserez plus personne abuser de vous, vous ferez même des choix importants. Ce qui est bien, c'est que la destinée mettra sur votre route une multitude de gens parmi lesquels vous pourrez choisir ceux qui sont à la hauteur de vos aspirations. Un conseil, ne négligez pas la santé de vos proches.

AFFAIRES Ici aussi, tout un cheminement vous attend. Vous ressentez un certain malaise face à vos activités; par conséquent, vous ferez des gestes significatifs. Plusieurs opteront pour une nouvelle carrière ou un retour aux études. Pécuniairement, l'année s'annonce en dents de scie, mais comme vous êtes né sous une bonne étoile, vous parviendrez à vous en sortir. Afin de ne pas envenimer la situation, évitez cependant les actes irréfléchis, les dépenses farfelues, les prêts et les investissements risqués. Cette année, ce qui vous convient le mieux est définitivement la prévoyance et la circonspection. Pensez à long terme.

JANVIER						
D	L	M	M	J	V	S
	1 F	2 F	3	4	5	6
7	8	9 ○	10 F	11 F	12 D	13 D
14	15	16	17	18	19	20
21	22	23	24 ●	25	26	27 D
28 D	29 F	30 F	31			

○ Pleine lune et éclipse lunaire totale
● Nouvelle lune
F Jour favorable
D Jour difficile

SANTÉ Vous traînez un peu de la patte jusqu'au 11. Rien de grave, vous n'êtes tout simplement pas dans votre assiette et vous manquez de motivation. Par la suite, vous vous sentirez beaucoup mieux, vous cesserez de broyer du noir et vous ferez même des gestes concrets pour améliorer votre santé. Période favorable donc pour les bonnes résolutions.

SENTIMENTS Si vous savez vous contenter d'une petite vie douce et tranquille, vous avez tout ce qu'il faut pour être heureux. N'attendez pas trop après les autres, faites votre part. Lors de la seconde quinzaine, le dialogue deviendra plus facile, vous pourriez vous faire de nouveaux amis et aussi régler un différend avec un proche.

AFFAIRES Votre meilleure période va du 12 au 31. Servez-vous-en pour entreprendre vos démarches ou pour chercher un nouvel emploi. Vous vous exprimerez avec brio et pourrez convaincre qui vous voulez. Une dépense imprévue surgit, mais vous trouvez les sous pour l'acquitter. Bon temps aussi pour les déplacements.

FÉVRIER

D	L	M	M	J	V	S
				1	2	3
4	5	6	7 F	8 ○ F	9 D	10 D
11	12	13	14	15	16	17
18	19	20	21	22	23 ● D	24 D
25 F	26 F	27 F	28			

○ Pleine lune
● Nouvelle lune

F Jour favorable
D Jour difficile

SANTÉ Un peu de langueur marque la première quinzaine; vous serez toutefois beaucoup plus énergique par la suite. S'il est vrai que l'arrivée de Mars dans votre signe le 15 augmente votre dynamisme, cette conjoncture risque également de prédisposer aux accidents. Je compte sur vous pour prendre vos précautions.

SENTIMENTS Les aspects planétaires vous sourient. Les solitaires pourraient avoir le coup de foudre pour un être compatible tandis que les autres auront la chance d'insuffler un nouvel élan à leur vie de couple. On vous lancera quantité d'invitations, ce qui pourrait vous permettre de retrouver des gens que vous aviez perdus de vue et aussi de nouer de belles amitiés.

AFFAIRES La première semaine laisse quelque peu à désirer; cependant, le reste du mois s'annonce fort encourageant. Votre éclatante personnalité, votre richesse d'argumentation et l'acuité de vos propos vous ouvriront bien des portes. Possibilité intéressante de voyager. Un conseil: ne prenez pas de risque avec votre argent.

MARS						
D	L	M	M	J	V	S
				1	2	3
4	5	6 F	7 F	8 D	9 ○ D	10
11	12	13	14	15	16	17
18	19	20	21	22 D	23 D	24 ● D
25 F	26 F	27	28	29	30	31

○ Pleine lune
● Nouvelle lune
F Jour favorable
D Jour difficile

SANTÉ La planète Mars s'installe dans votre signe. Grâce à elle, vous débordez d'énergie; toutefois, sa présence vous pousse aux actes irréfléchis, voire à la témérité, ce qui peut jouer contre vous particulièrement lors de la seconde quinzaine. Bon mois pour vous refaire une beauté ou pour rajeunir votre allure.

SENTIMENTS Jusqu'au 17, les astres continuent de vous avantager. De belles rencontres, une vie sociale trépidante et des amours passionnées sont au programme. Par la suite, vous devrez agir avec davantage de finesse afin d'éviter les prises de bec et les altercations. L'attitude d'un enfant ou d'un membre de la famille risque de vous irriter souverainement.

AFFAIRES Ici aussi, c'est la première moitié du mois qui vous avantage le plus. Choisissez-la pour présenter vos demandes et pour mettre vos projets en chantier car, par la suite, on pourrait être moins bien disposé à votre endroit. Entre le 18 et le 31, ne signez rien sans garantie sérieuse, ne prêtez pas un sou et ne contrevenez pas à la loi.

AVRIL						
D	L	M	M	J	V	S
1	2	3 F	4 F	5 D	6 D	7 ○
8	9	10	11	12	13	14
15	16	17	18 D	19 D	20 D	21 F
22 F	23 ●	24	25	26	27	28
29	30 F					

○ Pleine lune
● Nouvelle lune
F Jour favorable
D Jour difficile

SANTÉ La tension nerveuse est grande durant la première semaine; par la suite, cependant, vous retrouvez votre positivisme et votre joie de vivre. Physiquement, vous êtes toujours soumis à la présence de Mars qui vous recommande de mettre de côté les abus et l'imprudence sous toutes ses formes. Un peu de modération s'impose.

SENTIMENTS Le mois commence mal, vous avez l'impression qu'on se ligue contre vous. Heureusement, dès le 6, vous jouirez d'aspects planétaires beaucoup plus encourageants. En choisissant les bonnes paroles, vous pourrez régler ce qui accrochait avec un proche et repartir du bon pied. Les solitaires auront un charisme fou, votre vie sociale redémarrera de plus belle.

AFFAIRES Entre le 6 et le 22, vous bénéficierez d'une conjoncture très avantageuse pour vos projets et vos affaires; mieux vaut toutefois ne pas vous associer et miser seulement sur vous-même. Excellente période pour chercher du travail, pour décrocher un contrat ou pour accroître votre clientèle. L'argent rentre, mais vous devez à tout prix continuer de protéger vos arrières.

MAI						
D	L	M	M	J	V	S
		1 F	2 D	3 D	4	5
6	7 ○	8	9	10	11	12
13	14	15	16 D	17 D	18 F	19 F
20 F	21	22 ●	23	24	25	26
27 F	28 F	29 D	30 D	31		

○ Pleine lune
● Nouvelle lune
F Jour favorable
D Jour difficile

SANTÉ En plus de Mars qui est toujours dans le décor, voici que Mercure s'en mêle. Une telle configuration entraîne fréquemment des malaises, de la tension nerveuse et un risque de blessure. Comme vous en êtes averti d'avance, vous pourrez déjouer le destin en prenant davantage soin de vous. Alimentez-vous sainement, demeurez vigilant et ne lésinez pas sur vos heures de repos.

SENTIMENTS Vénus continue de vous offrir de nombreuses possibilités affectives, mais on dirait que vous avez tendance au sabotage. Au lieu de chercher la bête noire ou d'entretenir des attentes irréalistes, essayez donc de profiter de toutes les gentillesses qu'on tente de vous prodiguer. Même si votre entourage est souvent maladroit, il a de bonnes intentions.

AFFAIRES Vous avez beau vous démener, les choses ne vont pas à votre goût. Les retards et les frustrations s'accumulent, et vous commencez à en avoir assez. L'irritabilité et l'impulsivité seraient toutefois bien mauvaises conseillères. Le mieux serait de prendre votre mal en patience en vous disant que, dans un avenir rapproché, tout devrait revenir à la normale.

JUIN						
D	L	M	M	J	V	S
					1	2
3	4	5 ○	6	7	8	9
10	11	12 D	13 D	14 D	15 F	16 F
17	18	19	20	21 ●	22	23 F
24 F	25 F	26 D	27 D	28	29	30

○ Pleine lune
● Nouvelle lune et éclipse solaire totale
F Jour favorable
D Jour difficile

SANTÉ Les aspects planétaires ne changent guère et, par conséquent, vous devez encore être sur vos gardes. Prenez vos précautions pour ne pas vous faire mal, tâchez de ne pas céder à la gourmandise et gardez-vous du temps pour relaxer. En agissant de la sorte, vous vous éviterez des désagréments.

SENTIMENTS La première semaine s'annonce exquise, on cherchera tous les moyens de vous faire plaisir. Le reste du mois exige davantage de doigté, sans quoi vous pourriez mettre le feu aux poudres. Votre entourage semble nerveux, il prend tout au pied de la lettre et déforme parfois même vos paroles. Au lieu de monter sur vos grands chevaux, chouchoutez vos proches, et tout ira pour le mieux.

AFFAIRES Votre vie est encore mal synchronisée, les événements sont loin d'obéir aux scénarios que vous aviez prévus; vos finances laissent elles aussi à désirer. Dès le mois prochain, ça ira plus rondement mais, d'ici là, continuez à marcher sur des œufs et méfiez-vous des erreurs de jugement.

JUILLET						
D	L	M	M	J	V	S
1	2	3	4	5 ○	6	7
8	9 D	10 D	11 D	12 F	13 F	14
15	16	17	18	19	20 ●	21 F
22 F	23 D	24 D	25	26	27	28
29	30	31				

○ Pleine lune et éclipse lunaire partielle
● Nouvelle lune
F Jour favorable
D Jour difficile

SANTÉ La première quinzaine s'annonce encore un peu trouble; on ne peut pas dire que vous êtes au mieux de votre forme. Par la suite, plusieurs oppositions planétaires qui vous affectaient commenceront à s'estomper, et vous devriez automatiquement ressentir un important relâchement des tensions, entre autres sur le plan psychologique. Seule la menace d'un accident perdure, à vous de faire attention.

SENTIMENTS Vous vous repliez sur vous-même et semblez moins communicatif que d'habitude. Vous vous posez beaucoup de questions sur vos relations interpersonnelles, vous éprouvez le besoin de prendre du recul par rapport à certaines personnes. Sans doute le moment est-il venu de tourner certaines pages et de vous orienter différemment.

AFFAIRES Tenez le coup jusqu'au 12 car, à partir de là, votre situation deviendra plus encourageante. Les démarches et les tentatives demeurées stériles jusqu'à maintenant pourraient commencer à débloquer. Vous sentez qu'un cycle se termine et que vous êtes prêt à passer à autre chose.

AOÛT						
D	L	M	M	J	V	S
			1	2	3	4 ○
5	6 D	7 D	8 F	9 F	10 F	11
12	13	14	15	16	17 F	18 ● F
19 D	20 D	21	22	23	24	25
26	27	28	29	30	31	

○ Pleine lune — F Jour favorable

● Nouvelle lune — D Jour difficile

SANTÉ Vous voici beaucoup mieux portant. Vous disposez d'une meilleure réserve d'énergie, vous vous sentez mieux dans votre peau. Mars qui s'éternise dans votre signe vous recommande encore une fois de ne pas vous exposer à des risques inutiles, spécialement entre le 14 et le 31. Prenez vos précautions, ce serait dommage de compromettre votre remontée.

SENTIMENTS Vous retrouvez confiance en vos moyens. Moins ballotté par les événements, il vous est désormais plus facile de voir clair en vous et dans les autres. Un puissant charisme vous caractérise, ce qui pourrait vous permettre de rencontrer quelqu'un de formidable. Ne refusez pas les sorties qu'on vous propose: le temps de vous isoler est révolu.

AFFAIRES Après plusieurs semaines d'insatisfaction, voici que les choses se mettent à mieux aller. Une vieille affaire qui traînait et qui vous empoisonnait l'existence se règle enfin; une démarche que vous effectuerez portera fruit. La première quinzaine est favorable aux déplacements d'affaires ou de loisir.

SEPTEMBRE						
D	L	M	M	J	V	S
						1
2 ○ D	3 D	4 F	5 F	6 F	7	8
9	10	11	12	13	14 F	15 F
16 D	17 ● D	18	19	20	21	22
23/30 D	24	25	26	27	28	29 D

○ Pleine lune
● Nouvelle lune
F Jour favorable
D Jour difficile

SANTÉ Croyez-le ou non, Mars quittera votre signe le 9! Si les derniers mois vous ont paru contrariants, voire ardus, sachez que vous entamez une période de libération. Il ne faudra pas beaucoup de temps pour que vous retrouviez votre bonne forme et votre pep. Attendez-vous d'ailleurs à de nombreux compliments sur votre mine radieuse. Il y a longtemps qu'on ne vous a vu aussi rayonnant.

SENTIMENTS Jusqu'au 21, vous bénéficiez d'un aspect très positif de Vénus, ce qui pourrait vous permettre de régler tout ce qui accrochait. Vos amours redémarrent; une rencontre est à prévoir pour les solitaires. Des réconciliations et de sérieuses marques d'affection vous feront chaud au cœur. En amitié aussi, vous éprouverez de nombreuses satisfactions.

AFFAIRES Le moment est venu d'aller de l'avant. Vous pouvez enfin agir à votre guise sans toujours avoir à redouter un revers. Votre carrière a fini de stagner; en ce mois, vous gravirez même d'importants échelons. On vous appuie, on vous refile même un bon tuyau. Malgré tout, évitez que ces bonnes nouvelles ne vous catapultent dans les magasins.

OCTOBRE						
D	L	M	M	J	V	S
	1 D	2 ○ F	3 F	4	5	6
7	8	9	10	11 F	12 F	13 D
14 D	15	16 ●	17	18	19	20
21	22	23	24	25	26 D	27 D
28 D	29 F	30 F	31			

○ Pleine lune — F Jour favorable
● Nouvelle lune — D Jour difficile

SANTÉ Vous allez de mieux en mieux, plus rien ne vous arrête. Excellent mois pour vous reprendre en main, pour régler ce qui accrochait et aussi pour mettre de l'ordre dans votre vie. Du 15 au 31, vous bénéficierez d'une conjoncture propice aux régimes amaigrissants, aux programmes d'exercices physiques et à la mise en beauté.

SENTIMENTS Sur le plan de l'amitié et de la vie mondaine, tout le mois est favorable. En amour, par contre, et avec la famille, la première quinzaine laisse à désirer; la communication achoppe, et vous avez l'impression qu'on ne fait pas suffisamment attention à vous. Par la suite tout s'arrange, on recommence à vous traiter aux petits oignons, et vous oubliez rapidement tous les désagréments.

AFFAIRES Excellent mois pour les démarches et les déplacements. Vos projets prennent forme, vous vous rapprochez de vos objectifs. Un collaborateur vous cause quelques difficultés durant la première moitié du mois, mais son attitude finit par s'améliorer ensuite. L'obtention d'un contrat ou un renouveau dans vos activités professionnelles vous stimule au plus haut point.

NOVEMBRE						
D	L	M	M	J	V	S
				1 ○	2	3
4	5	6	7 F	8 F	9 D	10 D
11	12	13	14	15 ●	16	17
18	19	20	21	22	23 D	24 D
25 F	26 F	27 F	28	29	30 ○	

○ Pleine lune
● Nouvelle lune
F Jour favorable
D Jour difficile

SANTÉ Vous avez le vent dans les voiles. Vous vous sentez si bien dans votre peau qu'on dirait même que vous avez rajeuni de dix ans. Entre le 8 et le 27, votre intuition se manifestera fortement, vous feriez bien de l'écouter. Bon mois pour des activités à l'extérieur, pour sortir et pour prendre l'air.

SENTIMENTS Jusqu'au 9, vous continuerez à connaître d'innombrables joies en amour, en société et en amitié. Le reste du mois ne présente rien de vilain, bien au contraire, mais vous vous montrerez plus sélectif. Vous chercherez moins à vous étourdir, mais plutôt à approfondir les liens avec certaines personnes bien choisies. Votre conjoint vous propose une sortie alléchante, peut-être même un voyage.

AFFAIRES Tout semble vous arriver en double ce mois-ci. Pour certains, il sera question d'heures supplémentaires, pour d'autres d'un deuxième emploi. Vous recevez plusieurs propositions, et ne savez plus où donner de la tête. Voici le secteur parfait pour vous servir justement de votre belle intuition.

DÉCEMBRE						
D	L	M	M	J	V	S
						1
2	3	4 F	5 F	6 F	7 D	8 D
9	10	11	12	13	14 ●	15
16	17	18	19	20 D	21 D	22 D
23 F/30 ○	24 F/31	25	26	27	28	29

○ Pleine lune et éclipse lunaire annulaire
● Nouvelle lune et éclipse solaire annulaire
F Jour favorable
D Jour difficile

SANTÉ Jusqu'au 9, tout ira comme dans le meilleur des mondes tant sur les plans physique que psychologique. Par la suite, le moral demeure solide, mais vous risquez de ressentir un malaise ou de vous blesser si vous manquez de vigilance. Allez-y plus lentement, faites attention à vous, et tout ira rondement.

SENTIMENTS La belle Vénus se balade dans votre signe. Grâce à elle, les solitaires pourront combler le vide de leur existence tandis que les autres se rapprocheront de leur douce moitié. Le téléphone ne dérougit pas, on vous invite à gauche et à droite, vous voyez plein de beau monde. Un enfant a des pépins durant la première quinzaine, mais ça s'arrange par la suite.

AFFAIRES Votre situation continue d'évoluer très favorablement jusqu'au 14. Durant le reste du mois, vous pourriez ressentir les effets des éclipses. Rien de majeur, si ce n'est un léger ralentissement ou le report d'un projet. Un conseil: ne vous laissez pas embobiner par un vendeur d'illusions et, tant qu'à faire, méfiez-vous donc aussi des voleurs.

Capricorne

21 décembre au 20 janvier

Cela peut sembler curieux, mais on remarque le Capricorne parce qu'il passe inaperçu. Dans une soirée, si quelqu'un essuie les verres ou vérifie une facture dans la cuisine, c'est un Capricorne.

Vous êtes la sagesse en personne; votre sérieux est légendaire. Et puis, vous êtes patient, si patient, peut-être parce que vous savez que le temps est votre meilleur allié. Vous n'êtes pas très énergique, mais votre capacité de travail est étonnante. Votre maîtrise des concepts abstraits, votre esprit analytique et votre logique terre à terre sont des atouts remarquables.

Les gens critiquent votre rigidité, votre peur des changements, votre sens de l'économie qui tient de l'ascèse, que vous soyez peu démonstratif, que vous parliez peu — et jamais de vous, en passant... On trouve toujours à redire, mais jamais personne ne critiquera vos coups de tête, car personne ne vous a jamais vu en faire.

Vous êtes modeste et vous restez souvent dans l'ombre, parfois par choix, parfois par peur. En fait, vous excellez dans les activités rationnelles, le travail en solitaire; votre minutie, votre perfectionnisme sont exceptionnels... d'autant plus que vous faites tout pour ne pas être remarqué, justement. Vous pouvez être président d'une compagnie et avoir l'air d'un simple ouvrier, être riche comme Crésus et porter des vêtements dont votre bonne ne voudrait pas. L'habit ne fait pas le moine... et encore moins le Capricorne!

En bon signe de terre, vous êtes insécure; vous avez peur de la solitude qui vous permet pourtant de vous ressourcer. Vous avez une peur maladive de manquer d'argent et, pourtant, avec votre sens de l'économie, vous faites des merveilles. Et puis, vous en avez toujours un petit peu de caché ici et là, mais vous ne l'avouerez jamais! Vous avez une peur bleue d'être rejeté et vous craignez la fuite du temps. Or, le temps qui passe est votre meilleur allié; grâce à lui, vous vous bonifiez, comme le bon vin.

D'ailleurs, à partir de la trentaine, votre vie prend un tout autre tournant. Si bien des Capricorne sortent de l'ombre à cet âge-là, d'autres voient leur situation évoluer très favorablement. Cependant, tous voient leur caractère, leur moral et même leur vitalité s'améliorer considérablement. Et, ce qui n'est certes pas négligeable, leur compte en banque aussi!

On peut dire que le Capricorne fonctionne à l'envers des autres. Il commence par agir comme un vieillard... mais rajeunit avec les années; la deuxième partie de sa vie est donc bien meilleure, et la troisième alors! Ainsi, n'ayez pas peur des années qui s'écoulent: elles arrangeront bien des choses.

Pour gagner votre amitié ou votre amour, il faut être patient, mais quand c'est fait, vous êtes prêt à tous les sacrifices pour ceux que vous aimez. Vous ne parlez pas beaucoup. C'est plutôt avec des gestes que vous manifestez vos sentiments et, souvent, des actes d'une grande générosité. Avec vous, l'amitié et l'amour sont vraiment éternels.

Vous êtes dévoué, parfois jusqu'à l'abnégation; vous vous effacez devant les autres, vous sacrifiez vos propres intérêts, vous vous consacrez à des missions impossibles, à des gens qui n'en valent pas la peine ou qui abusent de vous. On dirait que votre générosité n'a pas de bornes... Avec le temps (votre grand complice), vous apprendrez, vous serez plus en mesure de choisir ceux à qui vous voulez donner et aussi ce que vous voulez donner. Vous déterminerez vos limites. En attendant, ce n'est pas de tout repos.

Vous êtes sage, sérieux, vous n'avez pas de temps pour la frivolité et les divertissements stériles. Les gens vous reprochent justement d'être distant, de ne pas vous lier facilement et de ne pas vous confier, mais telle est votre nature. Vous ne voulez pas les ennuyer avec vos petits malheurs ni dévoiler vos attentes; votre discrétion passe pour de la froideur. Tant pis! En vérité, ce sont eux qui perdent gros. Et puis, avec le temps, vous vous ouvrirez un peu plus.

COMMENT SE COMPORTER AVEC UN CAPRICORNE?

Ce n'est pas facile de s'approcher d'un Capricorne. Si vous êtes insistant, il recule, et si vous êtes discret, il reste loin... Pourtant, vous devrez faire le premier pas parce qu'il n'en prendra pas l'initiative, à moins que vous ayez un problème: il essaiera alors de vous aider, mais sans parler de lui.

Pour entamer une relation avec lui, il faut être patient, attentif, lire entre les lignes; ce n'est pas évident, mais cela en vaut la peine. Vous aurez ensuite le meilleur allié dont on puisse rêver, fidèle et très dévoué.

Le Capricorne a besoin de se sentir utile. Pendant une réunion d'amis, s'il va lire à l'écart ou vider le lave-vaisselle, cela ne veut pas dire qu'il ne s'amuse pas. Il aime bien qu'il y ait du monde... dans la pièce d'à côté. Mais il n'est pas tellement friand de mondanités. Il sait que le temps qui passe ne revient pas et il n'aime pas le gaspiller. Si vous vous ennuyez, sortez, mais, de grâce, ne l'obligez pas à vous suivre; il le ferait à reculons et ce serait déplaisant pour vous deux. Il est solitaire à ses heures, il vous fait confiance — sinon, il ne vous aimerait pas et, pour lui, c'est une priorité. Alors, allez l'âme en paix. Pour le convaincre, il faut y aller graduellement. Ne croyez pas transformer son existence grâce à une discussion de dix minutes. Soyez logique, montrez-lui son intérêt, les avantages, glissez sur les inconvénients (parlez-en, mais ne l'effrayez pas); surtout, laissez mijoter. Il réfléchira, tournera et retournera la suggestion, finira peut-être par être de votre avis, mais il n'aura pas trop envie de l'avouer. Il vaut mieux ne pas vous tromper, car dans vingt ans, il s'en souviendrait encore, à votre grande surprise. Si ça ne marche vraiment pas et si c'est très important pour vous, allez-y avec les sentiments; il fera ce que vous lui demandez, à contrecœur, mais préférera tout de même cela à se sentir coupable.

Il manque de confiance dans ses capacités et l'énergie pour mettre en marche ses projets lui fait souvent défaut; il est si craintif. Votre appui peut l'aider énormément, plus que vous ne le pensez.

SES GOÛTS

Le Capricorne a des goûts simples, frugaux même. Il vit toujours selon ses moyens et très souvent bien au-dessous; c'est son choix, et il est heureux ainsi. Il aime les choses sobres, classiques, anciennes. Ses vêtements sont bien coupés ou, plutôt, ont été bien coupés à l'époque; la mode a eu le temps de passer et de revenir, mais il a toujours le même tailleur, le même costume. En fait, il ne paie pas de mine. Les gens sont toujours surpris de voir que ses employés, ses enfants sont mieux habillés que lui. Mais son portefeuille est drôlement bien garni.

Pour son domicile, il est un peu tiraillé entre ses goûts modestes et son besoin de sécurité. Il aime les grosses maisons, les gros meubles, ce qui a l'air solide, durable... ce qui vivra cent ans.

À table, il ne fait pas d'excès: il est trop sage. Son petit problème, c'est de ne pas diversifier suffisamment son alimentation, de ne pas manger assez de légumes et de crudités et, surtout, d'aimer un peu trop les sucreries!

SON POTENTIEL

Le Capricorne est travailleur, déterminé; il n'a pas peur des projets à très long terme. Il va lentement, reste dans l'ombre ou se tient à l'écart, mais il fait son chemin sans que personne ne s'en aperçoive, puis il arrive à coup sûr, et alors on s'étonne.

Il laissera sa marque dans tout ce qui a trait à l'administration, la gestion, les banques — il aime bien l'argent! — les mathématiques, les recherches, les investigations (comptables ou autres), les relations d'aide, la gérontologie, l'enseignement ou la politique.

Il peut d'ailleurs avoir énormément d'influence, un pouvoir très étendu ou une grande fortune et n'en rien laisser paraître. Il laisse les autres se pavaner, mais dirige tout par-derrière. Il tire les ficelles, comme un marionnettiste!

SES LOISIRS

On se demande comment quelqu'un d'aussi sérieux peut bien occuper ses heures de loisir. Si vous en parlez à son conjoint, il vous répliquera: «Quelles heures de loisir?» et vous ne serez pas plus renseigné.

En fait, dans ses rares moments libres, le Capricorne aime bien rester à l'écart; il préfère des passe-temps de solitaire qui lui permettent de réfléchir, de penser à ce qui lui plaît sans être obligé de converser ou de «faire le fin».

De longues marches lui font prendre l'air et lui donnent sa ration d'exercice. Ski, raquette, natation et pêche lui conviennent aussi très bien. La lecture peut devenir un excellent moyen d'évasion; vous le verrez souvent choisir des ouvrages en rapport avec ses préoccupations ou ses activités professionnelles. Il réfléchit beaucoup et seul; il se ressource. Pourtant, au fond, c'est un sensible; alors, de temps à autre, allez le chercher et secouez-le un peu.

SA DÉCORATION

Notre ami Capricorne est conservateur dans sa décoration comme dans sa vie. Avec lui, rien n'est perdu, et vous seriez surpris de voir tout ce qu'il peut conserver. Il aime aussi faire des petites réserves et, dans ses armoires, il y a de quoi le fournir pour les prochaines années en nourriture, en papeterie, en vêtements, bref, en tout. Et puis, il y a la remise, le grenier, la cave...

Son sens de l'économie est bien ancré; il ne dépensera pas un sou pour toutes ces babioles vite démodées qu'on annonce dans les magazines. Mais en même temps, c'est un anxieux; son domicile est son refuge: il le veut solide. Il peut donc acheter une immense maison et tout le monde se demandera alors ce qu'il va faire de tant d'espace. Pourtant, croyez-moi, il sera vite utilisé.

Pour les natifs de certains signes, il est important que tout soit moderne... Pas pour le Capricorne. Au contraire, il préfère ce que le temps a éprouvé. Les antiquités lui plaisent bien, d'autant plus que ce sont des valeurs sûres; il en aura certainement beaucoup chez lui. Il choisira de gros meubles, solides, imposants, et vous serez surpris de voir tant de sièges, d'objets de toutes sortes et de vaisselle alors qu'il reçoit si peu.

Il faut dire qu'avec ce qu'il conserve, l'ensemble manque parfois d'unité. Le gros La-Z-Boy en face du canapé Louis-Philippe, l'armoire canadienne à côté du réfrigérateur (et il en a probablement plus d'un), l'antique commode léguée par une vieille tante, les lampes qu'on a remplacées au bureau, les manuels scolaires de son enfance... À ce rythme-là, ça se remplit très vite, une maison, même aussi grande!

Le Capricorne aime beaucoup sa tranquillité et ses petites habitudes; son domicile est sécurisant et il aime retrouver ses petites affaires là où il les a mises. Alors, de grâce, ne changez pas les meubles de place pendant qu'il a le dos tourné!

SON BUDGET

L'économie est le dada de notre cher Capricorne. Il est sage, prévoyant et ne se laisse jamais aller à des folies ou à des dépenses inconsidérées. En fait, il n'achète que lorsqu'il y est obligé. Et d'abord, il vérifiera la qualité, la valeur, la garantie, essaiera peut-être même d'obtenir un rabais, s'assurera de faire une bonne affaire... et, malgré tout, il aura un petit pincement au cœur en passant à la caisse.

Il n'est pas avare, mais il souffre d'insécurité et a toujours peur de manquer d'argent. C'est une angoisse qui le ronge et qui le rongera probablement toute sa vie. En fait, même s'il croule sous l'argent, il n'en paraît rien: il a des goûts si modestes... Mais il a bon cœur, et quand il se permet une dépense, c'est pour offrir quelque chose aux autres, pas à lui-même.

D'ailleurs, il économise sur tout; il fait constamment attention et arrive à faire des prouesses avec son budget. Même si ses revenus sont limités (ce qui est rarement le cas, il est si travailleur), il réussira à mettre des sous de côté. En fait, il se fait de petites cachettes: quelques dollars dans le sucrier, une petite enveloppe bien remplie dans le tiroir de la commode, dans le compartiment secret du portefeuille, un peu ici, un peu là, sans parler des comptes en banque, des placements...

Vous pouvez être sûr que la prévoyance est une de ses belles qualités; il prépare ses vieux jours depuis longtemps et, croyez-moi, il ne sera pas dans le besoin, loin de là. Pourtant, même s'il est assis sur des millions, il est toujours un peu inquiet.

QUEL CADEAU LUI OFFRIR?

Comme notre Capricorne garde ses choses longtemps, on pourrait peut-être remplacer ce qui date un peu. Le téléviseur noir et blanc des années 60 lui convient, dit-il (d'ailleurs, il le gardera certainement s'il le remplace), mais il y a peut-être moyen de faire mieux. Regardez bien: quelque chose pourrait sûrement rendre son quotidien plus agréable, même s'il croit dur comme fer qu'il n'a besoin de rien!

En tout, il a des goûts sobres et traditionnels; au lieu d'une lampe halogène super «flyée», peut-être qu'une lampe de table en belle porcelaine serait plus appropriée. Vous pourriez aussi penser à un vêtement: il en achète si peu souvent. Dans ce cas, choisissez donc des coupes classiques, de la qualité et des teintes neutres. Comme il est plutôt frileux, un beau tricot, des gants ou un foulard le réchaufferont.

Et puis, comme il ne se gâte jamais, pourquoi pas un petit luxe? Il sera mal à l'aise, gêné, il ne saura pas comment vous remercier, il vous grondera... mais il sera enchanté.

LES ENFANTS CAPRICORNE

Le bébé Capricorne ne pose jamais de problème; il est si docile. En vieillissant, il sera toujours aussi sage, sage comme une image, et tout le monde vous dira: «Mon Dieu, qu'il est sérieux pour son âge!» Déjà, il recherche le contact d'enfants plus âgés, voire d'adultes ou de gens de l'âge d'or. Il est fasciné par les vieilles personnes et les écouterait pendant des heures.

Par contre, avec les copains de son âge, il n'est pas très sociable; en fait, il a tendance à rester à l'écart. La solitude lui plaît et convient à ce petit côté individualiste qui ressort déjà.

Il faudrait lui montrer qu'il est important de s'amuser, d'avoir du plaisir, et qu'il est essentiel de frayer avec les petits camarades de son âge. Il est craintif, renfermé, il manque de confiance en lui, mais si vous y remédiez, ce sera le meilleur enfant du monde... Et plus tard, il vous surprendra énormément!

L'ADO CAPRICORNE

Tu es très mûr pour ton âge. Tu ne perds pas ton temps à des peccadilles et, fréquemment, tu as des amis plus âgés que toi. Tu es tranquille, réfléchi, calme. Quand tu décides quelque chose, tu vas jusqu'au bout.

Tu es quelqu'un de très responsable; quand on te confie une tâche ou que tu estimes que tu dois faire quelque chose, cela passe avant tout. On peut se fier à toi, et on le fait un peu trop souvent...

Tes valeurs sont plutôt traditionnelles; pour toi, la justice, la famille, l'ordre établi comptent beaucoup; d'ailleurs, tu t'intègres bien au système. Le côté matériel aussi est important pour toi: tu es économe, sérieux, tu te fais même de petites réserves en cas de besoin.

Ajoutons que, malgré les apparences, tu es un être très fier, et lorsqu'on pique ton orgueil, tu t'en souviens longtemps.

Sur le plan social, tu es plutôt discret. On te trouve même distant et froid. Tu préfères rester dans l'ombre, un peu par prudence, un peu par timidité. Tu as une nature plutôt triste et, avoue-le, la vie te fait peur. Pourtant, tu as tous les atouts en main pour réussir, pour monter très haut... La principale chose à cultiver serait la confiance en toi.

Tes études

Tu es travailleur, tenace et, quand tu entreprends quelque chose, tu t'y consacres à fond. Tu apprends plutôt lentement, mais tu comprends bien et comme tu as une très bonne mémoire, ce que tu sais, c'est pour la vie. Étant donné que tu es déterminé, les études de longue haleine te conviennent fort bien: tu sais que le temps joue pour toi. Tu travailles mieux seul qu'en groupe. À ce sujet, dans les travaux d'équipe, apprends à te montrer plus flexible; cela te servira, crois-moi...

Ton orientation

Tu sais ce que tu veux et tu vas y arriver. En fait, ton côté sérieux va te permettre de faire un choix bien calculé, puis ton application fera le reste... Tu vas donc surmonter les obstacles et atteindre ton objectif, envers et contre tous. Tu as le potentiel nécessaire pour réussir dans les finances, la comptabilité, le droit, la politique, la Bourse, l'administration, la fonction publique, le système bancaire, l'industrie, la santé, la gérontologie, les antiquités, le commerce, l'immobilier, l'agriculture, les affaires et les emplois ayant un lien avec la terre. Il est possible que tu commences ta carrière un peu dans l'ombre, mais, crois-moi, à compter de la trentaine, la réussite t'attend.

Tes rapports avec les autres

Tu es un peu distant; les gens te croient froid. Tu as donc peu d'amis, mais ceux-ci sont bien choisis. Ils savent qu'ils peuvent compter sur toi, et quelquefois ils en abusent un peu. Lorsque cela te convient, parfait, mais apprends à dire non. L'amitié doit être un échange équitable. Essaie aussi d'aller un peu plus vers les gens; on ne te connaît pas assez. Parle davantage, ne crains pas de déranger... Lorsqu'on sait à qui on a affaire, on t'aime bien et on apprécie tes qualités. Tu as beaucoup à offrir.

Ils sont Capricorne, eux aussi

Vanessa Paradis, Émile Nelligan, Annie Lennox, Mao tsé Toung, Marlene Dietrich, Gérard Depardieu, Louis Pasteur, Marianne Faithful, Jacques Cartier, Véronique Cloutier, Ricky Martin, Cate Blanchett, Mahée Paiement, Mel Gibson, Marina Orsini, Nicolas Cage, David Bowie, Elvis Presley, Lara Fabian, Bernard Derome, Martin Luther King, Anne Bédard, René Angélil, Isabelle Lajeunesse, Jim Carrey, Kevin Costner, Dan Bigras, Daniel Bélanger

PENSÉE POSITIVE POUR LE CAPRICORNE

Ma confiance en moi et dans la vie augmente constamment. J'ose accepter les nombreux bienfaits qu'on m'envoie. Plus j'en accepte, plus il m'en arrive.

PENSÉE POSITIVE SPÉCIALE POUR 2001

Je bénis la prospérité qui s'offre désormais à moi et j'accepte dans la joie tout le travail qui se présente.

Le subconscient nous dirige toujours selon nos pensées. En répétant le plus souvent possible ces pensées conçues tout spécialement pour vous, vous vous attirerez plein de belles choses.

- SIGNE: Capricorne
- ÉLÉMENT: Terre
- CATÉGORIE: Cardinal
- SYMBOLE: ♑
- POINTS SENSIBLES: Ossature, décalcification, dentition faible, articulations, genoux, jambes, arthrite, surdité, problèmes d'ouïe et de peau. Jeune, il a peu de vitalité... mais il rajeunit avec les ans!
- PLANÈTE MAÎTRESSE: Saturne, planète de la sagesse.
- PIERRES PRÉCIEUSES: Améthyste, grenat, diamant.
- COULEURS: Gris et toutes les couleurs terre.
- FLEURS: Rose, œillet rouge, glaïeul.
- CHIFFRES CHANCEUX: 3-8-11-17-23-28-30-35-44-48.
- QUALITÉS: Discipliné, sérieux, économe, sage, discret, déterminé, diplomate, traditionnel, terre à terre. Il sait que le temps est son plus précieux allié.
- DÉFAUTS: Manque de sécurité, timide, renfermé, autoritaire, ramasseux, pessimiste, manque de confiance.
- CE QU'IL PENSE EN LUI-MÊME: Je vais tout faire pour eux... Je veux qu'ils m'aiment à tout prix!
- CE QUE LES AUTRES DISENT DE LUI: Demandons-lui ce qu'on veut: il ne sait pas dire non!

Prévisions annuelles

Vous évoluez en parfaite harmonie avec Saturne, votre planète maîtresse. Ce transit exceptionnel vous permet d'envisager l'avenir avec énormément d'optimisme. Non seulement vous sentez-vous de mieux en mieux dans votre peau mais, en plus, vous êtes libre d'agir à votre guise. Pour vous, qui rêvez de stabilité et de sécurité, il ne saurait exister de meilleure conjoncture. Vous voici donc à l'orée d'une année pleine de promesses, durant laquelle les efforts que vous déployez depuis si longtemps se mettent à porter fruit.

SANTÉ La présence de Jupiter dans votre sixième secteur se révèle d'excellent augure. Les gestes que vous ferez en vue d'améliorer votre état soit sur le plan physique, soit sur le plan moral, auront des répercussions immédiates. Une année en or donc pour vous prendre en main et pour mettre un peu d'ordre dans votre vie. À vrai dire, il n'y a que ceux qui verseront dans la négligence qui risquent d'avoir des pépins; tous ceux qui opteront pour le gros bon sens jouiront d'une santé florissante.

SENTIMENTS L'année s'annonce douce et tranquille, ce qui vous convient tout à fait puisque c'est exactement ce que vous souhaitez. Absolument pas de mauvaise surprise en vue, au contraire. Vous resserrerez les liens qui vous unissent à votre petit monde, et en particulier à votre conjoint. Il sera sans doute question de projets à long terme, d'avenir. Les solitaires ne connaîtront peut-être pas le coup de foudre; en revanche, ils pourraient voir une belle amitié se transformer petit à petit en histoire d'amour durable. Vous êtes devenu beaucoup plus solide, vous ne vous laissez plus manipuler; vous choisirez donc avec discernement les gens que vous côtoierez.

AFFAIRES C'est vrai que vous n'avancez pas à toute vitesse, mais au moins vous gardez votre direction et vous approchez de plus en plus de vos objectifs. L'année vous permettra de faire des économies et peut-être même d'envisager un investissement sérieux et profitable. Il y a énormément de travail en perspective, parfois même un peu trop à votre goût; quoi qu'il en soit, vous ne verrez pas le temps passer. En plus de vos activités habituelles, il se peut que vous commenciez autre chose. Encore là, la transition se fera tout en douceur, sans bousculer quoi que ce soit. Bon temps donc pour transformer un passe-temps ou une passion en occupation lucrative.

JANVIER						
D	L	M	M	J	V	S
	1	2 D	3 D	4 F	5 F	6
7	8	9 ○	10	11	12 F	13 F
14	15 D	16 D	17	18	19	20
21	22	23	24 ●	25	26	27
28	29 D	30 D	31			

○ Pleine lune et éclipse lunaire totale
● Nouvelle lune
F Jour favorable
D Jour difficile

SANTÉ Vous voici en parfaite forme pour commencer l'année. Vous êtes vigoureux, vous vous sentez très motivé. Vos bonnes dispositions se reflètent sur votre mine qui vous vaut, d'ailleurs, de nombreux compliments. Un brin de nervosité vous tiraille lors des onze premiers jours, mais tout se replace par la suite.

SENTIMENTS Du 4 au 31, Vénus vous sourira. Grâce à ce transit, vous bénéficierez d'une vie sociale animée et les occasions de rencontrer du beau monde se multiplieront, ce qui peut être avantageux pour les solitaires. Si vous êtes en couple, vous serez émerveillé par les attentions de votre chéri. Un ami est dans le pétrin et compte sur votre aide.

AFFAIRES Même si ça ne fonctionne pas du premier coup, la ténacité et la persévérance qui vous caractérisent vous permettront de triompher en tout. Une promesse qu'on vous avait faite ne sera pas tenue; au lieu de vous désoler, demeurez réceptif: une meilleure offre ne saurait tarder. Le mois est propice aux déplacements d'affaires ou de loisir.

FÉVRIER						
D	L	M	M	J	V	S
				1 F	2 F	3
4	5	6	7	8 ○	9 F	10 F
11 D	12 D	13	14	15	16	17
18	19	20	21	22	23 ●	24
25 D	26 D	27 D	28 F			

○ Pleine lune — F Jour favorable

● Nouvelle lune — D Jour difficile

SANTÉ Les aspects planétaires sont plutôt moyens; cependant, en y mettant un peu du vôtre, vous pourriez transformer ce mois en véritable période de bien-être. Vainquez l'inertie, faites un peu d'exercices, occupez-vous de vous et vous serez emballé par les résultats. Psychologiquement, rien ne semble vous atteindre vraiment.

SENTIMENTS La première quinzaine s'annonce excitante. Vous continuez d'être constamment sur la trotte et de vous amuser; arrive ensuite une courte période creuse entre le 15 et le 23, puis ça redémarre de plus belle. Votre ami qui avait de la difficulté éprouve encore quelques problèmes, mais il s'en sort vers la fin du mois. Altercation possible avec un membre de la famille qui cherche un peu trop à se mêler de vos affaires.

AFFAIRES Jusqu'au 15, vous avez tous les atouts en main pour faire évoluer favorablement votre situation; il sera question de renouveau ou de transformation à votre travail. Entre le 16 et le 28, malgré certains retards et contretemps, vous arrivez à tirer adroitement votre épingle du jeu.

MARS						
D	L	M	M	J	V	S
				1 F	2	3
4	5	6	7	8 F	9 ○ F	10 D
11 D	12	13	14	15	16	17
18	19	20	21	22	23	24 ● D
25 D	26 D	27 F	28 F	29	30	31

○ Pleine lune
● Nouvelle lune
F Jour favorable
D Jour difficile

SANTÉ Vous avez les nerfs à fleur de peau et risquez de prendre les moindres peccadilles au tragique d'ici le 17. Heureusement, vous prendrez sur vous par la suite, et cesserez de vous tourmenter inutilement. Physiquement, rien de grave en vue, si ce n'est que vous semblez moins motivé et que vous êtes parfois enclin à vous négliger.

SENTIMENTS Lors de la seconde quinzaine, le dialogue avec vos proches sera beaucoup plus facile. D'ici là, vous pourriez déplorer un manque de communication ou tout simplement vous imaginer qu'on vous aime moins. Sur le plan mondain, le début du mois est tranquille, mais ça redevient plus vivant à compter du 18.

AFFAIRES Ici aussi, votre destinée semble obéir au même scénario: la première moitié du mois laisse à désirer, vous avez l'impression de tourner en rond et que rien n'avance. Par chance, les deux dernières semaines s'annoncent plus constructives: vos démarches commencent à porter fruit tandis que vos projets se mettent enfin à débloquer. Bon temps également pour un déplacement.

AVRIL						
D	L	M	M	J	V	S
1	2	3	4	5 F	6 F	7 ○ D
8 D	9	10	11	12	13	14
15	16	17	18	19	20	21 D
22 D	23 ● F	24 F	25	26	27	28
29	30					

○ Pleine lune — F Jour favorable
● Nouvelle lune — D Jour difficile

SANTÉ Avouez que vous manquez un peu de discipline. Vous remettez tout à plus tard et si vous n'y faites pas attention, les mauvaises habitudes risquent de s'installer. Encore en ce mois, la paresse vous guette; pourtant, si vous faites un petit effort, vous pourriez renverser la vapeur. Entre le 6 et le 22, vous ferez une petite rechute d'anxiété et serez porté à vous tracasser pour des riens.

SENTIMENTS La première et la dernière semaine promettent d'être emballantes. Vous entretiendrez des rapports tout à fait cordiaux avec vos proches et aurez même l'occasion de vous faire de nouveaux amis. Entre les deux cependant, on décèle une espèce de creux de vague durant lequel vous pourriez trouver qu'on ne vous comprend pas ou qu'on ne fait pas assez attention à vous.

AFFAIRES Jusqu'au 22, vous devrez fournir bien des efforts pour arriver à un résultat concret; l'incompétence de certaines personnes et des projets constamment remis à plus tard risquent de ralentir vos élans. Heureusement, le mois se termine sur une note plus positive, et vous arrivez rapidement à rattraper le temps perdu.

MAI						
D	L	M	M	J	V	S
		1	2 F	3 F	4 D	5 D
6	7 ○	8	9	10	11	12
13	14	15	16	17	18 D	19 D
20 D	21 F	22 ● F	23	24	25	26
27	28	29 F	30 F	31 D		

○ Pleine lune
● Nouvelle lune
F Jour favorable
D Jour difficile

SANTÉ Si vous éprouvez quelques malaises, ils sont probablement d'origine psychosomatique. En effet, la grande tension nerveuse qui semble vous habiter en ce mois risque d'avoir des répercussions sur votre bien-être. Pourquoi ne pas en profiter pour vous adonner à une technique de relaxation ou tout simplement pour vous dorloter un peu plus?

SENTIMENTS Jusqu'au 7, vous trouverez votre destinée bien agréable et serez à maintes reprises témoin de la gentillesse tant de vos proches que des nouvelles personnes que vous rencontrerez. Ensuite, ce sera nettement plus tranquille, probablement un peu trop à votre goût. Si la stabilité de votre vie affective ne suffit pas à vous contenter, prenez quelques initiatives et allez au-devant des autres.

AFFAIRES La première semaine vous permet d'avancer rapidement et même de gravir certains échelons. Le reste du mois, par contre, semble moins palpitant, vous pourriez déplorer un ralentissement de la cadence, voire une pointe d'instabilité. Un conseil: ne prenez aucun risque avec votre argent.

JUIN						
D	L	M	M	J	V	S
					1 D	2
3	4	5 ○	6	7	8	9
10	11	12	13	14	15 D	16 D
17 F	18 F	19	20	21 ●	22	23
24	25 F	26 F	27 F	28 D	29 D	30

○ Pleine lune
● Nouvelle lune et éclipse solaire totale
F Jour favorable
D Jour difficile

SANTÉ Comme durant le mois précédent, vous avez tendance à somatiser. Vos frustrations et vos craintes se manifestent par différents petits malaises. Or, vous pourriez éliminer tout ça en parlant davantage, d'autant plus que votre entourage semble réceptif. Bon mois pour perdre quelques kilos ou pour une remise en beauté.

SENTIMENTS Du 6 juin au 6 juillet, vous bénéficierez d'un transit particulièrement favorable de Vénus. Voilà qui devrait chasser la grisaille; les solitaires pourraient faire une belle rencontre tandis que les autres resserreront les liens qui les unissent à leur partenaire. Socialement, c'est pareil: vous traverserez une période excitante, bref tout le monde vous aime et cherche votre bonheur.

AFFAIRES Si vous restez dans votre coin et attendez après les autres, vous serez déçu. Par contre, si vous foncez et si vous vous faites davantage confiance, tous les espoirs sont permis. Inutile de rester là où ça accroche; changez de cap et optez pour quelque chose de nouveau, vous vous en féliciterez.

JUILLET						
D	L	M	M	J	V	S
1	2	3	4	5 ○	6	7
8	9	10	11	12 D	13 D	14 F
15 F	16 F	17	18	19	20 ●	21
22	23 F	24 F	25 D	26 D	27	28
29	30	31				

○ Pleine lune et éclipse lunaire partielle
● Nouvelle lune
F Jour favorable
D Jour difficile

SANTÉ L'éclipse lunaire se fait dans votre signe, ce qui vous rend plus vulnérable. Rien de terrible à l'horizon, mais plutôt un vague sentiment de mal-être. En vous alimentant sainement, en apprenant à relaxer et en bougeant un peu plus, vous aurez tôt fait de remettre les pendules à l'heure.

SENTIMENTS N'oubliez pas que Vénus vous fait de l'œil jusqu'au 6 et que cette période est remplie de promesses. Entre le 13 et le 30, les relations avec un enfant ou un membre de la famille pourraient se révéler laborieuses, et vous aurez sans doute à mettre de l'eau dans votre vin si vous souhaitez sauvegarder l'harmonie.

AFFAIRES Durant la première quinzaine, vous cumulerez les succès. Vos idées feront sensation et vous serez en mesure de faire valoir vos opinions. Hélas, les choses ne seront pas aussi faciles par la suite. Dites-vous cependant que ce n'est que temporaire et que bientôt vous reprendrez votre vitesse de croisière. Attention aux dépenses superflues!

AOÛT						
D	L	M	M	J	V	S
			1	2	3	4 ○
5	6	7	8 D	9 D	10 D	11 F
12 F	13	14	15	16	17	18 ●
19 F	20 F	21 D	22 D	23	24	25
26	27	28	29	30	31	

○ Pleine lune — F Jour favorable
● Nouvelle lune — D Jour difficile

SANTÉ Vénus et Jupiter s'opposent à votre signe, et cette conjoncture menace vos bonnes résolutions. Résisterez-vous aux tentations? Si oui, tant mieux pour votre digestion et votre silhouette. Moralement, vous vous débarrassez de votre propension au stress et même qu'à partir du 14, vous devenez parfaitement robuste.

SENTIMENTS Attendez-vous à voir beaucoup de monde! Même si bon nombre de ces rencontres ne débouchent sur rien de très sérieux, n'empêche que vous vous amuserez drôlement. Entre le 14 et le 31, vous pourrez régler un froid que vous avez eu avec un proche; vous vous entendrez aussi beaucoup plus facilement avec votre conjoint.

AFFAIRES Les difficultés des deux dernières semaines s'évanouissent. Vous mettez un terme à une affaire épineuse, vous tournez certaines pages et repartez du bon pied. La seconde quinzaine est truffée de bonnes nouvelles. Elle est aussi propice aux démarches, aux recherches et aux déplacements.

SEPTEMBRE						
D	L	M	M	J	V	S
						1
2 ○	3	4 D	5 D	6 D	7 F	8 F
9	10	11	12	13	14	15
16 F	17 ● F	18 D	19 D	20	21	22
23/30	24	25	26	27	28	29

○ Pleine lune
● Nouvelle lune

F Jour favorable
D Jour difficile

SANTÉ Le 9 marque la sortie de Mars de votre douzième secteur et son arrivée dans votre signe. Voici qui devrait vous donner une bonne dose d'énergie. Par contre, ce transit prédispose à l'anxiété et aux risques de blessure. Ne soyez pas distrait, proscrivez les actes téméraires et vous resterez ainsi à l'abri des accidents.

SENTIMENTS Jusqu'au 20, vous avez l'impression que votre popularité est à la baisse, qu'on se désintéresse de vous. Malheureusement, ce n'est pas en bombardant vos proches de questions ou en vous montrant excessivement possessif que vous arrangerez les choses. Et puis, à partir du 21, tout s'arrange comme par magie, et vous vous apercevez que vous vous êtes tourmenté inutilement.

AFFAIRES Les trois premières semaines sont décevantes. Vous avez beau redoubler d'efforts, les résultats se font attendre. L'impulsivité en affaires, au travail et même dans les magasins risque de déséquilibrer vos finances; pensez-y à deux fois avant de vous engager. Une bonne nouvelle lors de la dernière semaine vous permet de terminer le mois sur une note plus optimiste.

OCTOBRE						
D	L	M	M	J	V	S
	1	2 ○ D	3 D	4 F	5 F	6 F
7	8	9	10	11	12	13 F
14 F	15 D	16 ● D	17	18	19	20
21	22	23	24	25	26	27
28	29 D	30 D	31 F			

○ Pleine lune
● Nouvelle lune
F Jour favorable
D Jour difficile

SANTÉ Mars est toujours dans le décor jusqu'au 28; par conséquent, vous ne devez absolument pas relâcher votre vigilance. Conduisez prudemment, redoublez de précautions quand vous utilisez des objets contondants et respectez les règles d'une saine hygiène de vie. Ceci vous gardera à l'abri des contretemps.

SENTIMENTS Les quinze premiers jours sont gouvernés par un transit favorable de Vénus; des amours qui redémarrent, une vie sociale enchanteresse et des rencontres palpitantes sont au programme. Le reste du mois s'annonce plus délicat: vous devrez peser vos mots pour ne pas irriter un proche. Avec un membre de la famille, l'orage gronde.

AFFAIRES C'est assurément la première quinzaine qui sera la plus chanceuse. N'attendez donc pas pour agir, faites-le tout de suite. Bonne période également pour voyager. Du 16 au 31, une erreur de jugement, une négligence ou une action précipitée peut vous faire engloutir une jolie somme.

NOVEMBRE						
D	L	M	M	J	V	S
				1 ○ F	2	3
4	5	6	7	8	9 F	10 F
11	12 D	13 D	14	15 ●	16	17
18	19	20	21	22	23	24
25 D	26 D	27 D	28 F	29 F	30 ○	

○ Pleine lune
● Nouvelle lune
F Jour favorable
D Jour difficile

SANTÉ Mars est sorti de votre signe, vous êtes moins bousculé et pouvez agir en toute sécurité. Psychologiquement, on décèle encore un peu de tension, mais elle faiblit rapidement si bien qu'à compter du 8, vous devriez fonctionner à merveille. Bon temps pour vous reprendre en main et régler définitivement vos petits bobos.

SENTIMENTS Entre le 9 et le 30, vous aurez le bonheur de voir une multitude de choses s'arranger. L'entente avec votre partenaire redevient harmonieuse, vos amis se font plus présents et une personne qui s'était montrée désagréable pourrait même vous présenter ses excuses. Vous avez le goût de sortir et de voir du monde; ça tombe bien, car les occasions de le faire abondent.

AFFAIRES Les désagréments et toute la pression des dernières semaines font place à un cycle nettement plus prometteur. Vous obtenez des résultats concrets et mieux encore, vous pouvez songer à asseoir votre avenir. Entre le 8 et le 27, vos démarches, vos initiatives et les nouveaux projets que vous entreprendrez donneront d'excellents résultats.

DÉCEMBRE						
D	L	M	M	J	V	S
						1
2	3	4	5	6	7 F	8 F
9 D	10 D	11	12	13	14 ●	15
16	17	18	19	20	21	22
23 D/30 ○	24 D/31	25 F	26 F	27 F	28	29

○ Pleine lune et éclipse lunaire annulaire
● Nouvelle lune et éclipse solaire annulaire
F Jour favorable
D Jour difficile

SANTÉ Vous êtes de plus en plus dynamique, et cela se répercute jusque sur votre moral. Vous avez tellement d'énergie qu'on ne vous reconnaît plus. La première éclipse n'a aucun impact sur vous, quant à la deuxième, elle ne vous embêtera pas, pour peu que vous restiez loin des excès entre le 16 et le 31.

SENTIMENTS La présence de Mars dans votre troisième secteur augmente votre talent de communicateur. Vos propos brillants font de l'effet partout où vous passez. Lors des discussions, votre richesse d'argumentation finit par rallier vos interlocuteurs à votre cause. À partir du 26, vous recevrez la visite de Vénus, la planète du bonheur intime: des moments grisants vous attendent.

AFFAIRES La fin de l'année s'annonce fort occupée. Un deuxième emploi, un contrat inattendu ou la possibilité de faire des heures supplémentaires viennent gonfler votre compte en banque. Ici aussi, vous êtes très convaincant, ce qui servira vos intérêts tant dans vos démarches et dans le commerce que lors des négociations.

Verseau

21 janvier au 19 février

Si vous êtes un Verseau, vous êtes né un siècle trop tôt... au moins! Il faut dire que vous êtes très original — les gens autour de vous doivent plutôt dire excentrique; on ne vous comprend pas toujours et on se demande où vous allez chercher toutes ces idées pour le moins renversantes.

Il n'y a qu'à regarder votre cuisine, votre atelier ou votre bureau; c'est rempli de gadgets de toutes sortes: un truc qui tranche les œufs durs, une boîte aimantée qui présente les trombones un à la fois, un bidule pour détecter les poutres et les solives. Tout ça, sans parler de ce que vous avez bricolé ou «patenté» vous-même, parce que personne n'avait pensé à l'inventer... à part vous!

C'est sans doute pourquoi on associe votre signe à toutes les nouvelles technologies, de l'électricité aux télécommunications, des satellites à l'informatique en passant par l'énergie nucléaire et la science atomique. Oui, votre signe fait du bruit... après coup!

Au siècle dernier, on disait que Jules Verne (justement l'un des vôtres) était fou, que jamais un homme ne pourrait voler dans un appareil de métal plus lourd que l'air ou aller sous l'eau dans une machine étanche. Vous auriez parlé de la télévision ou d'exploration sur la Lune, on aurait ri à gorge déployée. Pourtant, aujourd'hui, c'est chose faite. Vous continuez d'être un précurseur, et les gens rigolent... Après votre mort, ils seront bien obligés de constater que vous étiez un visionnaire, mais en attendant, je comprends que c'est parfois bien irritant.

Votre signe est aussi celui des sentiments humanitaires. Dans votre cœur, il n'y a pas de frontières; l'univers entier devient votre domicile. Vous aimez tout le monde sans distinction: Blancs, Noirs, Rouges, Jaunes... ou Verts extraterrestres! Vous allez chercher ce que chacun doit apporter sans vous arrêter à la classe sociale, à la religion, ni à quoi que ce soit d'autre. C'est l'homme qui compte, rien d'autre.

Ces qualités se reflètent dans votre cercle d'amis qui est pour le moins... diversifié, parfois même étonnant. Vous mélangez n'importe qui: un millionnaire, une mezzo-soprano, une militante socialiste et le plombier qui est venu l'autre jour, Miss Trois-Rivières et une vieille religieuse. Vous vous dites que ce sera intéressant pour eux d'avoir d'autres points de vue... En tout cas, ils se rappelleront longtemps cette petite soirée.

Pour vous, c'est important d'apprendre, d'expérimenter, que ce soit dans votre cuisine (sans doute un laboratoire de chrome et d'acier) ou au travail, par l'éducation des petits ou en réglant les problèmes des pays en voie de développement. Les chemins battus, la façon habituelle de faire, ce n'est pas pour vous: vous les laissez aux autres. Vous voulez faire mieux.

Partout, vous mettez votre touche personnelle. Anticonformiste comme vous l'êtes, il vaut mieux ne pas vous demander de vous astreindre à un budget; vous achetez à crédit, vous vous en occuperez plus tard; vous spéculez, mais vous oubliez votre épicier et sa facture... Vous jonglez avec vos sous comme avec vos idées, avouez que vous êtes meilleur avec les idées!

Vous avez des principes très généreux, parfois d'une grandeur magnifique. Pourtant, quand il s'agit de votre vie personnelle, vous n'avez pas toujours le goût de vous sacrifier; vous avez eu l'idée, vous en laissez la pratique aux autres. Sur le plan affectif, entre autres, vous êtes très large en principe, mais que votre conjoint n'essaie pas de vous passer un sapin! Indépendant, vous voulez que tous soient libres, et l'élu de votre cœur doit l'accepter... Mais s'il porte ailleurs ses faveurs, c'est autre chose!

COMMENT SE COMPORTER AVEC UN VERSEAU?

Avant de devenir l'amour de sa vie, vous devez d'abord être son ami. Ne croyez pas que vous formerez un petit couple standard dans une coquette maison. Cette pensée lui donne la chair de poule. Attendez-vous plutôt à vivre dans une tour de verre ultramoderne, dans une maison dont il aura dressé le plan (elle ne ressemblera pas aux autres, croyez-moi!) ou même dans un Spoutnik tombé sur un terrain vague... Mais renoncez à la petite maisonnette blanche à volets dans son jardinet fleuri.

Comprenez qu'il est anticonformiste et prenez-le comme il est. Ne discutez pas des détails quotidiens, de tubes de dentifrice mal fermés ou d'autres choses du genre. Occupez-vous-en vous-même ou laissez faire; lui, ce n'est pas son affaire. Il n'a pas de temps à perdre avec de telles vétilles. Vous pouvez discuter avec lui des plans quinquennaux en Russie, de la guerre des Boers, du problème des clochards, il vous écoutera avec intérêt; mais épargnez-lui les ennuis du quotidien.

Donnez-lui la liberté de voir qui lui plaît, d'avoir ses occupations. Suivez-le, il aime bien avoir un complice... à condition que vous lui laissiez la parole. Ne perdez pas votre temps: vous ne parviendrez jamais à lui faire ranger les casseroles ou nettoyer le garage quand il le faut.

Si vous voulez le convaincre, sortez les grandes théories humanitaires, car les arguments simples et terre à terre, ce n'est pas pour lui. Il plane bien au-dessus des banalités, et puis, vous êtes là pour vous en occuper, pense-t-il. Arrangez-vous pour qu'il trouve lui-même ce dont vous vouliez le convaincre; il vous l'expliquera avec un exemple pratique et l'affaire sera dans le sac. Mais n'oubliez jamais qu'avec lui, il y a deux vérités: celle du monde... et celle de son quotidien. C'est loin d'être pareil.

Les plaintes et les reproches lui déplaisent souverainement et les pressions le font fuir. Vous ne le changerez pas. Faites partie de sa bande, accompagnez-le, frayez avec ses drôles d'amis et il vous appréciera... Tant pis pour le tube de dentifrice et le reste!

SES GOÛTS

Ses goûts sont comme lui: originaux... Il aime ce qui choque ou surprend et ce qui sera à la mode dans dix ans. En attendant, on le trouve excentrique. Côté vestimentaire, ne vous attendez pas à le voir en complet ou en tailleur bon chic bon genre. Il optera pour des vêtements super «flyés» et y ajoutera sa petite touche. Quant à sa maison, elle est remplie de gadgets et d'inventions de toutes sortes.

À table aussi, il aime découvrir et innover. Des combinaisons inusitées lui plairont: gâteau à la tomate, poulet aux kiwis, potage aux pommes et au brocoli. Si vous dînez chez lui, vous serez surpris, mais vous conviendrez que c'est bon... dans le genre. Et puis, comme il n'a pas toujours le temps de cuisiner, il se nourrit souvent de *fast-food*.

SON POTENTIEL

On a vu que le Verseau s'intéresse beaucoup aux nouvelles technologies et au bien-être de ses congénères.

Il fera des merveilles dans l'industrie aérospatiale, l'informatique, l'électronique, le génie électrique, l'invention, le cinéma, la télévision, la radio, mais aussi en psychologie, dans les sciences sociales et les arts. Il aura toujours des idées brillantes et se montrera très créatif. De toute façon, quoi qu'il fasse, il sortira des normes!

SES LOISIRS

Le Verseau n'a pas de passe-temps comme les autres; en fait, il est extrêmement polyvalent et s'intéresse à une multitude de choses. Le nouveau et l'inconnu le captivent et le passionnent; en fait, il ne demande pas mieux que de découvrir, d'explorer et de comprendre.

Avec ses aptitudes, il est évidemment attiré par tout ce qui touche à l'informatique et aux ordinateurs: même s'il travaille dans ce domaine, il voudra continuer chez lui, le soir. En fait, toutes les technologies de pointe l'attirent: l'aéronautique, les missions spatiales, l'intelligence artificielle, les manipulations génétiques. La spiritualité et les mystères l'intriguent également. S'il lit, ce sera certainement un ouvrage ou une revue qui traite d'un de ces sujets.

Il n'aime pas rester seul longtemps; il a besoin de voir des gens, de causer, de discuter et de régler le sort de l'humanité. Il consacre beaucoup de temps à ses amis et le cercle de ses relations s'élargit sans cesse. La psychologie humaine est un autre de ses champs d'intérêt. En réalité, tant qu'il y a du monde autour de lui, il peut s'adonner à n'importe quelle activité et y trouver du plaisir.

Et puis, il aime bien inventer: il y a toujours quelque chose à «patenter», que ce soit des stores verticaux qui fonctionnent à l'électricité, un programme d'ordinateur qui lui donne l'horaire des enfants à l'école ou une recette composée à partir d'ingrédients inusités.

Pas besoin de vous dire qu'au cinéma, il préfère les films de science-fiction.

SA DÉCORATION

Est-ce vraiment sa demeure ou un magasin d'appareils électroniques? Sans doute un peu les deux. Son domicile est rempli de toutes sortes de gadgets qui lui simplifient la vie: il a certainement été le premier parmi ses amis à avoir une boîte vocale, un four à micro-ondes ou un ordinateur.

Il est avant-gardiste et sa maison est supermoderne: tout y est automatisé ou informatisé. Le chrome, les métaux dépolis, la laque blanche ou noire et le granit forment un décor résolument contemporain; on se croirait presque au cœur d'une station orbitale.

Mais il ne se contente pas d'avoir un style futuriste. Il le personnalise avec différentes petites touches inattendues et surprenantes: une gravure du XVIIIe siècle dans un cadre d'aluminium anodisé, un objet ancien qui met le reste du décor en valeur. Il a ses goûts bien à lui.

Cela ne fait pas vraiment partie de sa décoration, mais regardez bien... Sa maison est toujours grouillante de monde!

SON BUDGET

Dans ce domaine aussi, notre ami Verseau vit dans le futur: il achète maintenant... et paiera plus tard. Il est toujours tenté par quelque chose, un appareil pour ci, un gadget pour ça, et n'essayez pas de lui dire qu'il peut s'en passer: si cela existe, il le lui faut, et pas dans quatre semaines. Et puis, parmi ses nombreux amis, il y en a toujours un à dépanner, ce qui vide son compte en banque...

On dirait que l'argent lui brûle les doigts; ses proches et son conjoint auront beau essayer de le raisonner, l'économie, très peu pour lui. Dans le fond, il méprise le capitalisme... sauf qu'il consomme diablement.

Bien sûr, quand il a eu son ordinateur, il a dû passer des heures à élaborer un programme pour tenir son budget. Mais depuis que le programme est monté, il n'a eu ni le temps ni l'envie de s'en occuper. Ce qu'il devrait essayer d'inventer, c'est plutôt une machine pour imprimer de beaux billets bruns.

QUEL CADEAU LUI OFFRIR?

Trouver quelque chose pour votre Verseau, c'est facile. Le problème, c'est de le lui offrir avant qu'il ne l'ait acheté. On dirait qu'il a un radar pour détecter les nouveaux gadgets.

Vous pouvez quand même essayer de dénicher l'objet qui va lui simplifier la vie. S'il en existe deux modèles, choisissez le plus futuriste, celui qui comporte le plus de boutons, de réglages et de manettes. Qu'il s'agisse d'un aspirateur ou d'un tournevis rechargeable, plus c'est compliqué, plus il l'aimera. D'ailleurs, son flair le guide et, sans même lire les instructions, il devinera comment utiliser les moindres fonctions.

Heureusement que le marché abonde de nouveautés, comme cette télécommande à infrarouge qui remplace les commandes à distance de la télé, du vidéo et de la chaîne stéréo. Il trouvera sûrement une façon de l'utiliser pour actionner aussi son système d'alarme et ses ventilateurs de plafond: il est si ingénieux.

LES ENFANTS VERSEAU

Ces petits bouts de chou aiment vraiment voir du monde; ils sont éveillés, curieux et veulent tout comprendre. En vieillissant, ils deviendront de petits bonshommes ou de petites bonnes femmes très sociables, avec plein de copains... Et ils ne seront pas toujours de votre quartier ou à votre goût.

Le petit Verseau aime être entouré: il raffolera de la garderie et ramènera sa bande à la maison. Il adore bricoler, «patenter» toutes sortes de choses; les avions, les fusées, les jeux électroniques, Nintendo et autres le captivent.

Il faudrait toutefois essayer de lui inculquer le respect de certaines traditions, et ce n'est pas facile, je le sais. Apprenez-lui aussi à être un peu plus à l'écoute des autres, de ses proches. C'est bien beau d'avoir des idées humanitaires, mais ses parents ne sont pas venus au monde pour ramasser ses affaires et lui donner des sous. Si vous lui faites comprendre que le respect des autres commence à la maison, avec son esprit inventif et ses capacités, rien ne pourra plus l'arrêter.

L'ADO VERSEAU

Tu es quelqu'un de très spécial. Tes idées surprennent un peu, ton comportement aussi, mais tu es comme tu es. Tu as une intelligence avant-gardiste, tu es à l'affût des nouvelles tendances et tu t'intéresses à tout ce qui est inédit. Tu es vif, tu comprends vite et tu développes constamment de nouveaux champs d'intérêt.

Évidemment, une telle personnalité se remarque et fait jaser, mais c'est la preuve de ton originalité, et ça ne te déplaît pas. Tu es très indépendant: pour toi, l'ordre établi, c'est de la foutaise. Tu trouves que les dirigeants en place ne font pas grand-chose de constructif. Tu ne veux surtout pas être écrasé par le système. En fait, tu es un grand idéaliste; pour toi, la justice sociale et la liberté sont des valeurs essentielles.

Tu aimes beaucoup les gens; tu as un tas de copains qui prennent la première place dans ta vie, des amis de tous genres... Mais cela ne veut pas dire que tu fais des compromis pour qu'on t'aime. Souvent, on se plaint que tu n'es pas affectueux, pas assez démonstratif; c'est que, pour toi, il y a d'autres moyens de prouver ses sentiments.

Tout ce qui est d'avant-garde t'attire, qu'il s'agisse de jeux électroniques, d'informatique, de musique ou de science-fiction. D'ailleurs, tu as un petit faible pour les gadgets, ta chambre en est probablement remplie. Et comme tu es ingénieux et bricoleur, tu inventes plein de trucs différents.

Cependant, les choses matérielles comptent très peu. Souvent, tes proches déplorent ton manque de sens pratique et tes dépenses... Mais pour toi, c'est bien secondaire; les gens et les idées passent avant tout.

Tes études

Tu apprends très facilement, et n'importe quoi. Il faut stimuler ton intérêt. Les programmes académiques trop rigides, les cours obligatoires bidon, ce n'est pas tellement dans tes cordes. Le problème, c'est que beaucoup de domaines t'attirent, mais dès que tu vois comment ça marche, tu as envie de passer à autre chose. La vie étudiante t'intéresse plus que les études elles-mêmes... Pourtant, tu as beaucoup de talents et si tu gardes ta direction, tu pourrais faire quelque chose de spécial pour la collectivité. Choisis les domaines qui sortent de l'ordinaire; là, tu seras toujours le premier.

Ton orientation

Avec toutes les possibilités qui s'offrent à toi, ce n'est pas évident de te fixer. Heureusement, quand tu veux, tu es capable de voir à long terme. Les deux champs d'intérêt où tu pourrais le mieux manifester tes talents sont le travail social et les techniques d'avant-garde. Tu pourrais donc exceller dans tout ce qui est psychologie, criminologie, syndicalisme, justice, politique, journalisme, télévision, radio, cinéma, marketing, électronique, astrologie, informatique, astronautique, technologie de pointe, génie, électricité, aéronautique, physique ou sciences. D'ailleurs, quoi que tu fasses, tu essaies toujours de trouver une façon inédite et ingénieuse de le réaliser.

Tes rapports avec les autres

Ils sont bien nombreux, tes camarades, et ce n'est pas un groupe ordinaire. Tu te moques des préjugés et tu choisis des individus sans tenir compte de leur statut ou de leurs origines. Cela fait une bande un peu disparate, mais c'est le reflet de la société et cette diversité t'apporte beaucoup. Tu passes énormément de temps avec les copains, tu te lies facilement et tu aimes beaucoup échanger, discuter. Pour toi, l'amitié passe avant tout le reste.

Ils sont Verseau, eux aussi

Geena Davis, Neil Diamond, Véronique Béliveau, Wayne Gretzky, Sarah McLachlan, Oprah Winfrey, Phil Collins, Mario Pelchat, Angèle Coutu, Jim Corcoran, Jules Verne, Gilbert Sicotte, Mia Farrow, Gregory Charles, Loreena McKennitt, John Travolta, Mario St-Amand, Garth Brooks, Sheryl Crow, Brandy, Axelle Red, Renee Russo, Matt Dillon.

PENSÉE POSITIVE POUR LE VERSEAU

Je suis un être unique et je remercie la vie de me faire vivre des expériences uniques. Je suis en harmonie avec la création.

PENSÉE POSITIVE SPÉCIALE POUR 2001

J'accepte la nouvelle abondance qui entre dans ma vie et je rends grâce à l'Univers.

Le subconscient nous dirige toujours selon nos pensées. En répétant le plus souvent possible ces pensées conçues tout spécialement pour vous, vous vous attirerez plein de belles choses.

- Signe: Verseau
- Élément: Air
- Catégorie: Fixe
- Symbole: ♒
- Points sensibles: Chevilles, jambes, varices, enflures, chutes, crampes, engourdissements, système cardio-vasculaire.
- Planète maîtresse: Uranus, planète des nouvelles technologies.
- Pierres précieuses: Améthyste, saphir étoilé, ambre.
- Couleurs: Pêche, turquoise et tous les tons de bleu.
- Fleurs: Mandragore, oiseau de paradis, toutes les fleurs inhabituelles… À moins qu'il n'en invente lui-même une nouvelle variété!
- Chiffres chanceux: 4-8-13-16-21-22-34-37-44-48.
- Qualités: Avant-gardiste, indépendant, original, plein d'humanité, intelligent, compréhensif, sans préjugés, désintéressé, en avance sur son époque.
- Défauts: Instable, indifférent, anarchiste, peur de s'attacher, refus des responsabilités, difficultés avec le budget.
- Ce qu'il pense en lui-même: Si je n'étais pas là, les voitures seraient encore tirées par des chevaux…
- Ce que les autres disent de lui: Il ne pourrait pas faire comme les autres, pour une fois?

Prévisions annuelles

Deux choses très importantes se produiront dans votre thème astrologique cette année. D'abord, Saturne, qui vous a affligé depuis deux ans, sortira du paysage le 20 avril. Cette planète vous a valu beaucoup de frustrations, voire de déceptions; votre route a été semée d'embûches, et vous avez avancé avec difficulté. Bonne nouvelle, ce temps-là tire à sa fin! Autre bonne nouvelle: à compter de votre anniversaire, vous pouvez compter sur Jupiter, qu'on surnomme la grande bénéfique; ses bons effets se feront sentir pendant 24 mois, ce qui vous permettra non seulement de réparer les pots cassés, mais aussi de marquer plusieurs bons points.

SANTÉ Encore cette année, vous devriez appliquer la loi de la sagesse. Si vous faites attention à vous, si vous investissez dans votre capital-santé, vous évoluerez sans rencontrer d'obstacles; vous pourriez même faire de sérieux progrès. La présence bienfaisante de Jupiter vous permettra de rencontrer des gens susceptibles de vous aider à corriger ce qui n'allait pas, tant sur les plans moral que purement physique. Ceux qui voudraient se prendre en main et améliorer leur forme ne peuvent rêver d'une meilleure période pour passer aux actes.

SENTIMENTS Une impressionnante vague de popularité marque cette année, pourtant vous demeurerez très sélectif et n'accorderez votre confiance qu'à ceux capables de vous donner des preuves tangibles de leur bonne foi. Socialement, vous serez très en demande, vous ferez la connaissance d'une multitude de gens mais, encore là, vous vous montrerez prudent avant de vous engager. Si vous êtes seul, vous aurez certes l'occasion de remplir le vide de votre existence et, comme vous êtes devenu très sélectif, vous ferez des choix judicieux. Pour ce qui est des relations déjà existantes, vous continuerez à faire du ménage pour ne conserver que celles qui sont à la hauteur de vos attentes.

AFFAIRES Vous arrivez sans aucun doute à la croisée des chemins et vous vous apprêtez à entreprendre une étape décisive. Certains envisageront un retour aux études, un changement de travail, voire une nouvelle carrière. Ce vent de transformation vous convient tout à fait, et même si des changements vous sont imposés, ce sera pour le mieux. Vous vous rapprocherez de votre idéal sans avoir constamment à reporter à plus tard ce qui vous tient à cœur. À vrai dire, la chance se range de votre côté, y compris dans les jeux de hasard. Bonne année pour renouer avec les voyages.

JANVIER						
D	L	M	M	J	V	S
	1	2	3	4 D	5 D	6 F
7 F	8	9 ○	10	11	12	13
14 F	15 F	16 F	17 D	18 D	19	20
21	22	23	24 ●	25	26	27
28	29	30	31 D			

○ Pleine lune et éclipse lunaire totale
● Nouvelle lune

F Jour favorable
D Jour difficile

SANTÉ Un mauvais aspect de Mars vous prédispose aux chutes, aux blessures et aux malaises; si toutefois vous prenez les précautions qui s'imposent, vous pourrez aisément passer outre. Psychologiquement, vous semblez assailli par une vague de nervosité entre le 11 et le 31. Apprenez à relaxer et pensez à vous avant de trop vous occuper des autres.

SENTIMENTS On fait de gros efforts pour vous faire plaisir, mais on dirait que rien ne vous contente vraiment. Un ami se montre de bon conseil et vous aide à voir clair en vous. Durant la seconde quinzaine, une invitation arrive par surprise; acceptez-la, de très agréables moments vous attendent. Une altercation avec un jeune pourrait s'arranger si vous mettez un peu d'eau dans votre vin.

AFFAIRES Les trois premières semaines risquent d'être décevantes. Malgré votre bonne volonté, vos efforts donnent peu de résultats; méfiez-vous également des beaux parleurs et des voleurs. La fin du mois vous réserve de meilleures choses; une bonne nouvelle concernant vos finances, l'aboutissement d'une démarche ou le règlement d'une affaire qui traînait pourrait vous faire sauter de joie.

FÉVRIER						
D	L	M	M	J	V	S
				1 D	2 D	3 F
4 F	5	6	7	8 ○	9	10
11 F	12 F	13 D	14 D	15	16	17
18	19	20	21	22	23 ●	24
25	26	27	28 D			

○ Pleine lune F Jour favorable
● Nouvelle lune D Jour difficile

SANTÉ Le mauvais aspect de Mars sévit encore jusqu'au 15 mais, par la suite, vous en serez débarrassé et pourrez agir à votre guise; d'ici là, continuez à être sur vos gardes. Vos nerfs sont encore fragiles, il ne faut pas grand-chose pour vous déstabiliser; un brin d'exercice ou une technique de relaxation vous aiderait certainement.

SENTIMENTS Durant la première quinzaine, vous pourriez déplorer un manque de communication avec vos proches; un parent risque aussi de vous causer quelques inquiétudes. Heureusement, le reste du mois s'annonce beaucoup mieux. Vos amours redémarreront, vous réglerez tous vos différends et vous bénéficierez d'une vie sociale bien plus animée.

AFFAIRES Ici aussi, la conjoncture se traduit de la même manière; un début de mois contrariant suivi d'une période nettement plus stimulante. Entre le 15 et le 28, vous aurez du succès dans tout ce que vous entreprendrez, vos demandes recevront toute l'attention qu'elles méritent, et vous pourriez même toucher une somme que vous n'attendiez pas. Bonne période aussi pour les déplacements d'affaires ou d'agrément.

MARS						
D	L	M	M	J	V	S
				1 D	2 F	3 F
4	5	6	7	8	9 ○	10 F
11 F	12 D	13 D	14 D	15	16	17
18	19	20	21	22	23	24 ●
25	26	27 D	28 F	29 F	30 F	31

○ Pleine lune
● Nouvelle lune
F Jour favorable
D Jour difficile

SANTÉ Physiquement, vous vous portez beaucoup mieux; on peut même dire que vous remontez la pente à vive allure. La tension nerveuse qui vous dérangeait depuis le début de l'année s'atténue grandement à compter du 17. Vous vous sentirez mieux dans votre peau, vous reprendrez confiance en vos moyens et en la vie. Bon mois pour vous refaire une beauté ou pour perdre quelques kilos.

SENTIMENTS La présence de Vénus dans votre troisième secteur vous confère un charme fou; partout où vous passez, vous volez la vedette. Pas étonnant que les solitaires soient aussi populaires, ils pourraient même avoir l'embarras du choix. Quant aux autres, ils redécouvrent leur partenaire et célèbrent le début d'un temps nouveau.

AFFAIRES Ne perdez pas de temps et passez à l'attaque. Le moment est venu de vous vendre, de vous mettre en valeur et d'aller chercher ce qui vous tente depuis un certain temps. Excellent mois pour les démarches, les changements, les études et les voyages. Encore quelques chances au jeu, particulièrement d'ici le 15.

AVRIL						
D	L	M	M	J	V	S
1	2	3	4	5	6	7 ○ F
8 F	9 D	10 D	11	12	13	14
15	16	17	18	19	20	21
22	23 ● D	24 D	25	26 F	27 F	28
29	30					

○ Pleine lune
● Nouvelle lune
F Jour favorable
D Jour difficile

SANTÉ N'oubliez pas que c'est en ce mois, plus précisément le 20, que Saturne quitte définitivement la scène. Ceux qui traînaient encore de la patte verront leur état s'améliorer grandement; quant aux autres, le moins qu'on puisse dire, c'est qu'ils jouiront d'une plus grande liberté d'action. Moralement, vous serez au mieux entre le 6 et le 23.

SENTIMENTS Les astres favorisent toutes les facettes de votre vie sentimentale. Vous vous amuserez ferme avec vos amis, vous pourriez même vous en faire de nouveaux; socialement, vous continuez de briller de tous vos feux. Quant à vos amours, il y a longtemps qu'elles ne se sont révélées aussi gratifiantes. Profitez-en, vous ne l'avez pas volé!

AFFAIRES Un autre domaine où les planètes vous choient. Ça va vite, parfois un peu trop à votre goût, mais peu importe ce que vous entreprendrez, vous êtes assuré de trouver le succès. Dire qu'il n'y a pas si longtemps vous trouviez qu'il ne se passait rien, et maintenant, tout arrive en double. Pécuniairement, la remontée se poursuit, et les déplacements demeurent avantageux.

MAI						
D	L	M	M	J	V	S
		1	2	3	4 F	5 F
6 D	7 ○ D	8	9	10	11	12
13	14	15	16	17	18	19
20	21 D	22 ● D	23 F	24 F	25	26
27	28	29	30	31 F		

○ Pleine lune — F Jour favorable
● Nouvelle lune — D Jour difficile

SANTÉ Un peu d'anxiété marque la première semaine, mais le reste du mois vous trouve fringant et optimiste. Physiquement, rien ne semble vous atteindre. Excellent mois pour prendre des résolutions, pour mettre un peu d'ordre dans vos habitudes de vie et pour vous reconditionner physiquement.

SENTIMENTS Jusqu'au 6, nous décelons un petit nuage, une prise de bec risque de survenir avec un proche. Ensuite, tout est beau, et vous serez au septième ciel. De nombreuses sorties sont à prévoir; d'ailleurs, l'une d'entre elles pourrait permettre aux solitaires de dénicher la perle rare. Un ami a besoin de votre aide et il vous devra une fière chandelle.

AFFAIRES Même si la situation ne prend pas nécessairement la tournure que vous aviez prévue, vous continuez de marquer des points. Du 7 au 31, vous vous exprimerez avec une éloquence peu commune, tout le monde achètera vos idées. Bonne période pour les jeux de hasard et, encore une fois, pour les déplacements.

JUIN						
D	L	M	M	J	V	S
					1 F	2
3 D	4 D	5 ○	6	7	8	9
10	11	12	13	14	15	16
17 D	18 D	19 F	20 F	21 ●	22	23
24	25	26	27	28 F	29 F	30 D

○ Pleine lune — F Jour favorable

● Nouvelle lune et éclipse solaire totale — D Jour difficile

SANTÉ L'éclipse ne devrait pas vous incommoder; toutefois, la gourmandise et le manque de rigueur pourraient ralentir votre course. Demeurez donc fidèle aux bonnes résolutions que vous avez prises récemment, et tout continuera d'aller comme sur des roulettes. Votre moral quant à lui demeure au beau fixe.

SENTIMENTS La première semaine s'annonce suave, et vous n'aurez aucune occasion de vous plaindre de votre sort. Par la suite cependant, votre vie deviendra plus tranquille; vous en avez perdu l'habitude, et il se peut que vous vous sentiez momentanément perplexe. Mais non, on ne se désintéresse pas de vous, on a tout simplement bien des responsabilités sur les bras.

AFFAIRES Un autre très bon mois pour donner suite à vos projets, pour entreprendre des démarches et pour voyager. Vous avez mille choses à accomplir et, en plus de savoir vous organiser, vous êtes efficace comme pas un. L'argent rentre… et sort rapidement; vous avez du mal à réprimer votre envie de dépenser.

JUILLET						
D	L	M	M	J	V	S
1 D	2	3	4	5 ○	6	7
8	9	10	11	12	13	14 D
15 D	16 D	17 F	18 F	19	20 ●	21
22	23	24	25 F	26 F	27 D	28 D
29	30	31				

○ Pleine lune et éclipse lunaire partielle
● Nouvelle lune
F Jour favorable
D Jour difficile

SANTÉ L'éclipse se produit dans votre douzième secteur, ce qui peut entraîner une baisse de la résistance tant physique que psychique. Pourtant, en prenant quelques précautions, vous pourrez facilement passer outre. Alimentez-vous sainement, ne laissez pas le stress s'accumuler et octroyez-vous un peu plus de temps libre.

SENTIMENTS Dès le 6, vous bénéficierez d'un magnifique transit de Vénus, la planète du bonheur affectif. Vos amours vous combleront, et vous pourrez faire des projets sérieux. En amitié et en société, vous serez également choyé; les marques d'attention qu'on vous portera vous feront chaud au cœur.

AFFAIRES Entre le 6 et le 31, vous pourriez rafler une jolie somme lors d'un tirage. Au boulot, la pression est grande, mais vous arrivez parfaitement à tirer votre épingle du jeu, ce qui impressionne grandement quelqu'un qui pourrait alors vous faire une proposition alléchante.

AOÛT						
D	L	M	M	J	V	S
			1	2	3	4 ○
5	6	7	8	9	10	11 D
12 D	13 F	14 F	15	16	17	18 ●
19	20	21 F	22 F	23 D	24 D	25
26	27	28	29	30	31	

○ Pleine lune — F Jour favorable
● Nouvelle lune — D Jour difficile

SANTÉ L'éclipse est passée, vous vous sentez plus solide et plus résistant sur le plan physique; bon temps donc pour vous reprendre en main et repartir du bon pied. L'opposition de Mercure joue avec vos nerfs jusqu'au 14, mais la seconde moitié du mois s'annonce plus détendue; vous arrivez enfin à voir clair en vous et vous vous branchez plus facilement.

SENTIMENTS Au lieu de trouver votre vie ennuyeuse, apprenez plutôt à en savourer la stabilité. Regardez autour de vous: préféreriez-vous être à la place de cet ami qui éprouve actuellement de sérieuses difficultés de couple? Un enfant vous tracasse durant la première quinzaine, puis tout s'arrange.

AFFAIRES Quelques lenteurs et obstacles risquent de vous irriter d'ici le 15; la ténacité pourrait toutefois vous permettre de triompher de l'adversité. Sinon, tout rentrera dans l'ordre par la suite, et vous reprendrez votre vitesse de croisière. Un conseil: ne défiez pas la loi, sans quoi une amende ou une contravention menace de faire un trou dans votre budget.

SEPTEMBRE						
D	L	M	M	J	V	S
						1
2 ○	3	4	5	6	7 D	8 D
9 F	10 F	11 F	12	13	14	15
16	17 ●	18 F	19 F	20 D	21 D	22
23/30	24	25	26	27	28	29

○ Pleine lune
● Nouvelle lune
F Jour favorable
D Jour difficile

SANTÉ Votre moral ne cesse de s'améliorer, vos réflexes sont vifs, vous avez des traits de génie et vous faites preuve d'une lucidité peu commune. Physiquement, tout ira rondement jusqu'au 9 mais, par la suite, vous risquez de vous essouffler un peu si vous ne ralentissez pas la cadence; vous auriez tort de croire que vos réserves d'énergie sont inépuisables.

SENTIMENTS Avec votre chéri, les choses ne tournent pas rond; ce n'est pas vraiment de sa faute mais plutôt celle de quelqu'un qui cherche un peu trop à se mêler de vos affaires. Une mise au point s'impose. Avec les amis et lors de réunions mondaines, aucun problème en vue, bien au contraire, vous vous divertissez à souhait.

AFFAIRES Vos bonnes idées et surtout la façon brillante avec laquelle vous les présentez rallient tout le monde à votre cause. Aucune porte ne saurait rester fermée devant autant d'adresse! Bon mois pour les études, les déplacements et le commerce en général. Entre le 10 et le 31, une dépense imprévue vous oblige à desserrer les cordons de votre bourse.

OCTOBRE						
D	L	M	M	J	V	S
	1	2 ○	3	4 D	5 D	6
7 F	8 F	9	10	11	12	13
14	15 F	16 ● F	17 D	18 D	19	20
21	22	23	24	25	26	27
28	29	30	31 D			

○ Pleine lune — F Jour favorable
● Nouvelle lune — D Jour difficile

SANTÉ Mars évolue en ce mois dans votre douzième secteur, et vous vous sentez à plat. Ne lésinez pas sur vos heures de repos, mangez correctement et cessez de vous tracasser pour des riens, ça vous aidera à refaire le plein d'énergie et surtout à rester à l'abri d'une infection ou d'un malaise. Si le moral flanche parfois, votre logique demeure édifiante.

SENTIMENTS Du 15 octobre au 9 novembre, Vénus vous fera de l'œil. Cette configuration planétaire vous permettra de retomber amoureux de votre partenaire et de filer le parfait bonheur; si vous êtes seul, ce n'est plus pour longtemps. Votre vie sociale demeure pétillante, vos amis sont gentils comme tout.

AFFAIRES Vous aurez probablement à redoubler d'efforts pour arriver à vos fins mais, croyez-moi, votre persévérance sera largement récompensée. Une personne dans votre milieu de travail vous donne du fil à retordre en s'opposant à vos idées ou vos à initiatives; devinez qui aura le dernier mot? Vous, bien sûr! Petites chances au jeu durant la seconde quinzaine.

NOVEMBRE						
D	L	M	M	J	V	S
				1 ○ D	2 D	3 F
4 F	5	6	7	8	9	10
11 F	12 F	13 F	14 D	15 ● D	16	17
18	19	20	21	22	23	24
25	26	27	28 D	29 D	30 ○ F	

○ Pleine lune
● Nouvelle lune
F Jour favorable
D Jour difficile

SANTÉ Avec l'arrivée de Mars dans votre signe, vous retrouvez votre ardeur et votre énergie; en revanche, ce transit prédispose aux accidents, et vous devez par conséquent vous montrer plus vigilant que d'habitude. Ne laissez pas une négligence ou une distraction vous jouer un tour. Psychologiquement, vous avez tendance à angoisser à la moindre peccadille.

SENTIMENTS Je vous rappelle que Vénus vous avantage grandement d'ici le 9. Ensuite, vous devrez être très délicat dans vos relations interpersonnelles si vous souhaitez sauvegarder l'harmonie. En effet, vos proches seront susceptibles et risqueront de s'offenser pour un rien; un membre de la famille ou de la belle-famille en particulier pourrait vous faire une scène. Attention à ce que vous direz!

AFFAIRES Ce mois n'est pas vraiment propice aux coups d'éclat, mais plutôt au travail dans l'ombre et aux entreprises à long terme. Ne vous en faites pas si la récolte ne vient pas immédiatement, bientôt vos efforts seront récompensés. Parlant de récompense, vous avez quelques chances dans les tirages jusqu'au 14.

DÉCEMBRE						
D	L	M	M	J	V	S
						1 F
2	3	4	5	6	7	8
9 F	10 F	11 D	12 D	13	14 ●	15
16	17	18	19	20	21	22
23/30 ○	24/31	25 D	26 D	27	28 F	29 F

○ Pleine lune et éclipse lunaire annulaire
● Nouvelle lune et éclipse solaire annulaire
F Jour favorable
D Jour difficile

SANTÉ Mars quitte votre signe le 9 et, avec cette planète, s'en iront les menaces de blessure; d'ici là demeurez sur le qui-vive; du 10 au 31, vous serez en pleine possession de vos moyens, et les éclipses ne vous dérangeront pas du tout. Moralement, vous allez infiniment mieux et vous faites plus facilement la part des choses.

SENTIMENTS Les altercations et désagréments des dernières semaines disparaissent pour céder la place à un cycle beaucoup plus réjouissant. Les petites querelles d'amoureux sont terminées, vous êtes à nouveau sur la même longueur d'onde. Avec les amis et lors des réunions mondaines, le plaisir est assurément de la partie.

AFFAIRES Vous continuez de trimer dur, mais le moment de la récolte approche à grands pas; une promotion, une prime, un nouveau contrat ou l'obtention d'un emploi mieux rémunéré viendront en témoigner après le 8. Un conseil: ne mettez pas cet accroissement financier en péril en prêtant de l'argent ou en investissant à la légère.

Poissons

20 février au 20 mars

Il y a bien des gens sensibles, mais peu le sont autant que vous. Que vous riiez aux éclats ou que vous ayez un moment de tristesse, vos yeux semblent toujours baignés de larmes! Il faut dire que vous avez une richesse émotive exceptionnelle; ce qui se passe autour de vous vous touche énormément, que ce soit l'attitude de celui qui partage votre vie, les attentions de vos enfants, le comportement de vos collègues et de vos voisins… Même ce qu'on présente au petit écran, vous le vivez à 100 %, et plus encore!

Une autre caractéristique très marquée, c'est votre générosité presque sans bornes; vous voudriez que tout le monde soit heureux et vous êtes toujours prêt à donner votre chemise. Bien sûr, cela vous met parfois dans une situation un peu difficile: dans certains cas, après avoir aidé les autres, vous finissez par vous trouver dans le besoin.

Vous êtes d'un naturel plutôt mélancolique et souvent un peu rêveur. Le côté terre à terre des choses ne vous intéresse pas vraiment: vous êtes au-dessus de cela. Vous ne mettez pas toujours beaucoup d'énergie dans vos activités quotidiennes ou dans votre carrière. Certains disent parfois que vous manquez d'ambition, que vous vous laissez guider par les événements, mais en réalité, ce sont les sentiments qui passent en premier lieu.

Avec les autres, vous vous montrez invariablement doux et bienveillant: si quelqu'un a des problèmes, vous l'écouterez, le remonterez, lui donnerez le petit coup de pouce dont il avait besoin, même quand, moralement, vous n'êtes pas au sommet de la forme. Quelle que soit l'heure du jour ou de la nuit, vous êtes prêt à donner du temps et de l'énergie à ceux qui en ont besoin; c'est pourquoi les soins à autrui vous conviennent tellement. Vous avez une âme de missionnaire, et c'est vrai jusque dans vos relations avec les autres.

Le problème, c'est que, souvent, les gens tiennent votre gentillesse pour acquise et ne font rien pour la mériter. Ne vous est-il jamais arrivé d'aider quelqu'un à régler un problème, à s'en sortir, pour ensuite vous trouver seul quand ça n'allait pas? C'est décevant, mais, malgré tout, vous avez toujours le cœur sur la main. Heureusement pour nous!

La vie matérielle est secondaire pour vous; vous préférez vivre dans une petite maison délabrée, mais pleine d'amour, que seul ou mal aimé dans un palais. Les disputes, les engueulades, la méchanceté ou l'indifférence vous perturbent grandement; aussi est-il essentiel de vous entourer de gens positifs et attentionnés.

En fait, vous êtes si sensible, si malléable, que votre entourage déteint sur vous. De mauvaises influences peuvent vous causer beaucoup de tort. Si les choses ne vont pas à votre goût, au lieu de vous fâcher, vous vous plaignez, vous vous lamentez, mais vous refusez de faire de la peine à ceux qui vous blessent... Sans compter que, pour oublier vos chagrins, l'alcool ou les drogues peuvent parfois être tentants. Mais au fond, vous savez bien que s'évader ainsi ne réglerait rien.

Vous en faites trop pour être aimé; pourtant, vous avez de si belles qualités: sensible, bienveillant, gentil, vous pouvez compter sur une imagination fertile et une vie spirituelle très riche. Ajoutons que vous avez souvent des dons pour pressentir les choses, des prémonitions ou du moins une intuition fantastique.

Votre petit défaut, c'est de laisser aller les choses, d'attendre que les problèmes se règlent d'eux-mêmes, de tout remettre au lendemain. Mais, après tout, on ne peut pas se plaindre: c'est vous qui en pâtissez, et cela fait partie de votre petit côté bohème si charmant.

COMMENT SE COMPORTER AVEC UN POISSONS?

Ce qui compte avant tout pour le Poissons, ce sont les sentiments. Vous aurez beau lui donner tous les arguments logiques du monde, si son cœur lui dicte autre chose, c'est inutile. Pour tout ce qui le concerne, vie courante, plan de carrière, affaires personnelles, il se fie d'abord à ce qu'il ressent.

Si vous voulez le convaincre, prenez-le plutôt par les sentiments; dites-lui que ça vous ferait plaisir, que ses proches seraient fiers de lui, qu'il dépannerait un tel, et le tour sera joué. Comme il est généreux et veut toujours rendre tout le monde heureux, il a du mal à dire non.

Cette âme romantique a une petite tendance à la nonchalance. Laissez-lui des moments de répit et comprenez qu'il en a vraiment besoin. Après tout, sa vie émotive, c'est son carburant.

Il n'est pas très énergique, et il faut souvent lui pousser dans le dos ou lui rappeler ses obligations, c'est si peu important pour lui; nulle part ailleurs vous ne trouverez quelqu'un qui vous aime autant, qui soit toujours prêt à vous consoler et à vous dorloter.

SES GOÛTS

Le Poissons a des goûts un peu bohèmes. Il ne se préoccupe pas outre mesure de son apparence; il opte pour de vieux vêtements confortables avec une petite touche romantique, mais d'abord pour le confort. Et regardez ses souliers: en vrai Poissons, il aime être pieds nus et se déchausse à la première occasion, parfois même en public. Chez lui, c'est la même chose. Son intérieur n'est peut-être pas impeccable, mais on s'y sent si bien, et puis, il est là pour vous gâter!

Il est un peu gourmand et aime bien manger. C'est le convive idéal, car il appréciera tout ce que vous lui servirez... et en redemandera probablement. S'il suit un régime, donnez-lui l'occasion de tricher un peu; il sera ravi de se laisser tenter.

SON POTENTIEL

En raison de sa richesse émotive et de son grand cœur, on a vu que le Poissons est toujours prêt à écouter et à consoler.

Il excellera donc dans tout ce qui concerne les soins à autrui, le travail social, la médecine et les domaines paramédicaux, mais aussi dans la police, l'armée ou la marine, à moins qu'il ne se dirige vers les milieux hospitaliers ou carcéraux: il aime se sentir utile. Le commerce de boisson ou d'alcool lui convient aussi tout à fait; s'il est barman, il aura toujours une oreille attentive pour ses clients.

Doué comme il est, il peut également être un artiste de talent. Et, comme il est très intuitif, la religion, les sciences occultes et le paranormal peuvent aussi l'attirer. En somme, il a énormément de potentiel... Dommage que sa paresse l'empêche parfois de se réaliser pleinement.

SES LOISIRS

Pour notre petit Poissons, les moments les plus agréables sont certainement ceux passés avec les gens qu'il aime autour d'une bonne table, peut-être avec un verre ou deux d'un excellent vin.

Le Poissons est sensible; il est toujours disposé à écouter le problème qu'on veut lui confier et c'est une «bonne oreille». S'il peut aider quelqu'un ou faire du bien autour de lui, il sera ravi. Ajoutons que sa sensibilité et son goût pour toutes les formes d'expression de la beauté font de lui un fervent admirateur des arts et de la musique. Il s'intéresse aussi beaucoup à la vie spirituelle: tout ce qui touche à la parapsychologie, aux sciences occultes, à l'astrologie ou à la métaphysique l'intéresse vivement. Il peut donc passer de longs moments à lire sur un sujet ou des soirées à écouter des conférences; d'ailleurs, avec son intuition, il peut exceller dans ces domaines.

Mais notre Poissons est aussi un adepte du farniente, de la douce oisiveté, et il peut rester des heures à rêvasser, sans rien faire de particulier... du moins en apparence. Qui sait ce qu'il fait en pensée pendant ce temps-là?

SA DÉCORATION

La demeure du Poissons est comme lui, très particulière. Oh! elle n'est peut-être ni très grande ni très somptueuse, mais elle est si invitante qu'on a le goût de s'y attarder.

Pour commencer, le Poissons nous y accueille à bras ouverts; il est toujours ravi de voir quelqu'un qu'il pourra dorloter. On a envie de se vautrer dans les fauteuils moelleux, on s'y sent si bien; c'est un vrai petit nid.

Le décor est plutôt romantique: de belles dentelles, des fleurs séchées, des souvenirs de toutes sortes. Et puis, il pense aux petites douceurs: vous y trouverez certainement une jolie boîte de biscuits ou une bonbonnière invitante posée sur une table. Bien sûr, il y a peut-être un peu de poussière ici ou là, mais qu'importe... on est si bien!

SON BUDGET

Notre cher Poissons vit dans la sphère élevée des sentiments. Le budget n'est pas son souci majeur. Il faut dire que ses affaires sont plutôt fluctuantes.

Financièrement, sa vie est souvent marquée de hauts et de bas, non pas en raison de son imprévoyance, mais à cause de son grand cœur et de sa confiance démesurée. Autour de lui, il se trouve toujours quelqu'un de mal pris — ou, hélas, de mal intentionné — pour essayer d'obtenir de l'argent ou une faveur. Et comme il a du mal à dire non, c'est lui qui finit par se trouver dans le pétrin.

Pour équilibrer son budget, il faudrait qu'il fasse de petits efforts et, surtout, qu'il apprenne à se protéger en affaires. Il devrait refuser catégoriquement de prêter de l'argent ou d'endosser un prêt, apprendre à se méfier de sa crédulité et toujours demander des garanties. En effet, c'est souvent ceux en qui il a le plus confiance qui se défilent au moment de payer. Il doit aussi se méfier de sa générosité; c'est gentil de gâter les autres, mais il faut aussi penser un peu à soi.

En fait, pour que son budget balance, il faudrait que notre Poissons au grand cœur se durcisse... Mais est-ce vraiment possible?

QUEL CADEAU LUI OFFRIR?

De tout le zodiaque, notre Poissons est sans doute la personne la plus facile à satisfaire sur ce plan-là: un rien le ravit. Jouez la carte des sentiments; il préférera quelque chose qui fait vibrer ses émotions et qu'il chérira longtemps. Laissez donc faire les cadeaux pratiques et terre à terre, et fiez-vous à votre intuition (même si elle n'est pas aussi aiguisée que la sienne). Une fleur, une photo, une carte, peu importe; ce qui compte d'abord pour lui, c'est l'attention: il sera réellement enchanté que vous ayez pensé à lui.

Évidemment, une boîte de bonbons ou de chocolats, une bouteille de prunelle ou de bénédictine l'emballeront... Mais, comme on l'aime bien, on ira avec modération: il a tant de mal à résister. Pourquoi ne pas essayer de lui faire des confiseries santé? Il appréciera le soin que vous aurez pris.

La musique douce lui plaît beaucoup: une cassette ou un disque compact de chansons romantiques ou de musique Nouvel Âge lui permettront de passer des heures exquises. Les histoires d'amour ou les romans policiers lui plairont aussi énormément. En fait, la moindre bagatelle le propulsera au septième ciel.

LES ENFANTS POISSONS

Voici de petites puces adorables, toutes dodues et toutes douillettes, qui pleurent d'ailleurs beaucoup. Plus tard, les petits Poissons seront des enfants très gentils, qui chercheront constamment à vous faire plaisir; ils rapporteront de l'école ou de la garderie plein de dessins qu'ils auront faits pour vous, des fleurs cueillies sur le chemin du retour. Votre sourire est leur plus belle récompense.

Ils sont imaginatifs, intelligents, mais ils ont tendance à rêver un peu trop souvent. Comme ils sont timides et très sensibles, ils ont besoin de beaucoup d'affection. Évitez toutefois de trop les couver. Au contraire, il faut les pousser petit à petit hors du nid, leur donner confiance en eux, leur apprendre à se fixer des objectifs réalistes et à s'y tenir. Si on leur montre à rehausser leurs belles qualités d'un brin de fermeté, ils deviendront des êtres exceptionnels en grandissant.

L'ADO POISSONS

Tu es quelqu'un de doux et de sensible, trop sensible parfois. Souvent, en quelques instants, tu passes de la joie à la tristesse et tes proches ne comprennent pas pourquoi. Tu es très souple, cela peut être ta force et en même temps ta faiblesse. Tu aimes les gens et tu es très généreux; quand il s'agit de donner, tu ne calcules pas. Tu es bourré de talents; tu as la tête pleine d'idées, d'inspiration, et tu peux exceller dans les arts. La logique n'est pas ton point fort. Par contre, tu as beaucoup d'intuition. Souvent, tu pressens les choses, tu te dis: «Ce n'est pas logique, ça ne se peut pas», puis, finalement, il s'avère que tu avais raison.

Les gens, eux, n'ont pas ton talent pour deviner, et comme tu n'oses pas parler ou revendiquer, tu vis souvent des situations qui te déplaisent. Quelquefois, il vaut mieux dire ce qui ne va pas: souffrir en silence ne donne jamais grand-chose. Affirme-toi un peu plus, tu en as tout à fait le droit.

Ce qui compte le plus pour toi, ce sont les sentiments et tes relations avec les gens qui t'entourent. C'est de cela que dépendent ton bonheur ou ta tristesse. Quand ça ne va pas, tu as un peu tendance à broyer du noir, à pleurnicher, tu aimerais qu'on vienne te consoler... mais parfois cela fait l'effet contraire, et les gens te fuient.

Tu es un être très généreux; l'injustice, les problèmes d'autrui, la misère humaine te troublent énormément. Tu fais beaucoup pour aider les autres... tu donnes de bon cœur. Apprends aussi à recevoir: tu le mérites, tu sais.

Tes études

Tu as beaucoup d'imagination, mais le problème, c'est que tu ne sais pas toujours ce que tu veux. C'est délicat de s'orienter dans une direction... puis, après quelques sessions, de changer du tout au tout. Tu es intelligent, tu comprends bien, mais ton gros défaut est de rêvasser tout le temps. Les cours et les travaux s'en ressentent. Secoue-toi un peu, tu seras étonné de ce que tu peux réaliser. Je sais que souvent tu te remets en question; pourtant, c'est tout à fait normal de vivre des échecs de temps à autre; il y a presque toujours moyen de les surmonter, à condition de se faire confiance. Fais face à la réalité, ne la fuis pas!

Ton orientation

Nous évoluons tous: nos goûts changent, mais si tu t'éparpilles trop, tu risques de perdre bien du temps et de n'arriver nulle part. Ce serait dommage. Plusieurs domaines peuvent t'attirer, entre autres, tout ce qui touche aux soins à autrui ou au monde des arts. Le premier te donnerait l'occasion d'aider les gens, le second, de t'exprimer. Parmi les activités qui t'iraient bien, citons: les professions médicales et paramédicales, les médecines douces, le travail social, la psychologie, l'ésotérisme, la religion, le travail dans les prisons ou les maisons d'hébergement, la toxicomanie, la décoration, la musique, la danse, l'alimentation, la littérature et la peinture.

Tes rapports avec les autres

Tu as trop bon cœur, et c'est si facile de te blesser ou de te faire du mal. Il te faut donc choisir tes amis avec soin. Comme tu es très sympathique, tu attires beaucoup de gens, mais il faut apprendre à dire non, même si parfois c'est difficile. Ton groupe de copains est important; si tu les choisis bien, ils vont t'aider à t'extérioriser, à parler de tes problèmes et te soutenir dans tes projets. Bien sûr, parfois, ils vont apprécier un petit coup d'épaule, mais évite les gens à problèmes ou qui ne tiennent pas compte de ta personnalité et de tes valeurs. Tu as ton mot à dire, et il est important.

Ils sont Poissons, eux aussi

Patrice L'Écuyer, Michel Forget, René Simard, Luc Plamondon, Alexandre Graham Bell, Marie Michèle Desrosiers, Juliette Binoche, Liza Minelli, Serge Turgeon, Michael Caine, Jerry Lewis, Daniel Lavoie, Bruce Willis, Elizabeth Taylor, George Harrison, Richard Cocciante, Jean-Marc Parent, Drew Barrymore.

PENSÉE POSITIVE POUR LES POISSONS

Mon intuition me guide vers le bonheur et l'épanouissement. Plus je l'écoute, plus j'avance en sécurité.

PENSÉE POSITIVE SPÉCIALE POUR 2001

Je suis branché sur ma voie intérieure et je sais reconnaître quelle est la meilleure route pour moi.

Le subconscient nous dirige toujours selon nos pensées. En répétant le plus souvent possible ces pensées conçues tout spécialement pour vous, vous vous attirerez plein de belles choses.

- Signe: Poissons
- Élément: Eau
- Catégorie: Double
- Symbole: ♓
- Points sensibles: Pieds (problèmes ou déformations), mélancolie, état dépressif, intestins, circulation, boulimie, parfois un penchant pour l'alcool, les pilules ou les drogues.
- Planète maîtresse: Neptune, planète du plan mental.
- Pierres précieuses: Pierre de lune, saphir, aigue-marine.
- Couleurs: Blanc cassé et toutes les nuances de bleu.
- Fleurs: Lys, lotus, iris.
- Chiffres chanceux: 5-7-17-19-23-25-32-34-41-49.
- Qualités: Compatissant, émotif, tendre, généreux, intuitif, imaginatif, sentimental, esprit de groupe, doux.
- Défauts: Nonchalant, manque de volonté, bonasse, crédule, désorganisé, passif, influençable.
- Ce qu'il pense en lui-même: C'est drôle, les gens viennent toujours me voir quand ils ont des problèmes...
- Ce que les autres disent de lui: Ça ne va pas bien... je vais aller le voir pour qu'il me remonte un peu.

Prévisions annuelles

Une année décisive se dessine. Vous arrivez à la croisée des chemins et vous voudrez redéfinir vos objectifs. Lors des six premiers mois, vous nagerez souvent en pleine confusion, ce qui vous incitera à vous interroger et à remettre bien des choses en question. Plusieurs changements importants surviendront, fréquemment vous en serez l'instigateur, mais il se peut que, parfois, ce soit la vie qui vous les impose. Par la suite, vous bénéficierez de l'arrivée d'un fort courant de chance qui vous permettra de trouver la solution à bien des problèmes et de concrétiser plusieurs désirs.

SANTÉ La quadrature de Jupiter devrait vous inciter à prendre davantage soin de vous. La pire chose à faire serait de céder à la gourmandise ou de commettre divers excès. En abusant de vos forces ou en ayant un mode de vie désordonné, vous risquez d'avoir des ennuis. Par contre, en prenant de bonnes résolutions et surtout en les tenant, vous pouvez être assuré de passer une année positive. Vos états d'âme seront variables durant la première moitié de l'année; il vous sera nettement plus facile de trouver votre équilibre par la suite.

SENTIMENTS C'est dans votre nature d'être trop généreux, et cette année, vous risquez particulièrement d'être victime de requins. N'hésitez pas à établir vos limites, ne vous laissez pas envahir et gardez les sangsues à distance. Trop de gens cherchent à se mêler de vos affaires ou à vous dicter votre conduite. Il est temps d'apprendre à dire non. Bien sûr, certaines personnes pourraient en prendre ombrage, mais dites-vous que de voir s'éloigner un manipulateur ou un profiteur ne représente pas une grosse perte. De toute façon, la deuxième moitié de l'année vous permettra de rencontrer du bien beau monde avec qui vous vous lierez d'amitié, et possiblement même sur le plan amoureux si vous êtes libre.

AFFAIRES D'ici le 11 juillet, vous aurez parfois du mal à obtenir ce que vous désirez. Votre carrière n'ira pas au rythme que vous souhaitez, vos finances risquent aussi de faire des leurs. Afin de ne pas envenimer les choses, proscrivez les prêts, les affaires risquées et les investissements à la légère. À compter du 12 juillet, vous jouirez de l'appui de Jupiter et alors, tout commencera à changer. Les situations qui stagnaient se mettront à évoluer favorablement ou seront carrément remplacées par de meilleures opportunités. Pécuniairement, vous amorcerez un cycle à la hausse, vous pourriez même rafler un prix dans un tirage. Bonne période pour faire des changements, pour aller de l'avant et également pour voyager.

JANVIER						
D	L	M	M	J	V	S
	1	2	3	4	5	6 D
7 D	8 F	9 ○ F	10	11	12	13
14	15	16	17 F	18 F	19 D	20 D
21	22	23	24 ●	25	26	27
28	29	30	31			

○ Pleine lune et éclipse lunaire totale
● Nouvelle lune
F Jour favorable
D Jour difficile

SANTÉ Vous débordez d'énergie, rien ne semble pouvoir vous arrêter. Très bon mois pour mettre de l'ordre dans votre vie et pour soigner vos petits bobos. Ajoutons que vous êtes en beauté et que vous pourriez même en profiter pour adopter un nouveau style ou changer de tête. Votre intuition est encore plus forte que d'habitude.

SENTIMENTS La présence de Vénus dans votre signe entre le 4 et le 31 vous promet énormément de douceur. Vos amours se porteront à merveille, les solitaires pourraient même faire une rencontre. Socialement, les invitations fusent de toutes parts, et vous vous amusez ferme. Si vous avez une faveur à demander ou un point à éclaircir avec quelqu'un, vous ne pourriez trouver meilleur mois.

AFFAIRES La présence de Mars dans votre neuvième secteur peut vous valoir quelques petits coups de chance, pas nécessairement au jeu mais plutôt dans vos démarches ou au travail. Des honneurs, des félicitations ou une augmentation de salaire pourraient justement témoigner de l'estime qu'on vous porte. Vous avez le goût de voyager, allez-y, les astres sont avec vous!

FÉVRIER						
D	L	M	M	J	V	S
				1	2	3 D
4 D	5 F	6 F	7	8 ○	9	10
11	12	13 F	14 F	15 D	16 D	17 D
18	19	20	21	22	23 ●	24
25	26	27	28			

○ Pleine lune
● Nouvelle lune
F Jour favorable
D Jour difficile

SANTÉ Jusqu'au 15, vous continuerez à afficher une mine radieuse, à déborder d'énergie et à jouir d'une grande liberté d'action. Par la suite, vous devrez faire davantage attention à vous; en effet, vous n'êtes pas à l'abri d'une blessure ou d'un malaise. Prenez vos précautions et vous pourrez ainsi conserver votre bonne forme.

SENTIMENTS La première quinzaine se déroule sensiblement comme le mois précédent, le bonheur est au rendez-vous. Le reste du mois s'annonce plus compliqué. Vous pourriez éprouver des inquiétudes au sujet d'un proche ou encore avoir une sérieuse prise de bec. Un frère ou une sœur traverse des moments difficiles et voudrait que vous régliez ses problèmes à sa place.

AFFAIRES Ici aussi, c'est la première quinzaine qui offre le plus de possibilités. Choisissez cette période pour présenter vos demandes, pour faire vos démarches ou pour mettre vos projets en chantier. D'ici le 15, vous pourriez toucher une somme que vous n'attendiez pas; une affaire qui traînait pourrait également se régler.

MARS						
D	L	M	M	J	V	S
				1	2 D	3 D
4 F	5 F	6	7	8	9 ○	10
11	12 F	13 F	14 F	15 D	16 D	17
18	19	20	21	22	23	24 ●
25	26	27	28	29 D	30 D	31 D

○ Pleine lune
● Nouvelle lune
F Jour favorable
D Jour difficile

SANTÉ Les aspects sont quelque peu contrariants; par conséquent, vous devez redoubler d'efforts pour les contourner. Soyez vigilant dans vos déplacements et quand vous utilisez des objets dangereux, mangez correctement et octroyez-vous tout le repos dont vous avez besoin. Vos nerfs vous jouent des tours, particulièrement entre le 16 et le 31.

SENTIMENTS On n'est pas aussi gentil qu'on le devrait avec vous. Dans le passé, vous auriez tout accepté sans dire un mot, mais ce temps-là est révolu. De fait, vous pourriez remettre à leur place, parfois de façon assez spectaculaire, ceux qui cherchent à vous marcher sur les pieds ou qui vous manquent de respect. Vous vous affirmez, et ça ne fait pas l'affaire de tous.

AFFAIRES Dans ce domaine, c'est différent, vous ne devriez pas vous insurger avec trop de véhémence contre votre patron ou vos collègues. Comme vous n'êtes pas en position de force pour l'instant, il vaut mieux faire comme le roseau. Dites-vous que bientôt vous pourrez agir à votre guise. En attendant, ne prenez aucun risque avec votre argent, ne croyez pas le premier venu et ne vendez pas non plus la peau de l'ours avant de l'avoir tué.

AVRIL

D	L	M	M	J	V	S
1 F	2 F	3	4	5	6	7 ○
8	9 F	10 F	11 D	12 D	13	14
15	16	17	18	19	20	21
22	23 ●	24	25 D	26 D	27 D	28 F
29 F	30					

○ Pleine lune
● Nouvelle lune
F Jour favorable
D Jour difficile

SANTÉ Une fois la première semaine écoulée, vous contrôlerez beaucoup mieux vos nerfs. Au lieu d'être ballotté par les événements, vous ferez preuve d'une logique et d'un sang-froid exemplaire. Physiquement, par contre, les aspects demeurent délicats, et vous devez à tout prix faire attention à vous. Demeurez donc vigilant, optez pour la sagesse et la modération.

SENTIMENTS Jusqu'au 7, vous éprouverez encore plusieurs difficultés relationnelles. Le reste du mois s'annonce plus calme, et vous pourrez alors régler une multitude de problèmes; sachez cependant que vous n'avez pas à céder à tous les caprices de votre entourage. Cultivez votre confiance en vous et dites-vous que ce n'est pas toujours à vous de faire des concessions.

AFFAIRES Bien que ce ne soit pas encore parfait, la pression est moins grande que le mois dernier. Un dépannage pourrait survenir, par exemple un contrat ou un poste temporaire. Financièrement aussi, il y a du progrès, mais ce n'est quand même pas le temps de vous lancer dans de folles dépenses. Une bonne nouvelle vous attend entre le 23 et le 30.

MAI						
D	L	M	M	J	V	S
		1	2	3	4	5
6 F	7 ○ F	8 D	9 D	10 D	11	12
13	14	15	16	17	18	19
20	21	22 ●	23 D	24 D	25 F	26 F
27	28	29	30	31		

○ Pleine lune
● Nouvelle lune
F Jour favorable
D Jour difficile

SANTÉ La première semaine se déroule sans trop de difficultés; toutefois, le reste du mois exige une vigilance accrue. Ne laissez pas une distraction ou une négligence vous valoir un accident. En dérogeant aux règles d'une saine hygiène de vie, vous vous exposez à divers ennuis. Psychologiquement, vous avez des hauts et des bas; le meilleur moyen d'en venir à bout, c'est d'apprendre à relaxer.

SENTIMENTS N'attendez pas trop après les autres, vous risquez d'être déçu; à vrai dire, vous ne devriez compter que sur vous-même. Avec la famille ou la belle-famille, les relations sont tendues, on ne comprend pas toujours votre point de vue. Un brin de souplesse évitera bien des confrontations inutiles. Vous vous faites du souci pour un proche.

AFFAIRES Votre route semble semée d'obstacles et de complications. Ce ne sera pas toujours facile de respecter votre échéancier; on vous interrompt constamment, on vous met même parfois des bâtons dans les roues. Au lieu de tout envoyer promener, prenez sur vous et jouez la carte de la diplomatie. Ce n'est absolument pas le temps de prendre des risques avec votre argent.

JUIN						
D	L	M	M	J	V	S
					1	2
3	4 F	5 ○ F	6 F	7 D	8 D	9
10	11	12	13	14	15	16
17	18	19 D	20 D	21 ● F	22 F	23
24	25	26	27	28	29	30 F

○ Pleine lune
● Nouvelle lune et éclipse solaire totale
F Jour favorable
D Jour difficile

SANTÉ Les aspects demeurent complexes, et l'éclipse du Soleil n'arrange rien. Cependant, en prenant vos précautions, vous pourriez déjouer la conjoncture. Il vaut mieux aller lentement que de courir des risques. Laissez le passé derrière vous, cessez de ruminer de vieux souvenirs. Un massage ou des soins de beauté vous aideront à vous détendre.

SENTIMENTS Malgré les inquiétudes qui perdurent et une communication souvent ardue avec la famille, vous pouvez au moins espérer des moments agréables avec un proche qui saura vous épauler. Profitez également des invitations qu'on vous lancera entre le 6 et le 30 pour vous changer les idées et pour faire le plein de bonne humeur.

AFFAIRES La pression est encore grande et, à certains moments, vous ne savez plus à quel saint vous vouer. Après le 7, vous pourriez trouver la solution à un problème; on pourrait également vous proposer du travail ou un joli petit contrat. Bon temps aussi pour les déplacements d'affaires ou de loisir.

JUILLET						
D	L	M	M	J	V	S
1 F	2 D	3 D	4	5 ○	6	7
8	9	10	11	12	13	14
15	16	17 D	18 D	19 F	20 ● F	21
22	23	24	25	26	27 F	28 F
29 D	30 D	31 D				

○ Pleine lune et éclipse lunaire partielle
● Nouvelle lune
F Jour favorable
D Jour difficile

SANTÉ La planète Mars fait encore un angle délicat avec votre signe, continuez donc à vous prémunir contre les accidents tout au long du mois. Dès le 12, Jupiter cesse de vous embêter et commence même à vous avantager. À partir de cette date, votre moral devrait s'améliorer sensiblement et vous pourriez aussi entreprendre une démarche en vue de redresser votre état de santé.

SENTIMENTS Avec votre partenaire, vous éprouvez le besoin de mettre cartes sur table et de faire le point. Une relation avec un proche qui s'était détériorée pourrait connaître une issue favorable lors de la seconde quinzaine. Du 13 au 30, on réclamera votre présence à gauche et à droite, vous renouerez avec d'anciens amis et rencontrerez aussi du bien beau monde.

AFFAIRES Honnêtement, il n'y a pas grand-chose à espérer de la première quinzaine. Cependant, le reste du mois offre de nombreuses possibilités; vous pourriez même gagner un prix lors d'un tirage. Bonne période également pour chercher du travail, pour faire des démarches et pour régler une multitude de détails.

AOÛT						
D	L	M	M	J	V	S
			1	2	3	4 ○
5	6	7	8	9	10	11
12	13 D	14 D	15 F	16 F	17	18 ●
19	20	21	22	23 F	24 F	25 F
26 D	27 D	28	29	30	31	

○ Pleine lune
● Nouvelle lune
F Jour favorable
D Jour difficile

SANTÉ Vous êtes beaucoup mieux dans votre peau et vous faites d'énormes progrès tant sur les plans moral que physique, ce qui se traduit par une allure rajeunie. Hélas, comme Mars est toujours dans le décor, vous devez encore vous protéger contre une blessure. Ce serait dommage qu'un incident fâcheux assombrisse ce magnifique tableau.

SENTIMENTS Entre le 1er et le 27, la présence de Vénus et de Jupiter dans votre cinquième secteur vous promet de grosses surprises. Un rapprochement avec votre bien-aimé, une déclaration, voire une rencontre électrisante, pourrait transformer le cours de votre existence. Socialement, votre cote de popularité est à la hausse.

AFFAIRES Enfin, la conjoncture devient avantageuse! Ne perdez plus d'énergie là où ça accroche, le moment est venu de changer de cap et d'embrasser de nouvelles activités. Un nouveau poste, un travail mieux rémunéré ou un cours de perfectionnement vous permettront de vous rapprocher de votre but. Bon mois pour les tirages et les voyages.

SEPTEMBRE						
D	L	M	M	J	V	S
						1
2 ○	3	4	5	6	7	8
9 D	10 D	11 D	12 F	13 F	14	15
16	17 ●	18	19	20 F	21 F	22 D
23 D/30	24	25	26	27	28	29

○ Pleine lune
● Nouvelle lune
F Jour favorable
D Jour difficile

SANTÉ Le 9 est une date à marquer d'une pierre blanche! À partir de ce moment, vous serez enfin libéré de ce mauvais aspect de Mars qui vous affligeait depuis plusieurs mois. Adieu les risques de vous blesser et l'énergie vacillante. Vous serez en bien meilleure forme, vous aurez le goût de mordre dans la vie à belles dents.

SENTIMENTS Le moment est venu de tourner la page, voire de mettre un terme à des relations qui ne vous menaient nulle part. Vous commencez une nouvelle étape, vous savez parfaitement ce que vous voulez, et la vie mettra sur votre route les bonnes personnes. Quelqu'un qui vous avait déplu dans le passé revient à de meilleurs sentiments. Est-il trop tard?

AFFAIRES Ici aussi, vous terminez un cycle pour en amorcer un nouveau beaucoup plus prometteur. Entre le 10 et le 30, plusieurs changements positifs se produiront. Vous éprouverez un véritable sentiment de libération et pourrez enfin voir vos espoirs se concrétiser. Un conseil: ne prêtez pas un sou.

OCTOBRE						
D	L	M	M	J	V	S
	1	2 ○	3	4	5	6
7 D	8 D	9 F	10 F	11	12	13
14	15	16 ●	17 F	18 F	19 D	20 D
21	22	23	24	25	26	27
28	29	30	31			

○ Pleine lune — F Jour favorable

● Nouvelle lune — D Jour difficile

SANTÉ Vous êtes dans une forme resplendissante. Du 1er au 15, vous aurez du mal à tenir vos résolutions, le démon de la gourmandise se faisant bien présent. Psychologiquement, votre solidité va en augmentant; vous voyez aussi clair en vous et sentez avec conviction ce qui fera votre bonheur.

SENTIMENTS Un ancien problème refait surface, mais vous avez cette fois toutes les ressources pour le régler définitivement. Votre conjoint éprouve des difficultés durant la première quinzaine, ce qui le rend moins disponible. Par la suite, tout s'arrange, et vous filez à nouveau le parfait bonheur. Vous dépannez un ami qui l'appréciera grandement.

AFFAIRES Si vous évitez les actes irréfléchis et les entreprises risquées, vous pourrez profiter d'un excellent mois. Le travail d'équipe vous permet de vous rapprocher de votre but. Tout le monde semble apprécier vos compétences. La tendance est toujours au renouveau, et vous marquez des points. En groupe, vous avez de petites chances au jeu d'ici le 15.

NOVEMBRE						
D	L	M	M	J	V	S
				1 ○	2	3 D
4 D	5 F	6 F	7	8	9	10
11	12	13	14 F	15 ● F	16 D	17 D
18	19	20	21	22	23	24
25	26	27	28	29	30 ○ D	

○ Pleine lune F Jour favorable
● Nouvelle lune D Jour difficile

SANTÉ La présence de Mars dans votre douzième secteur augmente votre intuition mais, en contrepartie, diminue légèrement votre énergie. Au besoin, prenez du repos, et tout rentrera dans l'ordre. Moralement et intellectuellement, vous serez au mieux entre le 8 et le 27. Bon mois pour vous refaire une beauté.

SENTIMENTS Dès le 9, vous bénéficierez de l'appui de Vénus et de Jupiter; voilà plus qu'il n'en faut pour une vie sociale emballante et des amours qui redémarrent. Un coup de foudre est même possible pour les solitaires. Un enfant vous confie une excellente nouvelle, vous avez raison d'être fier de lui.

AFFAIRES Du 9 au 28, la chance passe, y compris dans les jeux de hasard. Vos démarches en vue d'améliorer votre situation financière ou professionnelle donneront des résultats qui dépasseront vos propres espérances. Bonne période également pour un investissement sérieux ou un voyage.

DÉCEMBRE						
D	L	M	M	J	V	S
						1 D
2 F	3 F	4 F	5	6	7	8
9	10	11 F	12 F	13 D	14 ● D	15
16	17	18	19	20	21	22
23/30 ○ F	24/31 F	25	26	27	28 D	29 D

○ Pleine lune et éclipse lunaire annulaire
● Nouvelle lune et éclipse solaire annulaire
F Jour favorable
D Jour difficile

SANTÉ Les éclipses de ce mois vous recommandent de faire attention à vous entre le 9 et le 30. Prenez vos précautions pour ne pas vous blesser et renforcez vos défenses pour ne pas être victime d'un rhume ou d'une infection. Psychologiquement, la première quinzaine comporte des moments d'anxiété, mais le reste du mois vous trouve souriant et confiant.

SENTIMENTS Ce sont assurément les trois dernières semaines qui constituent votre meilleure période. Toutes vos relations interpersonnelles seront favorisées. Votre partenaire vous réaffirmera son amour, et si jamais vous étiez encore seul, cela ne saurait durer. Socialement aussi, ça promet.

AFFAIRES Si le début du mois présente quelques contretemps, sachez que le vent tournera rapidement. Du 9 au 31, vous pourriez toucher une somme que vous n'attendiez pas, peut-être même au jeu; votre carrière connaîtra un essor fulgurant. Ne parlez pas trop de votre succès, ça risque d'attirer des gens mal intentionnés; protégez ce qui est à vous. Bonne période pour un déplacement.

Nos animaux et l'astrologie

On sait que l'astrologie nous renseigne sur notre caractère et notre comportement, mais savez-vous qu'elle peut également nous aider à connaître nos petits animaux? Eux aussi sont influencés par leur signe, et c'est amusant de voir comment. Qu'il s'agisse d'un gros toutou ou d'un petit chaton, d'un canari ou d'un beau poisson rouge, l'astrologie peut vous aider à mieux le comprendre.

Elle peut également vous aider à choisir le compagnon idéal. En fait, si vous avez un animal domestique ou si vous pensez vous en procurer un, lisez ce qui suit!

MON BESTIAIRE ASTROLOGIQUE

LE BÉLIER

Il est plutôt petit pour sa race, mais ne croyez pas qu'il soit tout mignon, tout gentil pour autant. Il sait ce qu'il veut et il aime bien faire à sa tête. Il est impulsif, vif, rapide. d'ailleurs, il court très vite. Tant mieux s'il s'agit d'un cheval de course, mais faites attention lorsque vous ouvrez la porte. Il fait beaucoup de bruit, mange comme un ogre et trop vite. Il déborde d'énergie; il est toujours prêt à jouer et, si vous le laissez seul, c'est à vos risques et périls: ce qu'il trouvera à faire pour ne pas s'ennuyer ne vous plaira peut-être pas. À votre retour, il vous fera de belles façons... Il sait comment se faire pardonner sa désobéissance.

LE TAUREAU

Voilà un animal de compagnie très agréable. Il est tellement bien avec son petit monde. Il adore son domicile; il a son coin bien à lui et il est tout tranquille. Il ne déteste pas faire un tour dehors, mais, en général, il ne s'éloigne pas trop. Lorsqu'il connaît bien la maison, il peut être laissé seul sans problème.

Il est parfois un peu têtu; toutefois, si on sait comment le prendre, il se montrera docile. Il apprend lentement. Par contre, une fois qu'il a compris les règles, il ne pense même plus à désobéir. Il est vraiment fidèle. Les changements dans ses petites habitudes ne lui plaisent pas trop; montrez-lui que vous l'aimez, occupez-vous bien de lui, ça le rassurera. Les oiseaux de ce signe ont un très joli chant.

LES GÉMEAUX

Voici un animal qui aime le monde. Il a besoin d'avoir de la vie autour de lui, de voir de nouvelles choses, de nouvelles personnes... et de nouveaux animaux dans le voisinage. En fait, il adore faire son petit tour dehors, explorer, découvrir. À la maison, il trouve toujours quelque chose à faire, mais il n'aime pas être laissé seul trop longtemps; si c'est ce que vous comptez faire, procurez-lui un petit «frère» ou une petite «sœur». Il a besoin de beaucoup d'attention; il raffole qu'on joue avec lui, mais quand ça lui convient, car il est indépendant à ses heures. Ajoutons qu'il chante, jappe ou miaule beaucoup. Il est coquin, intelligent, très intelligent, et parfois un petit peu manipulateur; s'il veut quelque chose, ne vous inquiétez pas, il vous le fera savoir... Et attention, il finit toujours par obtenir ce qu'il désire.

LE CANCER

Quelle bête attachante! Elle adore son maître et tous les membres de la famille. Elle est avide d'affection et de caresses; elle aime faire plaisir. Elle apprécie être entourée de tout son petit monde à la maison. Elle fait de gros efforts pour vous satisfaire; elle supporte le «tiraillage» des enfants. Comme elle est plutôt gourmande et qu'elle dort beaucoup, il faut veiller à ce qu'elle fasse suffisamment d'exercice. C'est un animal docile, affectueux, en qui on peut avoir confiance. Malgré tout, cet animal fera de son mieux pour protéger votre domicile. Si vous pensez faire de l'élevage, c'est un excellent signe; il s'occupera très bien de ses petits.

LE LION

Ce n'est pas un animal ordinaire: il a du panache. Qu'il soit de race pure ou non, on le remarque. Il se tient comme un petit roi, son pelage ou ses plumes sont toujours impeccables; quand vous le sortez ou le promenez, il fait l'envie de tous ceux qui le voient. C'est une vraie star qui a son côté vedette; il faut faire attention à lui, et montrer qu'il est important. Si vous oubliez la caresse habituelle en rentrant, il va bouder. Disons qu'il n'aime pas tellement les autres animaux. Il n'apprécie pas qu'on le néglige ou qu'on le tienne à l'écart, quand il y a des invités, par exemple. En fait, il se tient bien, ne dérange pas trop, mais ce n'est pas un bibelot: regardez-le, il va certainement trouver un tour à faire ou une façon de se mettre en évidence. Vous allez être fier de lui!

LA VIERGE

Voici un petit animal tout timide, tout gentil... Ce n'est peut-être pas celui qu'on remarquait le plus quand il était bébé, mais c'est un excellent choix. Il est un peu craintif avec les étrangers, mais c'est un compagnon fidèle et attentif. Il est tranquille, il respecte les règlements que vous lui imposez et il ne cause vraiment pas d'ennuis. Il a ses petites habitudes; si vous le laissez sortir ou si vous allez le promener à 8 h chaque matin et qu'un beau jour vous êtes en retard, il va gentiment vous rappeler à l'ordre. Son point faible, c'est la digestion. Cet animal attaché à son maître est doux avec les enfants. Si vous êtes plutôt sédentaire, c'est le compagnon idéal.

LA BALANCE

Quel petit être adorable! Il sait tellement s'y prendre pour se faire aimer. Il fait toutes sortes de tours pour vous faire sourire. Il est sensible et exige beaucoup de caresses, et il s'arrange pour en avoir. Toutefois, pour être bien, il a besoin d'une atmosphère calme et harmonieuse: le bruit, les cris, les chamailleries, ça lui fait peur et ça le perturbe. Quand on le gronde, ça l'affecte beaucoup; parler fort suffit, croyez-moi. Il aime les belles choses; regardez-le, il va choisir le plus beau coussin ou le plus joli fauteuil pour s'installer, et, en plus, il faut que ce soit près de vous... parce qu'il déteste être seul. Ce qui surprend davantage chez lui, c'est son charme; il vous regarde avec des yeux qui vous font fondre, en penchant sa petite tête... Impossible de résister.

LE SCORPION

Ne vous fiez pas aux apparences: même s'il semble tout mignon, il a un caractère très spécial. Il est affectueux, possessif même: s'il vous appartient, il viendra toujours s'installer entre vous et votre conjoint. Ou mieux, il prendra la place de ce dernier pour l'obliger à aller plus loin. Il n'a qu'un seul maître. Son côté mystérieux fait qu'on le remarque, mais on ne sait pas toujours ce qu'il veut. Quelquefois, il est enjoué, d'autres fois, il faut le laisser dans son coin. Par contre, il devine ce que vous ressentez, à un point vraiment surprenant. Il a une mémoire du tonnerre; il peut se rappeler ce que quelqu'un lui a fait il y a des mois ou des années. Une mémoire d'éléphant. Ce n'est pas un animal facile, mais il vous adore, et vous le savez. Peut-on imaginer une meilleure excuse?

LE SAGITTAIRE

Il ne reste pas en place, ce cher Sagittaire. Il ne demande pas mieux que d'aller voir dehors ce qui s'y passe, et même si vous l'empêchez de sortir, il reste à la fenêtre pour observer la rue. Il adore courir, se promener, et si vous n'y faites pas attention, il peut faire des fugues de plusieurs jours. Fermez bien les portes. À la maison, il s'ennuie un peu, il a tellement d'énergie; mais si vous avez un grand jardin ou si vous habitez à la campagne, il sera heureux comme un roi. Il est plutôt indépendant, alors l'obéissance parfaite, n'y comptez pas trop. Il aime bien les autres animaux, mais pas toujours ceux de la même espèce que lui. Si vous avez des enfants qui bougent beaucoup, n'ayez pas peur: ils vont se fatiguer avant lui. Mais apprenez-leur à le respecter, sinon, il le fera lui-même. Surveillez les quantités de nourriture qu'il absorbe; il a parfois tendance à prendre du poids.

LE CAPRICORNE

Voici l'animal fidèle par excellence. Il est dévoué, cherche toujours à faire plaisir, mais il est un peu timide et, s'il y a des inconnus, il restera à l'écart. Malgré tout, même s'il n'est pas très démonstratif, il est attaché à votre petite famille et surtout à son maître. C'est un ange qui veille sur vous. Physiquement, il est plutôt menu et souvent maigre; il est aussi un peu frileux. C'est un bon compagnon, tranquille, doux, et qui peut même rendre plein de petits services à sa façon. Il est très patient; quelques heures de solitude ne lui font pas peur: ce n'est pas lui qui va faire des ravages durant votre absence. Il apprend plutôt lentement, mais une fois qu'il sait quelque chose, c'est pour la vie. Il est très discret, mais, attention, votre vieux compagnon vous aime beaucoup; ne le négligez pas!

LE VERSEAU

Voici un animal avec qui on ne s'ennuie pas; il va vers les gens, il est attiré par ce qui bouge, plusieurs regardent même la télévision. Lorsque vous arrivez avec des sacs, il tourne autour de vous pour voir ce que c'est; les nouvelles odeurs, les nouveaux objets l'intriguent au plus haut point. Si vous le laissez libre, il sera souvent dehors en train de frayer avec ses congénères, de surveiller son territoire ou d'explorer les environs. Ce sont des animaux vifs, spirituels, remuants, mais ils ont un petit côté très indépendant: l'obéissance n'est pas leur fort. Par contre, ils aiment beaucoup les gens: dès qu'ils entendent le moindre bruit, ils accourent pour voir qui est là.

LES POISSONS

Cet animal-là, c'est presque de la guimauve; il est affectueux, tendre, il cherche toujours à vous rendre heureux. Il ne vit que pour vos caresses et, lorsque vous revenez à la maison, c'est la fête. Il est très doux, il lui en faut beaucoup pour le fâcher, et il oublie vite. Il est aussi très sensible et, lorsque quelqu'un se fâche ou que des gens parlent un peu fort entre eux, il se sauve. Par contre, il a des «antennes» et il devine comment vous allez. Si un soir vous vous sentez un peu triste, il fera de son mieux pour vous consoler. En revanche, si vous êtes gai, il sera heureux pour vous. Il est quelque peu paresseux de nature, et il faut s'assurer qu'il fasse assez d'exercice. Ajoutons que ce sont souvent des animaux qui aiment jouer dans l'eau (même les chats).

L'astrologie chinoise

L'astrologie est une science ancienne, très ancienne, qui remonte aux débuts de l'humanité. Déjà, l'homme des cavernes scrutait le ciel et essayait de comprendre l'Univers.

L'astrologie est plus que millénaire, mais elle n'est pas propre à notre civilisation: en Orient aussi, on était fasciné par les étoiles. Cependant, l'astrologie chinoise diffère de la nôtre. Ici, l'astrologie se base sur le passage du Soleil dans les signes, ce qui correspond aux 12 signes astrologiques que nous connaissons tous. Comme les 12 signes se succèdent chaque année, chacun dure donc un mois.

L'astrologie chinoise est, pour sa part, établie sur un cycle de 12 ans. Ainsi, chaque année correspond à un signe chinois, que l'on représente par un animal. On utilise aussi les cycles de la Lune, lesquels permettent de déterminer le début de l'année chinoise. C'est pour cette raison que les signes chinois commencent à une date différente chaque année.

L'astrologie chinoise est un excellent moyen de se connaître et de découvrir les autres. Dans les pages qui suivent, vous verrez tout ce qu'elle peut nous apprendre.

Les 12 signes chinois

Repérez votre date de naissance dans le tableau qui suit, vous verrez quel est votre signe chinois.

1900	Rat	31 janvier 1900 au 18 février 1901
1901	Buffle	19 février 1901 au 7 février 1902
1902	Tigre	8 février 1902 au 28 janvier 1903
1903	Chat	29 janvier 1903 au 15 février 1904
1904	Dragon	16 février 1904 au 3 février 1905
1905	Serpent	4 février 1905 au 24 janvier 1906
1906	Cheval	25 janvier 1906 au 12 février 1907
1907	Chèvre	13 février 1907 au 1er février 1908
1908	Singe	2 février 1908 au 21 janvier 1909
1909	Coq	22 janvier 1909 au 9 février 1910
1910	Chien	10 février 1910 au 29 janvier 1911
1911	Cochon	30 janvier 1911 au 17 février 1912
1912	Rat	18 février 1912 au 5 février 1913
1913	Buffle	6 février 1913 au 25 janvier 1914
1914	Tigre	26 janvier 1914 au 13 février 1915
1915	Chat	14 février 1915 au 2 février 1916
1916	Dragon	3 février 1916 au 22 janvier 1917
1917	Serpent	23 janvier 1917 au 10 février 1918
1918	Cheval	11 février 1918 au 31 janvier 1919
1919	Chèvre	1er février 1919 au 19 février 1920
1920	Singe	20 février 1920 au 7 février 1921
1921	Coq	8 février 1921 au 27 janvier 1922
1922	Chien	28 janvier 1922 au 15 février 1923
1923	Cochon	16 février 1923 au 4 février 1924
1924	Rat	5 février 1924 au 23 janvier 1925
1925	Buffle	24 janvier 1925 au 12 février 1926
1926	Tigre	13 février 1926 au 1er février 1927
1927	Chat	2 février 1927 au 22 janvier 1928
1928	Dragon	23 janvier 1928 au 9 février 1929
1929	Serpent	10 février 1929 au 29 janvier 1930
1930	Cheval	30 janvier 1930 au 16 février 1931
1931	Chèvre	17 février 1931 au 5 février 1932
1932	Singe	6 février 1932 au 25 janvier 1933

Les 12 signes chinois

1933	Coq	26 janvier 1933 au 13 février 1934
1934	Chien	14 février 1934 au 3 février 1935
1935	Cochon	4 février 1935 au 23 janvier 1936
1936	Rat	24 janvier 1936 au 10 février 1937
1937	Buffle	11 février 1937 au 30 janvier 1938
1938	Tigre	31 janvier 1938 au 18 février 1939
1939	Chat	19 février 1939 au 7 février 1940
1940	Dragon	8 février 1940 au 26 janvier 1941
1941	Serpent	27 janvier 1941 au 14 février 1942
1942	Cheval	15 février 1942 au 4 février 1943
1943	Chèvre	5 février 1943 au 24 janvier 1944
1944	Singe	25 janvier 1944 au 12 février 1945
1945	Coq	13 février 1945 au 1er février 1946
1946	Chien	2 février 1946 au 21 janvier 1947
1947	Cochon	22 janvier 1947 au 9 février 1948
1948	Rat	10 février 1948 au 28 janvier 1949
1949	Buffle	29 janvier 1949 au 16 février 1950
1950	Tigre	17 février 1950 au 5 février 1951
1951	Chat	6 février 1951 au 26 janvier 1952
1952	Dragon	27 janvier 1952 au 13 février 1953
1953	Serpent	14 février 1953 au 2 février 1954
1954	Cheval	3 février 1954 au 23 janvier 1955
1955	Chèvre	24 janvier 1955 au 11 février 1956
1956	Singe	12 février 1956 au 30 janvier 1957
1957	Coq	31 janvier 1957 au 17 février 1958
1958	Chien	18 février 1958 au 7 février 1959
1959	Cochon	8 février 1959 au 27 janvier 1960
1960	Rat	28 janvier 1960 au 14 février 1961
1961	Buffle	15 février 1961 au 4 février 1962
1962	Tigre	5 février 1962 au 24 janvier 1963
1963	Chat	25 janvier 1963 au 12 février 1964
1964	Dragon	13 février 1964 au 1er février 1965
1965	Serpent	2 février 1965 au 20 janvier 1966
1966	Cheval	21 janvier 1966 au 8 février 1967
1967	Chèvre	9 février 1967 au 29 janvier 1968
1968	Singe	30 janvier 1968 au 16 février 1969

Les 12 signes chinois

1969	Coq	17 février 1969 au 5 février 1970
1970	Chien	6 février 1970 au 26 janvier 1971
1971	Cochon	27 janvier 1971 au 14 février 1972
1972	Rat	15 février 1972 au 2 février 1973
1973	Buffle	3 février 1973 au 22 janvier 1974
1974	Tigre	23 janvier 1974 au 10 février 1975
1975	Chat	11 février 1975 au 30 janvier 1976
1976	Dragon	31 janvier 1976 au 17 février 1977
1977	Serpent	18 février 1977 au 6 février 1978
1978	Cheval	7 février 1978 au 27 janvier 1979
1979	Chèvre	28 janvier 1979 au 15 février 1980
1980	Singe	16 février 1980 au 4 février 1981
1981	Coq	5 février 1981 au 24 janvier 1982
1982	Chien	25 janvier 1982 au 12 février 1983
1983	Cochon	13 février 1983 au 1er février 1984
1984	Rat	2 février 1984 au 19 février 1985
1985	Buffle	20 février 1985 au 8 février 1986
1986	Tigre	9 février 1986 au 28 janvier 1987
1987	Chat	29 janvier 1987 au 16 février 1988
1988	Dragon	17 février 1988 au 5 février 1989
1989	Serpent	6 février 1989 au 26 janvier 1990
1990	Cheval	27 janvier 1990 au 14 février 1991
1991	Chèvre	15 février 1991 au 3 février 1992
1992	Singe	4 février 1992 au 22 janvier 1993
1993	Coq	23 janvier 1993 au 9 février 1994
1994	Chien	10 février 1994 au 30 janvier 1995
1995	Cochon	31 janvier 1995 au 18 février 1996
1996	Rat	19 février 1996 au 6 février 1997
1997	Buffle	7 février 1997 au 27 janvier 1998
1998	Tigre	28 janvier 1998 au 15 février 1999
1999	Chat	16 février 1999 au 4 février 2000
2000	Dragon	5 février 2000 au 24 janvier 2001
2001	Serpent	25 janvier 2001 au 12 février 2002

LE RAT

Le rat est un animal qui inspire des sentiments mitigés, qui fait même un peu peur... Cela n'est pas tout à fait faux en ce qui vous concerne. Les gens ne vous connaissent pas beaucoup et, pour cette raison, se méfient un peu. Vous êtes vous-même plutôt craintif, voire soupçonneux; vous n'accordez pas votre confiance facilement.

En public, vous préférez généralement rester un peu à l'écart: les bains de foule, très peu pour vous. Pourtant, lorsque vous vous en donnez la peine, vous savez être sociable, amusant... vous parlez peu de vous-même, et quand quelque chose ne tourne pas rond, c'est dans votre petit nid que vous vous réfugiez.

Votre sens de l'observation est extrêmement développé; rien ne vous échappe, et vous avez la critique facile. Si quelqu'un vous blesse ou fait du mal à un de vos proches, vous n'hésitez pas une seconde à vous défendre. Votre vie psychologique est très riche quoique parfois un peu tourmentée, ce qui engendre de la nervosité. La musique, la littérature et les arts vous permettraient d'exploiter vos talents tout en canalisant cette émotivité qui vous tenaille tant.

Votre intelligence est vive et très pratique, vous réussissez à trouver des solutions ingénieuses aux problèmes qui se posent et, de plus, vous avez beaucoup de flair en affaires. Vous avez le don et le doigté pour tourner les pires situations à votre avantage. Il faut dire que vous êtes un beau parleur et que vous savez vendre votre salade. Ceci fait de vous un excellent négociateur. Votre sixième sens vous permet de trouver les mots qu'il faut pour convaincre, il vous indique quand et comment agir. Ajoutons que, sur le plan professionnel, vous avez tendance à diriger les gens, à commander, et parfois même, avouez-le, à les manipuler!

Vous êtes terre à terre et vous aimez bien les sous, mais vous appréciez aussi les belles choses, et, souvent, on dirait que l'argent vous coule entre les doigts. Heureusement, vous réussissez presque toujours à trouver les moyens d'équilibrer votre budget.

Certes, vous avez un petit côté séducteur, vous savez plaire, et vous ne vous en privez pas. La romance, les passions vous stimulent. Par contre, à vos yeux, le quotidien et la petite routine sont de vrais éteignoirs, ce qui complique votre vie sentimentale. Vous êtes attiré par les gens originaux, amusants, qui suscitent votre admiration et, malgré votre apparence un peu froide au premier abord, vous êtes affectueux, ardent, possessif même. Vous ne vous laissez pas imposer de limites, et cela peut créer des étincelles. Les demi-mesures ne sont pas pour vous.

- Vos plus belles qualités: Convaincant, instinctif, sens pratique, intelligence, terre à terre, sens de l'humour, vivacité, habileté, ruse.
- Vos péchés mignons: Angoissé, méfiant, profiteur, manipulateur.

ET SELON LES SAGES ORIENTAUX

- Votre domaine symbolique: Ce qu'on ne sait pas et qui est près de nous, les mystères, le monde souterrain.
- Votre arme: Les dents acérées du rat, son instinct et ses paroles mordantes.
- Nom chinois de votre signe: *Chow.*
- Symbole:

LE BUFFLE

Assurément, vous êtes quelqu'un de sérieux et un bon travailleur. Vous respectez les traditions et les systèmes établis. On vous reproche parfois de manquer d'originalité ou d'initiative, mais, en contrepartie, on apprécie énormément votre discipline et votre sens des responsabilités.

Quelle que soit la tâche qu'on vous confie, vous la mènerez à bien; vous ne comptez pas vos heures, vous avez beaucoup de «cœur à l'ouvrage». Votre esprit d'organisation et votre détermination sont exceptionnels. Faites ce que vous avez à faire, et tant pis pour ceux qui trouvent que vous êtes lent ou tatillon.

Si vous avez la chance d'œuvrer dans un domaine qui vous permet d'exploiter votre potentiel, vous irez loin. Les secteurs d'activités qui vous conviennent tout à fait sont l'architecture, la chirurgie, la gestion d'entreprise, l'agriculture, mais également les arts, la peinture et le cinéma, car vous avez beaucoup d'inspiration. Vous possédez aussi les qualités requises pour faire un bon chef ou un patron stimulant.

Sur le plan matériel, vous êtes très sage: vous trimez dur, vous ne comptez que sur vos efforts et votre labeur, aussi vivez-vous difficilement les échecs et les revers de fortune, surtout lorsque vous êtes victime d'une injustice ou d'une situation imprévue. Ce n'est certes pas vous qui lancez l'argent par les fenêtres, qui dépensez pour des babioles. Au contraire, vous êtes conscient des efforts que cela prend pour gagner vos sous; vous épargnez et vous calculez bien vos affaires. Et il y a de fortes chances que vous finissiez vos jours bien à l'aise.

Vous êtes foncièrement honnête et loyal; pour vous, une bonne poignée de main, c'est presque de l'argent comptant. Par contre, lorsqu'on ne tient pas les promesses qu'on vous a faites ou qu'on ne respecte pas les engagements qu'on a pris, vous êtes amèrement déçu.

On ne peut pas dire que les changements soient votre fort, que ce soit pour votre carrière ou votre vie personnelle. Votre foyer est confortable, accueillant, et votre table, toujours bien garnie. Avouez que vous êtes un tantinet gourmand.

Socialement, on apprécie votre bon cœur et votre simplicité; on est porté à aller vers vous pour se confier, et comme vous êtes bienveillant, votre entourage vous aime beaucoup. Vous êtes un ami loyal et dévoué;

quant à votre petite famille, elle compte beaucoup à vos yeux. Vous êtes toujours là pour vos proches en cas de besoin.

Sur le plan intime, vous ne sautez jamais d'étapes; vous désirez un partenaire sur qui vous pouvez compter, quelqu'un de fiable et de sérieux. La stabilité affective compte tellement pour vous que vous attendez avant d'exprimer vos sentiments et de vous engager... Une fois que c'est fait, c'est pour la vie. Vous n'êtes peut-être pas un romantique passionné, mais vos sentiments sont solides. Vous avez beaucoup à offrir, et le bonheur de votre conjoint compte énormément à vos yeux.

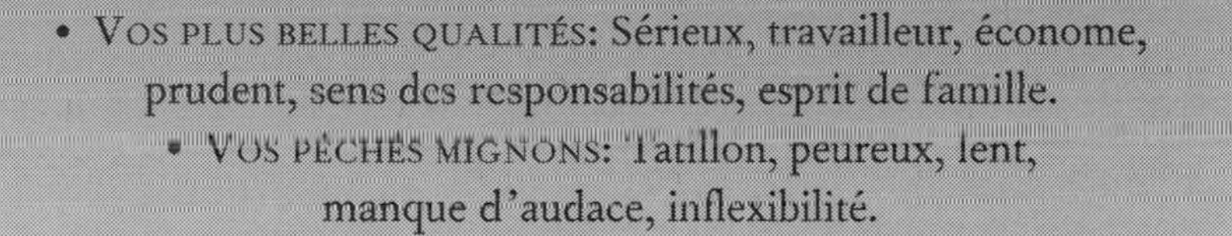

- Vos plus belles qualités: Sérieux, travailleur, économe, prudent, sens des responsabilités, esprit de famille.
- Vos péchés mignons: Tatillon, peureux, lent, manque d'audace, inflexibilité.

ET SELON LES SAGES ORIENTAUX

- Votre domaine symbolique: Les sillons des champs, la terre, la glaise et les chemins sinueux.
- Votre arme: Les cornes du Minotaure, grâce auxquelles il est capable de défendre son labyrinthe.
- Nom chinois de votre signe: *Niou.*
- Symbole:

牛

LE TIGRE

Tout comme le tigre domine la jungle, vous régnez sur votre entourage. En fait, vous avez beaucoup d'ascendant sur les autres, tant dans votre vie privée que professionnelle. Vous êtes un chef-né, plein d'ambition et volontaire, ce qui ne vous empêche aucunement d'être honnête. Lorsque vous atteindrez vos objectifs, vous pourrez vous dire: «C'est grâce à mes efforts que j'ai réussi.»

Vous êtes vif, courageux, rien ne vous fait peur. Quelquefois, cela vous rend même téméraire ou vous expose à des revers... Heureusement, comme le félin, vous retombez toujours sur vos pattes. Un peu de prudence et une bonne planification vous éviteraient bien des déboires et vous permettraient d'aller encore plus loin.

Lors de crises, vous jaugez rapidement la situation; votre sang-froid et votre instinct sont remarquables. Les hiérarchies et les conventions ne vous impressionnent pas du tout, et vous n'hésitez pas à faire ce que bon vous semble. Les nouveaux défis vous stimulent. Évitez tout de même de changer constamment de but.

Votre franchise est l'une de vos plus belles qualités; vous en devenez parfois même brusque ou blessant. Pour vous, c'est important de défendre vos idées et vos opinions.

Vous pouvez devenir un meilleur chef de file si vous dominez votre émotivité. Les domaines qui vous conviendraient fort bien sont tous ceux qui vous permettent de diriger et d'utiliser pleinement votre potentiel et votre flair. En affaires, vous avez beaucoup de chance, l'argent vient à vous. Le problème, c'est que vous ne vous souciez pas beaucoup de votre budget. Aussi, votre compte en banque monte et descend constamment.

Vous êtes fier de nature; vous soignez toujours votre image et vous aimez bien que l'on vous remarque; en société, vous passez rarement inaperçu. Vous êtes un peu soupe au lait, mais avec vos amis, vous savez vous montrer généreux.

En amour non plus, vous ne vous contentez pas de demi-mesures. Vous êtes ardent, passionné et entreprenant. Vous avez tendance à idéaliser votre compagnon de vie, à le mettre sur un piédestal. Puis, lorsque vous le voyez tel qu'il est, vous déchantez. Il vous faut donc un partenaire qui saura vous faire vibrer, vous amuser, vous surprendre, tout en conservant un petit côté mystérieux.

- Vos plus belles qualités: Courageux, fonceur, déterminé, ambitieux, leader, ardent, franc, adaptable.
- Vos péchés mignons: Impulsif, téméraire, peu soucieux des détails, soupe au lait, émotif.

ET SELON LES SAGES ORIENTAUX

- Votre domaine symbolique: Les cimes et la puissance terrestre où conduit la chance.
- Votre arme: La fourrure protectrice du tigre.
- Nom chinois de votre signe: *Hu*.
- Symbole:

LE CHAT

Sans contredit, le natif du Chat est charmant. Votre pouvoir de séduction est très fort, vous êtes un véritable enjôleur. Habile diplomate, grâce à votre lucidité exceptionnelle, vous vous laissez rarement prendre au dépourvu.

Vous avez un goût sûr et délicat, vous aimez les belles choses, les objets d'art; votre élégance innée se reflète tant dans vos vêtements que dans votre allure. Vous avez un petit côté mondain, vous affectionnez les endroits à la mode et vous recherchez l'harmonie en toute chose. Les querelles et les disputes vous agacent au plus haut point; vous avez besoin de tranquillité.

Lors de vos sorties, vous avez le tour de plaire à tous ceux que vous rencontrez; vos gentillesses et vos bons mots sont appréciés. Vous adorez les fêtes et les réceptions; d'ailleurs, vous profitez des réunions mondaines pour élargir votre cercle de relations, pour rencontrer de nouvelles personnes et vous cultiver. Votre conversation est brillante et enjouée.

Vous êtes plutôt traditionaliste de nature; ce n'est certes pas vous qui allez sortir des sentiers battus. En effet, vous souffrez d'insécurité, vous êtes craintif, même devant les nouveaux projets. Vous travaillez de manière discrète, sans faire de bruit, mais vous êtes drôlement efficace. Vous vous préparez soigneusement, vous n'oubliez aucun détail, et ainsi vous menez à bien les tâches qu'on vous confie sans faire de faux pas. Vous avez aussi beaucoup de mémoire.

En affaires également, vous vous montrez plutôt conservateur. Vous détestez être pris de court ou avoir à vous décider à la dernière minute; il vous faut peser le pour et le contre. Vous êtes conscient que pour vous offrir ces belles choses que vous appréciez tant, pour vivre dans le luxe et le confort, cela prend des sous, aussi gérez-vous vos affaires avec beaucoup de discernement… et, en règle générale, vous atteignez ainsi la sécurité matérielle.

Vous avez un esprit positif, vous essayez de trouver le beau côté dans toute chose et, pour cette raison, vous êtes toujours bien entouré. Il faut dire que vous vous montrez compréhensif avec vos amis: vous êtes inlassablement disposé à les écouter et à leur donner un coup de pouce.

Les affrontements et les critiques vous déplaisent souverainement; c'est pourquoi vous êtes devenu un expert dans l'art de faire des compromis. Ceci vous aide beaucoup lors des négociations et des transactions. Les relations publiques, la politique, la justice, l'enseignement ainsi que les domaines reliés aux arts, à la musique et à la danse vous conviennent donc tout à fait.

L'amour occupe une place importante dans votre vie: vous raffolez des dîners en tête à tête, vous aimez bien flirter, faire les yeux doux... bref, vous êtes un incorrigible romantique. Vous aimez qu'on s'occupe de vous, vous aspirez à une vie de couple douce et tendre, mais il faut être patient pour vous apprivoiser: vous avez tellement peur d'être déçu. Vous prenez tout votre temps pour trouver le partenaire de vos rêves et, une fois que vous l'avez déniché, vous lui offrez beaucoup. Vous déployez les efforts qu'il faut pour que votre vie de couple soit toujours agréable.

- Vos plus belles qualités: Sociable, charmant, souple, diplomate, romanesque, élégant, doux, positif, prévoyant, enthousiaste.
- Vos péchés mignons: Timoré, peur de déplaire, matérialiste, indécis, changeant, frivole, crainte des affrontements.

ET SELON LES SAGES ORIENTAUX

- Votre domaine symbolique: La pleine lune et le monde mystérieux de la nuit, où seuls les chats peuvent voir.
- Votre arme: Les griffes du chat, qu'on ne voit pas... mais qui peuvent déchirer.
- Nom chinois de votre signe: *Thou*.
- Symbole:

LE DRAGON

Votre signe, tout comme votre personnalité, frappe l'esprit; c'est justement pour cette raison que les empereurs chinois l'ont choisi comme emblème. Au premier abord, on est impressionné par votre fougue et votre vitalité qui vous permettent d'atteindre vos objectifs les plus élevés.

En fait, vous avez énormément de talent; votre intelligence est vive, vous êtes fier, intrépide, tenace; il n'y a rien à votre épreuve. Par contre, la patience laisse parfois un peu à désirer chez vous; vous ne supportez pas non plus qu'on vous contrarie, encore moins qu'on vous ignore.

Vous savez ce que vous voulez. Pour cette raison, on trouve parfois que vous ne démordez pas de vos idées, que vous êtes obstiné. Vous êtes très perspicace et votre esprit d'analyse vous permet de contrôler toute situation. Vous ne comptez ni vos efforts ni l'énergie que vous déployez. Aussi, malgré les pires obstacles, vous retrouverez-vous là où vous désirez être.

Votre confiance en vous fait l'envie de plusieurs; vous croyez en votre potentiel, vous avez une personnalité puissante, une nature indépendante. Par contre, vous n'écoutez pas assez les autres et, en vous fiant à votre seul jugement, vous vous exposez à des erreurs. Vous avez aussi tendance à vous emporter; un peu de tact serait parfois si utile.

Vous êtes quelqu'un de flamboyant; impossible de ne pas vous remarquer. Vous avez énormément de charisme, y compris avec les foules. Souvent, on parle de vous, ce qui ne vous déplaît pas du tout, au contraire. Vous aimez être le centre d'attraction.

Évidemment, vous avez le potentiel qu'il faut pour vous faire connaître; vous excellerez dans tout ce qui touche au monde du spectacle, bien sûr, mais aussi dans les arts graphiques, la peinture, la littérature, les médias, la politique ou les affaires... y compris les affaires louches!

Vous dépensez sans compter; heureusement, il y a toujours de l'eau au moulin. Votre signe est celui de la richesse, mais aussi de l'illusion. De fait, pour vous, l'argent est un moyen, non pas une fin en soi. Vous en faites beaucoup, tout semble facile... sans doute parce qu'on ne voit pas les efforts que vous avez déployés pour arriver là où vous êtes. On dirait simplement que la chance vous a souri.

Avec vous, c'est tout ou rien; vous êtes un grand idéaliste, vous recherchez un conjoint parfait... et comme personne ne l'est, vous courez sans cesse d'un amour à l'autre. En réalité, beaucoup de Dragon vivent très bien le célibat... Mais, comme vous aimez briller, un partenaire qui n'a d'yeux que pour vous, qui vous admire, qui vous idolâtre, peut vous faire fléchir. Espérons qu'il ait le cœur solide!

- Vos plus belles qualités: Flamboyant, fort, confiant, brillant, intelligent, intrépide, fier, acharné, franc, magnétique.
- Vos péchés mignons: Obstiné, égocentrique, orgueilleux, colérique, insatisfait, irritable, folie des grandeurs.

ET SELON LES SAGES ORIENTAUX

- Votre domaine symbolique: Les fonctions royales, la hiérarchie, la prospérité et les cycles de la vie.
- Votre arme: Le feu que crache le dragon, qui brûle, mais purifie.
- Nom chinois de votre signe: *Long*.
- Symbole:

LE SERPENT

Dans notre monde occidental, on a plutôt peur du serpent. Pourtant, en Orient, il symbolise la prudence, la sagesse, la science, les connaissances secrètes ainsi que la vie. En Chine, avoir un enfant Serpent est un grand honneur.

Vous êtes un philosophe; on apprécie votre sagesse et votre modération: vous êtes très équilibré, vous savez faire la part des choses, peser le pour et le contre. Au lieu de vous laisser emporter par le cours des événements, vous prenez du recul, ce qui vous permet d'évaluer la situation et de voir ce qu'il convient de faire. Ainsi, vous vous trompez rarement.

Vous êtes quelqu'un de secret, de renfermé même. On ne sait pas toujours ce que vous avez dans la tête. C'est vrai que vous réfléchissez beaucoup, vous êtes un contemplatif, votre vie psychique est très riche. En fait, vous êtes doué d'une intuition phénoménale et, même si vous raisonnez longuement, en fin de compte, c'est surtout à elle que vous vous fiez.

En affaires, votre flair vous aide grandement; vous faites d'ailleurs un excellent conseiller. Certes, vous avez peur de l'échec, mais cela vous motive à faire mieux et, comme vous évitez les risques, vous finirez vos jours à l'aise. D'ailleurs, vous êtes trop économe pour jeter l'argent par les fenêtres et vous n'aimez guère qu'on vous en demande. Par contre, vous êtes généreux de votre temps comme de vos conseils.

L'inconnu vous attire, vous devinez les choses et les gens; les connaissances oubliées, les savoirs secrets vous intriguent et vous intéressent. Vous êtes pacifique, conciliant, mais, en même temps, vous avez une volonté inébranlable; vous ne prenez pas vos adversaires de front, toutefois, subtilement, vous réussissez à avoir le dessus: rien ne vous échappe.

Vous pourriez faire votre marque dans des domaines tels que la politique, la psychologie, la philosophie, l'enseignement, la loi, la recherche, l'investigation et, grâce à votre sixième sens si remarquable, en voyance ou en astrologie... Comme vous recherchez toujours la perfection, vous excellerez!

Vous avez un charme fascinant, presque hypnotique, mais vous n'êtes pas particulièrement tendre. En réalité, vous êtes possessif, jaloux, mais la fidélité ne vous étouffe pas. Par contre, quand vous aimez réellement, quand vous trouvez un conjoint stimulant tant physiquement qu'intellectuellement, vous vous stabilisez; vous devenez alors loyal et affectueux.

- Vos plus belles qualités: Philosophe, pacifique, sage, modéré, intuitif, déterminé, économe, sensé, magnétique.
- Vos péchés mignons: Renfermé, avaricieux, sournois, mystérieux, peureux.

ET SELON LES SAGES ORIENTAUX

- Votre domaine symbolique: Le serpent qui se mange la queue, symbole de la vie et de l'éternel recommencement.
- Votre arme: Le regard du serpent qui hypnotise ses proies.
- Nom chinois de votre signe: *Che*.
- Symbole:

蛇

LE CHEVAL

Vous êtes vif comme l'éclair, ou plutôt rapide comme l'étalon qui parcourt les plaines. Votre vivacité, votre entrain et votre énergie se remarquent dès qu'on vous aperçoit. De plus, vous êtes ambitieux et vous savez pertinemment qu'une bonne méthode de travail ainsi qu'un bon plan d'action vous permettront d'atteindre vos objectifs plus efficacement... et plus vite.

Évidemment, avec de telles aptitudes, la patience n'est pas votre fort; attendre vous met en rogne, les projets à trop long terme finissent par vous démotiver. Vous êtes un être d'action: vous avez besoin de bouger, de voir les choses avancer. Vous êtes aussi très indépendant et fier; vous préférez agir par vous-même plutôt que de demander des conseils, quitte à recommencer d'une autre manière si vous voyez que les choses ne progressent pas à votre goût.

Quel brillant causeur vous êtes! Votre éloquence est une de vos forces et, qu'il s'agisse d'une négociation difficile ou d'une conversation de salon, vous trouvez les mots qu'il faut pour étonner, surprendre et désarmer votre interlocuteur. Votre pouvoir de persuasion est très fort, vous feriez donc un avocat, un représentant ou un diplomate brillant. La poésie, la peinture, l'architecture, l'import-export, le commerce et tout ce qui touche aux voyages vous conviendraient aussi très bien.

Vous êtes loyal et honnête; la richesse en elle-même ne vous dit rien; ce sont les contacts humains, tout ce que vous pouvez apprendre ou découvrir et surtout la liberté qui importent pour vous.

Cela vous permet d'être audacieux dans le cadre de votre emploi, d'en changer lorsqu'il n'y a plus de nouveaux défis à relever, d'élargir vos horizons. Vous êtes souple, polyvalent, mais, parfois, à la limite, cela devient un défaut et, alors, vous changez constamment de direction... Difficile de réussir dans de telles conditions.

Vous êtes sociable, vous aimez échanger des idées, rencontrer du monde, briller; vous avez de l'esprit, de l'humour à revendre, et on apprécie votre présence. Pourtant, votre assurance cache parfois une pointe d'insécurité; souvent, les autres ont davantage confiance en vous que vous-même.

Sur le plan affectif, vous êtes très séduisant. Vous vous emballez facilement, vous êtes passionné, exalté. Vous êtes capable de faire des folies pour attirer l'attention de la personne dont vous rêvez. En amour, vous iriez jusqu'à donner votre chemise: vous êtes d'une telle générosité. Par contre, aussitôt que votre relation devient routinière, vous perdez de l'intérêt pour votre partenaire et vous avez envie d'aller voir ailleurs. Si vous trouvez le conjoint idéal, qui sache vous amuser tout en vous laissant votre liberté, alors vous devenez constant et protecteur.

- Vos plus belles qualités: Ambitieux, vif, drôle, ardent, désintéressé, éloquent, séducteur, persuasif, loyal, brillant.
- Vos péchés mignons: Frivole, changeant, perd vite sa motivation, peur de la routine, instable.

ET SELON LES SAGES ORIENTAUX

- Votre domaine symbolique: Les grands espaces et les eaux que caresse Vahu, le dieu du Vent.
- Votre arme: La vitesse et l'insaisissabilité de l'étalon qui pourfend les vents.
- Nom chinois de votre signe: *Mha*.

- Symbole:

LA CHÈVRE

Vous avez une nature bucolique; vous êtes très doux, calme, facile à vivre, mais aussi sensible. La beauté et la paix sont le centre de votre vie, et vous avez besoin d'être entouré de ces éléments pour vous sentir bien dans votre peau. Sachez que vous êtes le seul animal «féminin» en astrologie chinoise.

Vous avez des goûts raffinés, artistiques même, et vous avez une forte créativité. On ne peut pas dire que vous ayez le sens pratique, mais si quelque chose vous tient à cœur, vous devenez perfectionniste. D'ailleurs, cette recherche de la perfection vous rend hésitant, parfois au point d'être incapable de fixer votre choix ou de prendre une décision. Souvent même vous préférez que d'autres décident à votre place. Pourtant, lorsque vous avez finalement pris un parti, vous avez le courage de vos opinions et êtes capable de les défendre.

Vous avez un naturel discret, réservé, mais votre gentillesse vous permet de vous faire aisément des amis, d'intéresser les gens à votre sort et de trouver les appuis dont vous avez besoin. Vous avez parfois même une petite tendance à profiter des situations qui passent et à être opportuniste. Il est vrai que, chez vous, le sens des responsabilités n'est pas très développé, que vous êtes plutôt «suiveur» que fonceur. Heureusement, votre flair vous guide bien, et vous vous retrouvez rarement dans le pétrin.

Avouez que vous êtes un peu rêveur, mais quelle inspiration vous avez! Vous pourriez faire votre marque dans les arts, bien sûr, mais aussi dans l'artisanat, la comédie, le commerce, les relations publiques, le jardinage ou les soins aux animaux. Cependant, vous hésitez à faire cavalier seul: tant professionnellement que financièrement, vous avez besoin d'un partenaire, d'un associé ou d'un collègue qui vous stimule, qui vous donne le goût de percer.

Vivre dans une ambiance harmonieuse, loin du brouhaha et des affrontements du monde extérieur est important pour vous. C'est donc dans votre petit nid, généralement douillet, que vous vous ressourcez, que vous reprenez vos forces. Dans votre intérieur, entouré de ceux que vous aimez, vous devenez le centre d'attraction. En passant, vous êtes un hôte remarquable.

Votre vie émotive est très importante; vous cherchez un compagnon de vie qui vous apporte la sécurité affective, le soutien dont vous avez besoin. Si, en plus, il vous offre le confort matériel, vous serez comblé. Vous aimez bien dépenser; vous avez vos petits caprices. Les attentions et les marques de gentillesse vous enchantent. Par contre, vous êtes très amoureux, très généreux et vous donnez sans compter.

- VOS PLUS BELLES QUALITÉS: Sensible, doux, intuitif, inspiré, affectueux, conciliant, sociable, esthète.
- VOS PÉCHÉS MIGNONS: Capricieux, irresponsable, indécis, profiteur, rêveur, manque de sens pratique, dépendant.

ET SELON LES SAGES ORIENTAUX

- VOTRE DOMAINE SYMBOLIQUE: Les nuages, qui indiquent la possibilité de s'élever et de s'améliorer.
- VOTRE ARME: La douceur attachante du mouton se fiant au berger qui le nourrit.
- NOM CHINOIS DE VOTRE SIGNE: *Zhu.*
- SYMBOLE:

LE SINGE

Vous aimez rire, êtes facétieux, on pourrait même dire que vous êtes «drôle comme un singe»; avec vous, on ne s'ennuie jamais. Vous avez l'esprit vif, vous êtes curieux, éveillé, vous vous intéressez à un tas de choses; les nouveautés vous attirent énormément. Vous êtes un vrai fantaisiste, bourré d'imagination et, pour couronner le tout, vous avez une mémoire d'éléphant.

Où que vous soyez, votre originalité et votre humour vous permettent de prendre le plancher. Vous êtes un vrai boute-en-train; votre bonne humeur rayonnante fait qu'on vous apprécie; vous êtes toujours bien entouré. En fait, vos attitudes affables vous attirent facilement amitiés et appuis. D'ailleurs, si vous sentez qu'une personne a besoin d'un coup de pouce, vous êtes le premier à l'épauler. Par contre, quand vous n'aimez pas quelqu'un, vous pouvez vous montrer assez mesquin.

Malgré votre entregent, vous ne perdez jamais de vue vos intérêts; vous ne faites confiance qu'à vous-même. Vous êtes observateur, perspicace, vous découvrez rapidement le point faible de vos compétiteurs et vous n'hésitez pas à en profiter. Vous êtes aussi doué pour sauter sur les occasions. Vous êtes discipliné et vous trouvez des solutions ingénieuses aux problèmes les plus complexes. La concurrence ne vous fait pas peur; vous êtes habile à vous défendre, et, au lieu de vous effrayer, les défis vous stimulent. Il faut dire que vous réagissez rapidement, ce qui fait qu'on vous prend rarement au dépourvu.

Dans vos relations interpersonnelles, vous êtes amusant, jovial, mais il ne faut pas trop se fier à vous. Sous votre carapace se cache quelqu'un de très adroit, de rusé même, qui a souvent le tour de faire travailler les autres à sa place. Vous avez également un peu tendance à sous-estimer les autres; vous adorez les impressionner, briller et être le centre d'attraction. Avouez que l'humilité ne vous étouffe pas.

Vous êtes capable de mener plusieurs activités de front, et, avec tous vos talents, vous amassez facilement des sous, mais vous n'aimez pas les restrictions et vous dépensez sans compter. Qu'importe, votre porte-monnaie se remplira à nouveau. Parmi les carrières qui vous conviennent, il y a évidemment celle d'amuseur public, de comédien, de diplomate ou de politicien. Les sciences, le commerce, la littérature et les affaires vous conviennent aussi tout à fait.

Vous êtes changeant en amitié, et plus encore en amour. Vous vivez des relations enflammées, puis vous vous demandez ce que vous avez bien pu trouver à cette personne. En vérité, malgré votre émotivité, vous demeurez lucide et, intérieurement, vous gardez la tête froide. Ce qui compte avant tout, c'est que votre partenaire puisse vous surprendre, vous divertir et vous amuser comme vous le faites si bien!

- Vos plus belles qualités: Amusant, drôle, boute-en-train, convaincant, érudit, éveillé, esprit vif, lucide, perspicace.
- Vos péchés mignons: Mesquin, rusé, profiteur, opportuniste, dépensier.

ET SELON LES SAGES ORIENTAUX

- Votre domaine symbolique: L'illusion que crée le bateleur du jeu de tarot.
- Votre arme: Les facéties du singe qui distraient… le laissant libre d'agir à sa guise.
- Nom chinois de votre signe: *Hoo.*
- Symbole:

LE COQ

Vous aimez vous faire remarquer, briller, vous connaissez l'art de plaire, et ceux que vous côtoyez sont surpris par le magnétisme qui se dégage de vous. Au cours des réunions sociales, tous les yeux se tournent vers vous, ce qui vous donne une petite tendance à la vantardise et à la fanfaronnade. On pourrait dire que vous êtes «fier comme un coq».

Vous avez beaucoup d'imagination, vous êtes un grand rêveur, et votre conversation est toujours intéressante. Vos idées sont plutôt conservatrices, et ce n'est pas facile de vous en faire changer; on vous trouve souvent un peu rigide, voire inflexible. Vous êtes franc et vous ne mâchez pas vos mots; ce n'est pas la diplomatie qui vous étouffe. Parfois, votre franchise blesse vos interlocuteurs, mais même vos adversaires doivent convenir que vous êtes honnête et sincère.

Malgré cet extérieur brillant, vous êtes plutôt secret et renfermé. Vous êtes sélectif dans le choix de ceux à qui vous accordez votre confiance et vous avez un grand besoin d'être aimé. Vous manquez de sécurité et, pour cette raison, vous recherchez rien de moins que la perfection dans tout ce que vous faites. À la limite, vous risquez de vous perdre dans des détails sans importance ou même d'avoir une petite tendance à l'obsession. Néanmoins, en règle générale, vous êtes un excellent planificateur et vous n'avez pas peur d'investir temps et énergie pour atteindre les objectifs que vous vous êtes fixés.

Vous cherchez constamment à vous surpasser, vous êtes un travailleur acharné et vous êtes prêt à tout pour défendre vos acquis. De fait, vous pouvez même vous emporter lorsque les choses n'avancent pas à votre goût. Vous ne comptez pas sur la chance, au contraire, vous savez que l'argent est difficile à gagner; vous voulez donc profiter au maximum du fruit de vos efforts. Votre acharnement vous permettra très probablement de finir vos jours bien à l'abri du besoin.

Votre sociabilité et votre sens de l'organisation sont de précieux atouts, particulièrement dans des domaines tels que le théâtre, la peinture, la danse, les relations publiques, la vente, la promotion, la publicité, l'hôtellerie, la restauration, la chirurgie, les soins dentaires ou même l'investigation et la sécurité.

Vous soignez toujours votre apparence, vous aimez plaire, vous pavaner... Mais, en même temps, vous avez un peu peur du ridicule, ce qui vous rend craintif, jaloux même. L'essentiel pour vous, c'est de trouver l'âme sœur, qui vous admire, qui sera à la hauteur de vos désirs... et que vous serez fier de montrer à votre bras en société.

• VOS PLUS BELLES QUALITÉS: Beau parleur, brillant, sociable, planificateur hors pair, déterminé, économe, franc, conservateur.

• VOS PÉCHÉS MIGNONS: Vantard, jaloux, renfermé, craintif, coléreux, inflexible, rigide, manque de tact.

ET SELON LES SAGES ORIENTAUX

• VOTRE DOMAINE SYMBOLIQUE: Le soleil éclatant, dont le chant du coq annonce le lever.

• VOTRE ARME: Le tempérament combatif du coq.

• NOM CHINOIS DE VOTRE SIGNE: *Ji*.

• SYMBOLE:

LE CHIEN

À l'image de l'animal qui symbolise votre signe, vous êtes fidèle, loyal et vigilant, mais vous êtes également très craintif et vous demeurez constamment sur vos gardes. Il en résulte que, même pour les personnes que vous côtoyez sur une base quotidienne, il est souvent difficile de vraiment vous connaître.

Vous avez bon cœur: vous cherchez toujours le moyen d'améliorer les conditions de vie de vos congénères. L'injustice et la souffrance humaine touchent une de vos cordes sensibles; vous pouvez déployer beaucoup d'énergie pour défendre une cause qui vous tient à cœur. Vous êtes un idéaliste, et la poursuite de vos buts passe bien avant votre confort ou vos intérêts personnels. Vous êtes capable de sortir des sentiers battus et vous deviendrez un leader hors pair.

On vous apprécie pour votre générosité et votre sens du devoir. Vous êtes tellement intègre que vous ne mâchez pas vos mots: vous ne vous gênez pas pour dire ce que vous pensez... au risque de choquer vos interlocuteurs. Bien sûr, on trouve que vous êtes critique, bougon, parfois même agressif; pourtant, ceux qui vous connaissent savent que c'est une carapace qui masque votre grande sensibilité et votre bonté.

À force de voir les problèmes qui vous entourent, vous avez l'impression que tout va mal, que tout le monde cherche à profiter des autres et de vous. Cela vous prédispose à l'angoisse; vous avez des idées noires, vous êtes même pessimiste. Comme un chien de garde, vous êtes toujours aux aguets de ce qui pourrait arriver.

Parce que vous êtes désintéressé, vous ne misez pas trop sur vos affaires. Du moment que vos revenus vous permettent de faire vivre votre petite famille, vous êtes satisfait; quant au surplus, vous le dépensez aussitôt. Vous n'êtes pas matérialiste, vous ne recherchez pas non plus la gloire, ce qui fait de vous un associé idéal ou un employé modèle. Les sphères où vous pourriez donner vos pleines capacités sont les soins, la religion, le monde syndical, la loi, la philosophie, le journalisme, la politique, l'enseignement. Quelle que soit la voie que vous choisirez, vous songerez avant tout au bien que vous pourrez apporter à ceux qui vous entourent.

Sur le plan interpersonnel, vous n'êtes pas vraiment sociable: les réunions mondaines et les bandes d'amis ne sont pas votre fort. Vous êtes de nature plutôt solitaire, vous parlez peu de vous, néanmoins, vos qualités vous rendent attachant. En amour, vous vous montrez fidèle, dévoué, honnête, mais vous êtes en même temps craintif et tourmenté; vous avez toujours peur de perdre l'être aimé. Vous avez besoin d'un compagnon qui a une forte personnalité, qui partage vos idéaux et qui saura dissiper vos inquiétudes.

- VOS PLUS BELLES QUALITÉS: Loyal, généreux, vigilant, toujours prêt à aider ceux qui sont dans le besoin, compatissant, désintéressé, sensible.
- VOS PÉCHÉS MIGNONS: Renfermé, anxieux, craintif, critique, pessimiste, peu rassuré, manque de tact.

ET SELON LES SAGES ORIENTAUX

- VOTRE DOMAINE SYMBOLIQUE: La complémentarité du chien-loup qui mène à la purification et à la poursuite d'un idéal.
- VOTRE ARME: La vaillance du chien qui n'hésite pas à se sacrifier pour son maître.
- NOM CHINOIS DE VOTRE SIGNE: *Goo.*
- SYMBOLE:

LE COCHON

Contrairement à ce que l'on croit, le cochon est un animal très propre, et, chez vous aussi, tout est resplendissant de propreté. Vous avez gardé votre cœur d'enfant et vous le conserverez toute votre vie; c'est ce qui fait votre charme. Vous êtes gentil, tolérant, compréhensif et pacifique. En fait, vous détestez tellement les complications et la chicane que vous dites comme vos interlocuteurs... même lorsque vous savez pertinemment qu'ils sont dans l'erreur. La paix et l'harmonie n'ont pas de prix pour vous.

Vous êtes sincère, vous faites facilement confiance, parfois trop vite, et cela peut se retourner contre vous en affaires. Heureusement, vous ne gardez pas rancune. Malgré votre bon tempérament, malgré votre douceur, vous avez beaucoup de force de caractère; vous pouvez même être têtu. Votre détermination vous aide à mener à bien vos entreprises; on peut toujours compter sur vous et sur votre loyauté.

Vous êtes travailleur, assidu, et la réussite professionnelle compte énormément à vos yeux. Les affaires, la Bourse, les professions libérales, les arts, la littérature, les soins, l'architecture, la décoration et la restauration (vous êtes si gourmand) sont des domaines qui vous conviennent parfaitement. Vous avez beaucoup de facilité à gagner de l'argent et vous en dépensez beaucoup aussi; vous aimez tellement gâter ceux que vous aimez. Par contre, vous n'êtes pas chaud à l'idée d'en prêter, sans doute en raison de quelques mauvaises expériences.

Vous respectez scrupuleusement vos engagements; votre parole vaut de l'or. Avouons à ce propos que vous avez parfois du mal à vous décider; vous pesez et soupesez le pour et le contre pendant des jours avant de faire votre choix. Vous préférez agir seul, sans demander l'avis de ceux qui vous entourent, et lorsque vous avez quelque chose en tête, il est impossible de vous faire démordre de votre idée.

Parmi les inconnus, vous vous faites discret. Toutefois, dans votre petit cercle, entouré de ceux que vous aimez, vous savez divertir, faire rire. Vous avez peu d'amis, mais vous pouvez vraiment compter sur eux. Vous consacrez beaucoup de temps à votre famille et à votre progéniture. Votre domicile est votre refuge, et vous le voulez confortable et accueillant; on se sent si bien chez vous!

Vous savez amuser, plaire, et on ne reste pas insensible à vos beaux yeux; vous aimez bien le plaisir, les bonnes choses de la vie, et votre sensualité est raffinée. Malgré votre tolérance habituelle, en amour, vous vous montrez possessif; la vie de couple est, rappelons-le, très importante pour vous.

• Vos plus belles qualités: Cœur d'enfant, pacifique, généreux, amusant, tolérant, déterminé, honnête, sens de la famille, propre.

• Vos péchés mignons: Crédule, indécis, obstiné, sensuel, peur de la chicane et des affrontements.

ET SELON LES SAGES ORIENTAUX

• Votre domaine symbolique: Le chêne qui symbolise la solidité, la longévité et l'hospitalité.

• Votre arme: Le calme et la douceur qui cachent la détermination du cochon.

• Nom chinois de votre signe: *Zhu.*

• Symbole:

L'ascendant chinois sans calcul

L'ascendant chinois est vraiment facile à trouver: il n'y a aucun calcul à faire; tout ce qu'il faut, c'est votre heure de naissance.

Une fois que vous l'avez, consultez ce qui suit pour connaître votre ascendant chinois.

Évidemment, il faut s'en tenir à l'heure réelle. Vous pouvez vous référer au chapitre «Trouver son ascendant, c'est facile!», à la page 39, pour savoir si, le jour de votre naissance, l'heure était avancée ou non. Si elle l'était, enlevez une heure et continuez.

Si vous êtes né:	Votre ascendant chinois est:
entre minuit et 1 h	Rat
entre 1 h et 3 h	Buffle
entre 3 h et 5 h	Tigre
entre 5 h et 7 h	Chat
entre 7 h et 9 h	Dragon
entre 9 h et 11 h	Serpent
entre 11 h et 13 h	Cheval
entre 13 h et 15 h	Chèvre
entre 15 h et 17 h	Singe
entre 17 h et 19 h	Coq
entre 19 h et 21 h	Chien
entre 21 h et 23 h	Cochon
entre 23 h et minuit	Rat

Maintenant, en plus de savoir votre signe chinois, vous connaissez aussi votre ascendant. Vous voyez comme c'est simple!

Il ne vous reste qu'à consulter les pages qui suivent.

Votre ascendant chinois

ASCENDANT RAT

Si vous avez un ascendant Rat, vous êtes un peu craintif de nature; vous n'accordez pas facilement votre confiance. À première vue, on vous trouve distant, froid, mais lorsqu'on vous connaît bien, on apprécie vos belles qualités.

Vous avez l'esprit pratique, vous trouvez des solutions ingénieuses aux problèmes qui se posent, vous savez tirer parti des bonnes occasions qui passent et, dans les discussions, vous réussissez à faire passer vos idées, à convaincre vos interlocuteurs.

En fait, vous êtes dangereusement convaincant et vous finissez souvent par faire agir les gens à votre guise sans même qu'ils s'en aperçoivent. En amour, vous êtes passionné, mais vous avez besoin d'un partenaire que vous admirez.

ASCENDANT BUFFLE

On peut vous faire confiance; vous êtes quelqu'un de réservé qui gagne énormément à être connu. Vous avez un côté traditionaliste et sérieux qui rassure. D'ailleurs, vous êtes honnête et franc, et ce, tant en affaires qu'en amitié.

Vous êtes travailleur, vous vous organisez bien, vous ne ménagez pas vos efforts, et c'est justement grâce à votre détermination que vous ferez votre chemin. Côté sous, vous êtes économe et prévoyant et, en général, vous finissez vos jours bien à l'aise.

En amour, vous recherchez avant tout la loyauté et la stabilité; il faut prendre son temps pour vous apprivoiser, mais quand vous aimez, c'est pour la vie. Votre famille compte énormément à vos yeux; c'est dans votre petit monde que vous êtes le mieux.

ASCENDANT TIGRE

Vous n'avez peur de rien, vous êtes même téméraire. Vous êtes un meneur d'hommes et les nouveaux défis vous stimulent. Votre persévérance, votre ambition et votre vive intelligence vous permettront d'atteindre les cimes.

En affaires, vous faites fi des conventions: vous avez besoin d'agir à votre guise. D'ailleurs, vous avez une excellente vue d'ensemble des situations. Vous possédez le don de gagner de l'argent, mais on dirait qu'il vous coule entre les doigts.

Sur le plan affectif, c'est tout ou rien. Vous vivez des passions enflammées, vous devez nécessairement idéaliser celui que vous aimez. Vous avez besoin d'un conjoint brillant, qui sache vous surprendre et vous stimuler, un compagnon d'aventures.

ASCENDANT CHAT

Vous êtes quelqu'un de très sociable: vous aimez voir des gens, vous courez les réceptions et les mondanités. Cela vous donne l'occasion de briller. En vérité, votre pouvoir de séduction est exceptionnel. Vous aimez les belles choses et l'on remarque votre élégance naturelle.

Vous avez l'étoffe d'un diplomate: vous savez comment parler aux gens, comment les convaincre, et vous êtes un habile négociateur. Par contre, vous préférez éviter les affrontements ouverts. Votre conservatisme se perçoit, tant dans votre façon d'agir que dans vos affaires.

Votre vie affective est très importante et romantique à souhait, vous savez comment charmer, comment plaire... mais en même temps, vous avez un côté hésitant et vous avez peur qu'on vous fasse du mal. Les critiques et les querelles vous déplaisent tellement!

ASCENDANT DRAGON

Vous ne passez pas inaperçu; en fait, vous êtes une personne flamboyante et magnétique. Vous aimez que les choses se déroulent à votre manière et avouez que vous n'êtes pas très patient. Néanmoins, vous ne ménagez pas vos efforts et vous finissez par atteindre vos objectifs, si ambitieux soient-ils.

Vous avez confiance en vous; vous savez que vous avez énormément de talent, et votre détermination est un atout précieux. En affaires, vous réussissez à surmonter les obstacles. L'argent vient à vous, mais comme il est fait pour circuler, vous le dépensez sans compter.

En amour, vous recherchez constamment la perfection et vous prenez beaucoup de temps à vous fixer. En général, on vous aime plus que vous aimez, et comme vous avez beaucoup de magnétisme, vous pouvez briser bien des cœurs avant de rencontrer le compagnon idéal.

ASCENDANT SERPENT

Vous êtes un philosophe qui voit clair; votre sagesse est remarquable et vous permet de réussir là où d'autres échouent. Vous cherchez à atteindre la perfection en tout. De plus, vous avez une intuition phénoménale qui vous trompe rarement.

Dans vos activités comme en affaires, vous êtes prudent et avisé. Vous ne prenez pas de décision à la légère; votre flair vous aide à faire les bons choix. Vous êtes déterminé à atteindre l'aisance et vous y arriverez. Ajoutons que vous êtes économe, parcimonieux même.

Vous avez un charme puissant; néanmoins, on ne peut pas dire que vous êtes tendre ou romantique. Vous êtes possessif, mais en même temps vous ne détestez pas regarder ailleurs. Lorsque vous aimez vraiment, vous devenez un conjoint loyal sur qui on peut compter.

ASCENDANT CHEVAL

Votre plus grande force est votre vitesse. Votre rapidité se reflète tant dans votre esprit que dans vos actes; il faut que ça bouge, et vite! Vous êtes un causeur brillant, vos reparties vives et percutantes vous aident en affaires comme en public.

La routine vous ennuie profondément: vous avez besoin de relever des défis, d'échanger, de rencontrer de nouveaux visages, sans quoi vous vous étiolez. Vous êtes sympathique et populaire et votre liberté vaut plus que toutes les richesses du monde.

Vous êtes un grand séducteur, vous tombez vite amoureux et êtes prêt à tout pour conquérir celui ou celle qui vous intéresse… mais souvent ce ne sont que des feux de paille. Le conjoint idéal doit renoncer à vous mettre en cage; vous vous montrerez alors attentif et généreux.

ASCENDANT CHÈVRE

L'harmonie et la beauté comptent beaucoup à vos yeux; vous êtes doux, raffiné et conciliant. Parfois, au point d'avoir du mal à prendre des décisions. C'est chez vous, dans votre petit noyau familial, que vous vous sentez le plus à l'aise.

Votre vie intérieure est très riche; vous êtes un artiste inspiré, mais vous manquez souvent de confiance. Seul, vous rêvassez plus que vous n'agissez… Heureusement, vous finissez presque toujours par trouver quelqu'un, collègue, associé ou conjoint, qui vous aide et qui vous stimule.

Côté cœur, votre émotivité est très forte. Vous avez beaucoup de charme. Vous rêvez d'un partenaire qui vous comprenne, qui vous réconforte et, si possible, qui vous gâte. En effet, les cadeaux et les petites attentions vous font fondre, et vous aimez autant en donner qu'en recevoir.

ASCENDANT SINGE

Vous êtes un vrai fantaisiste, plein d'originalité et d'humour; on ne s'ennuie pas une seconde avec vous. Vous êtes curieux, vous vous intéressez à tout et votre mémoire phénoménale épate tous ceux que vous rencontrez. En fait, vous êtes très sociable, vous aimez les contacts humains et vous prenez souvent la vedette.

Ayant la capacité de faire plusieurs choses à la fois, vous êtes travailleur, discipliné, et vous avez beaucoup de potentiel. Vous êtes un négociateur dangereusement convaincant, et malgré vos dehors amusants, vous ne perdez jamais de vue vos intérêts. Vous pouvez même embobiner les autres quand vous le voulez.

En amour, vous vous emballez vite et vous vous fatiguez aussi vite. Vous êtes plutôt changeant et, comme vous êtes conscient de votre nature fuyante, il est rare que vous vous engagiez à fond. Pour être heureux, vous avez besoin d'un complice capable de vous amuser, de vous divertir et, surtout, de vous faire rire.

ASCENDANT COQ

À première vue, vous avez de l'entregent, vous êtes communicatif, magnétique; vous aimez briller en société. De nombreux amis composent votre entourage. Pourtant, même si vous êtes un beau parleur, vous demeurez toujours sur la défensive et vous ne vous ouvrez pas facilement.

Votre désir de toujours faire mieux vous rend perfectionniste, parfois au point de vous perdre dans les détails. Heureusement, votre détermination, vos dons de planificateur hors pair et votre agressivité constructive vous permettront d'aller loin. Côté sous, vous êtes prévoyant et sage.

Vous vous souciez beaucoup de votre apparence et vous plaisez beaucoup, mais admettez que vous êtes exigeant: il vous faut un conjoint loyal — car vous êtes un peu jaloux de nature — qui vous admire et que vous serez fier de présenter à vos amis.

ASCENDANT CHIEN

Vous êtes un idéaliste généreux et intègre; vous possédez une nature foncièrement loyale, même si parfois vous êtes un peu grognon.

Votre point faible est certes votre tendance à vous inquiéter, à voir tout en noir; vous êtes constamment sur la défensive et, à la limite, vous pouvez même souffrir d'anxiété.

La souffrance humaine vous émeut beaucoup; vous préférez mettre votre énergie au service d'une grande cause plutôt que de penser à votre intérêt personnel. Honnête et franc, vous n'avez pas peur de dire ce que vous pensez. D'ailleurs, vous avez la critique très facile.

En société, on vous trouve attachant, quoique vous soyez plutôt renfermé. Sous votre carapace, se cache un grand sentimental qui a toujours peur d'être blessé. Manque de confiance et insécurité risquent de déteindre sur votre vie de couple. En plus de partager votre vision de la vie, votre conjoint devra apprendre à vous sécuriser.

ASCENDANT COCHON

Vous avez l'âme d'un enfant, vous êtes sans malice et vous donnez facilement votre confiance. Votre générosité et votre grande tolérance font qu'on vous apprécie. Pourtant, vous ne vous sentez à votre aise que dans votre petit cercle d'amis; vous sentez que vous pouvez vraiment compter sur eux.

Malgré votre gentillesse et votre gaieté, vous savez ce que vous voulez, et ce n'est pas facile de vous faire changer d'idée. Comme vous n'aimez pas la chicane, alors vous dites comme votre interlocuteur… quitte à faire ensuite à votre tête. En affaires, malgré votre crédulité, vous avez une bonne aptitude à gagner de l'argent.

Vous gâtez beaucoup ceux que vous aimez, votre petite famille. Vous investissez pour rendre votre nid bien confortable. En fait, vous aimez les bonnes choses de la vie et vous êtes un excellent amoureux. Vous avez toutefois besoin de pouvoir vous fier à votre conjoint et, à la rigueur, vous vous montrez quelque peu jaloux.

Ils ont le même signe chinois que vous

RAT

Doris Day, Linda de Suza, Marie Denise Pelletier, Wayne Gretzsky, Clark Gable, Carol Burnett, Nana Mouskouri, Pierre Bertrand, Nancy Martinez, André-Philippe Gagnon.

BUFFLE

René Simard, Daniel Lavoie, Jean Coutu, Charles Trenet, Walt Disney, Michel Louvain, Carole Laure, Jean-Pierre Coallier, Peter Gabriel, Corey Hart, André Gagnon, Bruce Springsteen.

TIGRE

Marie Michèle Desrosiers, Jerry Lewis, Louise Portal, Martine St-Clair, Olivier Guimond, Félix Leclerc, Charles Dutoit, Claude Poirier, Marilyn Monroe, Andrée Boucher, Tina Turner.

CHAT

Brian Mulroney, Billie Holiday, Sylvie Bernier, Bob Hope, Guy Lafleur, Renée Claude, Michel Rivard, Sting, Roger Moore, Sandra Dorion, Frank Sinatra, George Michael.

DRAGON

Richard et Marie-Claire Séguin, Jean Drapeau, Marie Philippe, Serge Laprade, Pierre Lalonde, Bing Crosby, Christian Dior, Faye Dunaway, John Lennon, Gino Vanelli.

SERPENT

Jacques Brel, Sylvie Tremblay, Claude Barzotti, Marjo, Nicole Leblanc, Greta Garbo, Marc Favreau, Grace de Monaco, Martin Luther King, Francis Cabrel, Pierre Labelle.

CHEVAL

Barbra Streisand, Michel Fugain, Janet Jackson, Jean-Paul II, Paul McCartney, Geneviève Bujold, Édith Butler, Lise Watier, Janis Joplin, Martine Chevrier, Aretha Franklin, Samantha Fox.

CHÈVRE

Suzanne Lévesque, Tino Rossi, Denise Filiatrault, Michel Tremblay, Louise Forestier, Lise Payette, Alys Robi, Andrée Lachapelle, Daniel Lemire, Mick Jagger, Angèle Arsenault.

SINGE

Elizabeth Taylor, Diana Ross, Céline Dion, Joan Crawford, Claude Blanchard, Yves Corbeil, Claude Léveillée, Julio Iglesias, Mike Bossy, Dalida, Mario Tremblay.

COQ

Simone Signoret, Janine Sutto, Joan Collins, Jean-Paul Belmondo, Michel Jasmin, Bette Midler, Clémence DesRochers, Joe Bocan, Dolly Parton, Robert Bourassa.

CHIEN

Liza Minnelli, Patrick Norman, Brigitte Bardot, Madonna, Michael Jackson, René Lévesque, Prince, Michèle Richard, mère Teresa, Jean-Pierre Ferland, Elvis Presley.

COCHON

Claude Dubois, Danielle Ouimet, Jean Lapointe, Jean Duceppe, Luciano Pavarotti, Ronald Reagan, Fred Astaire, Dudley Moore, Elton John, Irene Cara, Lucille Ball, Arnold Schwarzenegger.

Bibliographie

LUKAS, E., *L'extraordinaire pouvoir de la Lune,* Paris, Éditions de Vecchi, 1989, 192 p.

CHALIFOUX, Anne-Marie, D.N., *Mon cours d'astrologie,* Montréal, Communication Véga, 1991, 452 p.

L'illustration de la carte du ciel de l'an 2001 a été réalisée à l'aide du programme *Win*Vega3,* disponible au Pentogramme.

L'astrologie vous intéresse?

Nos cours sont faciles, amusants et abondamment illustrés;
ils ont été conçus pour ceux qui n'ont jamais fait d'astrologie
et vous pouvez les suivre à votre rythme, chez vous.

Pour avoir des renseignements sur nos services,
entre autres nos

Cours d'astrologie par correspondance

il suffit de nous faire parvenir une enveloppe de retour affranchie
sur laquelle vous aurez indiqué
votre nom et votre adresse.

Postez le tout par courrier régulier à:

Bureau d'Anne-Marie Chalifoux
738, avenue Bloomfield, bureau 8
Outremont (Québec) H2V 3S3

Achevé d'imprimer sur les presses de
Quebecor World L'Éclaireur
Beauceville